U0152183

大華（Majestic）酒店佔盡地利（1990）。（Photo: By Freddie Wong）

出席康城影展的一部份記者證。(Photo: By Freddie Wong)

市面店舖於影展期間都以電影商只品作招徠（1990）。（ Photo: By Freddie Wong ）

查布洛手印。(Photo: By Freddie Wong)

康城到處都是古董跑車。(Photo: By Freddie Wong)

敞篷跑車最受歡迎。(Photo: By Freddie Wong)

電影宮內向費里尼致敬的佈置之一（1990）。
（Photo: By Freddie Wong）

電影宮內向費里尼致敬的佈置（1990）。
（Photo: By Freddie Wong）

李安，章子怡，張震見記者（2000）。
（Photo: By Freddie Wong）

江志強，李安，楊紫瓊見記者（2000）。
（Photo: By Freddie Wong）

波蘭斯基獲金棕櫚獎後與演員見記者（2002）。
（Photo: By Freddie Wong）

郭利斯馬基獲評審團大獎，與最佳女演員見記者（2002）。
（Photo: By Freddie Wong）

（左起）古天樂，任達華，孫紅雷出席記者會（2007）。
（Photo: By Freddie Wong）

徐克，林嶺東，杜琪峯《鐵三角》（2007）。
（Photo: By Freddie Wong）

1978 年，第一次來康城，是住在火車站對面的 Robert's Hotel（2011）。
（Photo: By Freddie Wong）

Hotel Carlton 仍然是康城最重要的地標（2011）。（Photo: By Freddie Wong）

太喜歡者這地方了，居停了十多回，拍的照片多到可以出本畫冊（2011）。
（Photo: By Freddie Wong）

與陳可辛導演合照（2011）。（Photo: By Freddie Wong）

訪問陳可辛及甄子丹時留影（2011）。（Photo: By Freddie Wong）

與王羽大哥合照（2011）。（Photo: By Freddie Wong）

影展快要結束，與文友 Linda 和 Eric 嘆其海鮮拼盤（2011）。

影展期間的 Rue d'Antibes 周末時擠得水洩不通（2011）。（Photo: By Freddie Wong

早期叫 Hotel St-Yves，後來改名 Résidence St-Yves。(Photo: By Freddie Wong)

《孤城淚》獲評審團獎（2019）。

安東尼奧‧班特拉斯獲最佳男演員獎（2019）。

與皮爾威廉‧格連喜相逢。（Photo: By Freddie Wong）

舊電影宮原址，1982 年遷新址後改建成酒店（2019）。（Photo: By Freddie Wong）

只有海灘，沒有陽光（2019）。（Photo: By Freddie Wong）

超級跑車爭妍鬥麗（2024）。（Photo: By Freddie Wong）

作者夫婦（左三，左四）與電影圈好友晚膳（2024）。
（Photo: By Thomas Bertacche）

從法國、康城
看世界電影

黃國兆 著

黃國兆作品集

從法國、康城看世界電影

作　　者：黃國兆
責任編輯：黎漢傑
封面設計：Zoe Hong
內文排版：陳先英
法律顧問：陳煦堂 律師

出　　版：初文出版社有限公司
　　　　　電郵：manuscriptpublish@gmail.com

印　　刷：陽光印刷製本廠

發　　行：香港聯合書刊物流有限公司
　　　　　香港新界荃灣德士古道 220-248 號
　　　　　荃灣工業中心 16 樓
　　　　　電話：(852) 2150-2100　傳真：(852) 2407-3062

海外總經銷：貿騰發賣股份有限公司
　　　　　電話：886-2-82275988　傳真：886-2-82275989
　　　　　網址：www.namode.com

版　　次：2024 年 7 月初版
國際書號：978-988-76892-1-8
定　　價：港幣 168 元 新臺幣 640 元

Published and printed in Hong Kong

香港印刷及出版

香港藝術發展局 資助
Hong Kong Arts Development Council

香港藝術發展局全力支持藝術表達自由，
本計劃內容並不反映本局意見。

目錄

序一

寫給康城的情書

羅卡

　　康城對黃國兆君來説似是電影「聖城」，每年都要去「朝聖」一次。又似是他的初戀情人；他 1978 年尚在法國修讀電影之際，就以記者身份前往觀光並作了詳盡的報導，此後數十年總掛念著這初戀對象而作舊地重遊，每次都有綿綿情意、唏噓感慨而為文記之，因此而有本書的出現。此中，讀者諸君可以感知到他對電影的熱愛，對世界各地電影名家新秀之作，如新知舊雨相逢般娓娓而談，夾敘夾評，時或眉飛色舞、興奮莫名，亦有冷言冷語，乃至期望落空的低迴絮語。總而言之，此書既是作者飛越康城俯瞰世界電影新潮流的一手報導評論，也是他數十年來寫給戀戀康城的情書之結集。

　　説來慚愧，從事電影文化作業也有數十年，卻從未到過康城，更未參與過康城國際電影節。其實歐洲三大電影節其餘之

二——威尼斯、柏林我都未有光顧過，聽就聽得多了。讀國兆的本書，不但增長好多見聞，亦如置身熙來攘往、衣香鬢影的人群中，想像自己歷其境。他對康城太熟悉了，她可愛、不太可愛乃至黑暗的一面都看到了（比方書中寫到影展期間遇上罷工和示威抗議，又適逢大停電），和影展常客言談之間亦聽到不少內幕與風言風語，都一併記載下來。

老實說，我是頗不習慣參加豪華的社交場面，電影節嘛我還是喜歡比較小型的，專題性的。即使有任務在身，也可以比較有序閒適地一邊工作一邊享受，不用每天奔忙於放映場次，唯恐有所遺漏。讀國兆寫康城，則覺得康城既是國際電影盛事的場所，又是旅遊名勝、度假好去處。飽覽新作名作之餘，亦可在此瞻仰影界名人巨星，或者忙裡偷閒與新舊相識在露天咖啡座款談，享受陽光與海灘的慷慨施予。一樂也！

和國兆相識於 70 年代初中，正值火鳥電影會的開創期，一群電影「發燒友」在金炳興的帶領下艱苦經營但同甘共苦。法國留學回來後他轉戰了多個陣地，在和電影相關的「戰場」上時有相逢：香港藝術中心電影部、香港國際電影節、百老匯電影中心、電影評論學會。他為獨立電影當監製以及自資拍製編

導《酒徒》等等，深覺他驍勇善戰之同時亦懂得體察世情，感受生命的苦與樂。本書題名是「從法國康城看世界電影」，愚見以為亦不妨稱之為「從康城看世情」，這其間有著他數十年間對世局人情轉變的體會，對電影的產業與文化潮流的觀察，特別是華語電影市道的起落、藝術的走勢與乎國際聲譽的興替，都或有專文論述、或於字裡行間流露感想。如此一來，起初我比喻說這是國兆寫給康城的情書，這「情」不單指愛情的情，也指人情世故的情了。

羅卡序於　甲辰年元月十二日

關心歐美電影的影迷
必備的一部電影寶典

── 推介《從法國康城看世界電影》

梁良

　　對歐美電影稍感興趣的影迷，應該都會知道歐洲有三大國
際影展：法國康城影展、義大利威尼斯影展、德國柏林影展，
其中又以每年 5 月中旬於法國南部城市坎城舉行的「康城影展」
（Festival de Cannes，台灣稱「坎城影展」；大陸稱「戛納電影
節」）最受矚目也最有影響力。影展的正式競賽單元項目甚多，
每次各單元的入圍名單公布，即會受到該入圍影片的出品國特
別重視，連非競賽的正式觀摩長片入圍者也會引以為榮，簡直
成了世界影壇（尤其是藝術電影界）的指路明燈。因此，以法
國康城影展為座標拉出一條時間線，順藤摸瓜研究每一屆參加

影展的影片的相關報導和評論，即可對當年的世界電影發展情況有了一個清晰的概念。在這個背景下，香港影評人黃國兆積半生功力寫成的《從法國康城看世界電影》，可以說是關心歐美電影的影迷必備的一部電影寶典。

國兆兄於 1966 年在九龍新法書院畢業後，任職政府醫院 X 光技師，同時在法國文化協會業餘修讀法文課程，並開始於《中國學生周報》撰寫影評。1973 年與金炳興等電影「發燒友」成立「火鳥電影會」，並出任第一屆會長。1976 年考獲法國政府獎學金，前往巴黎法國私立電影學院（C. L. C. F.）攻讀電影。留法期間，曾擔任法國著名導演阿倫‧歌爾勞的助導。有了這些專業背景和歷史機緣，他得以在 1978 年親身參與康城影展，並以第一手資料寫成〈第 31 屆康城電影節速寫〉長文在香港的雜誌上發表，堪稱中文影評界第一人。當時在台灣和中國大陸，還沒有幾個人留意到歐洲三大影展。翌年，他又寫了〈在第 32 屆康城影展看到的《現代啟示錄》〉，是全球最早發表的《現代啟示錄》影評之一。

1979 年國兆兄畢業回港，出任香港國際電影節節目策劃，至 1983 年離任，正式投身香港電影圈。此期間，他以職務之便

參加了 3 年的康城影展，並寫成了詳盡的報導和評論。1993 年以後，國兆兄歷任香港藝術中心電影節目部經理、安樂影片公司業務發展總經理、百老滙電影中心總策劃等職務。他是余力為處女作《天上人間》的執行監製及投資人之一，1998 年本片進軍康城影展正式競賽項目，他是出力不少的幕後功臣。而自 1990 年代以後，兩岸三地的電影製作參加康城影展的數量也愈來愈多，華語媒體對此影展也日益重視，但多著眼於巨星走紅地毯的花邊新聞。真正內行的康城影展報導，還是得看國兆兄適時發表的長文，他對相關電影或敘或議，為世界電影歷史留下了珍貴紀錄，也為他本人的影評寫作留下了不少洞見。

　　收入本書最新的兩篇，是在 2023 年疫情後重啟的〈談第 76 屆康城電影節的話題作〉，以及新鮮熱辣的〈第 77 屆康城影展現場報導〉。此外，國兆兄還針對引領華語電影進入康城影展曾有重要貢獻的法國友人皮爾・利思昂特別撰寫了一篇專文〈康城之王：皮爾・利思昂〉加以介紹，使他長達近半個世紀的康城影展相關論述顯得更加圓滿。

自序

黃國兆

美國作家海明威曾經寫過一本自傳體裁的《流動的盛宴》(*A Moveable Feast*)，記述 1920 年代他旅居巴黎的生活。他在書中寫道：「如果你在年輕時有幸生活於巴黎，那無論你在哪裡度過餘生，巴黎都與你同在；因為巴黎，是一場流動的盛宴。」

對此，我深有同感。於我而言，巴黎和康城，是觀影生涯的一體兩面。自從 1978 年首次以影評人身份出席康城電影節，我每次從香港飛往康城，必定借機在巴黎停留三、五天，一方面訪友、購物，另外作一些電影策展的聯絡工作。

驀然回首，過去半世紀以來，我重訪巴黎和康城達數十次。這兩個我最深愛的外國城市，就等於是我的第二故鄉。尤其是康城電影節，那絕對是「活動影畫的饗宴」！

隨著歲月增長，漸漸生出一種美食家可以優先試食的良好感覺。唯一的例外，是 1999 年，我參與投資和監製的影片《天上人間》(*Love Will Tear Us Apart*) 幸運地入選官方競賽項目，

於是由選擇美食的一方，變成提供菜式的製作方。因為還肩負海外發行的重責，只好暫時放下老饕的身段。無可否認，這是一次非常難得的經驗。然後發覺，當一個品嚐美食的食家，總比下廚烹飪的廚師舒服。結果，每次出席康城影展，只滿足於挑選自己心愛的「菜式」。

說來慚愧，我十多年前已經有出版這本《康城》專書的念頭，而且還跟上海某大出版社簽好出版合約。當時是以《戛納電影節三十年》作為書名。碰巧我籌備多年的《酒徒》拍攝計劃又水到渠成，一人身兼編劇、導演、監製、發行等工作，簡直忙得喘不過氣來，於是只好把《戛納》的出版計劃暫時擱下。及後，拍片和上片工作告一段落，我又發覺如要先出版國內簡體字版，繁簡轉換，反而簡單，主要困難是書中提到的眾多片名和導演名字，香港和國內十居其九有所不同，核實和校對起來，真的要花很多功夫。就這樣，我沒有再跟上海的出版社聯絡，等於不動聲色地把出版合同報廢。

本書歷經波折，曠日持久，由「康城三十年」變成「康城四十年」，再變身《從法國康城看世界電影》，終於和大家見面，真要感謝香港藝術發展局的慷慨資助和大力支持。此外，本書

的得以出版，我要感謝很多人，希望書末的鳴謝名單沒有太多遺漏。

最後，我要感謝有「康城之王」之稱的皮爾・利思昂（Pierre Rissient）。我在未去法國留學和首次出席康城影展之前，已在香港認識了皮爾。我在書後有一章專門介紹皮爾，以及他對香港電影的貢獻。

謹以此書獻給 2018 年逝世的皮爾・利思昂。

70年代

第 31 屆
康城電影節

1978

FESTIVAL INTERNATIONAL DU FILM CANNES 1978
DU 17 AU 29 MAI

▲ 1978 年第 31 屆宣傳海報　　　▶ 1978 第 31 屆金棕櫚獎電影《木屐樹》
（L' albero Degli Zoccoli）

"MAY WELL BE A MASTERPIECE."
—Vincent Canby, New York Times

"To see it, is to be stirred to the depths of one's soul…
a cinematic miracle."
—Andrew Sarris, Village Voice

ERMANNO
OLMI'S
THE
TREE OF
WOODEN
CLOGS

When the family of man was still—a family.

Produced by RAI and Italnoleggio A GAUMONT/SACIS/NEW YORKER FILMS Release

Illustration: Ron DiScenza © 1979

第 31 屆康城電影節速寫

　　為期 15 天的本屆康城電影節已於 5 月 30 日圓滿閉幕。根據法國一般報界評論[1]，今屆參加競賽的影片是 10 年來水準最平均的一次。電影節舉行的日期原定是 5 月 17 日至 29 日，後來因節目過於豐富而延長兩天，改為 16 日至 30 日。一向最受人注目的「官方選擇」影片共有 25 部，其中除了馬田・史高謝斯的《最後華爾茲》和比利・懷德的《迷情》之外，其他 23 部都參加角逐金棕櫚大獎，數目跟上屆一樣。被選作開幕首映的是蘇聯導演艾美尼・盧鐵安奴的作品《狩獵的意外事件》。

　　這些影片的導演大部分都已經在國際影壇上享有相當名氣。例如查布洛，他以《維奧納蒂》第一次代表法國參加競賽。路易・馬盧則以一部百分之一百的美國製作《雛妓》代表美國參展。西班牙的卡路斯・索拉接二連三的企圖問鼎金櫚大獎，繼《安琪蓮嘉表妹》、《養鴉》和《伊莉莎吾愛》之後，今屆又以《被矇著的眼》參加比賽。日本的大島渚前年以《感官世界》參展「導演雙週」，今屆則以《愛之亡靈》參予競賽。美國的荷・阿殊比繼去年的《光榮何價》後，今年捲土重來，代表作是《榮歸》。另外一位美國導演保羅・麥索斯基曾於 1976 年以《下站格林維治村》參加比賽，今年又以《婚外情》再度出席影展。

英國的「憤怒青年」導演卡路・黎茲以《獨行戰士》一片代表
美國，波蘭導演謝西・史高里莫斯基則以《死神的呼喚》代表
英國參展。早期經常在美、法兩地拍片的美國導演祖路士・達
辛以《情慾夢》代表希臘參加競賽。其他如意大利的馬可・費
拉利，波蘭的贊祿思，德國的法斯賓達等著名導演都有作品參
展。佛烈・舒彼斯以《占美布力克史密夫的讚美詩》代表澳洲
第一次參加比賽，而拉意可・格力的《好啊，大師》則是南斯
拉夫 10 年來第一次再度參展。幾乎到最後 1 分鐘才參展的意大
利片《木屐樹》居然奪去金棕櫚大獎，相信會令不少人為之氣
結，以至目瞪口呆。

　　本屆康城電影節的評判團也是由 1 位主席和 8 位評判組
成，[2] 為首的是阿倫・柏古拉（美國導演），其餘是莉芙・烏曼
（瑞典女星），法蘭高・布魯薩提（意大利作家兼導演），米修・
西蒙（法國影評人兼巴黎大學電影系教授），克羅特・戈烈達
（瑞士導演），康察羅夫斯基（蘇聯導演），夏利・沙爾茲曼（英
國製片家），佐治・韋基維茲（原籍蘇聯的法國電影及舞台佈景
設計師）及法蘭索瓦・沙萊（法國作家、影評人兼導演）。

　　獲得金棕櫚大獎的意大利影片《木屐樹》是由艾曼諾・奧
米導演，他早期拍攝的《職位》[3] 已有不錯的表現。這次他的
作品能獲全體評判員一致投票選為最佳影片，可以說是眾望所
歸。這是意大利影片自有康城影展以來，第 11 次獲得金櫚大
獎，相信奧米亦將會繼弟昔加・維斯康提・費里尼・傑米・安

東尼奧尼、羅西以及《我父、我主》的塔維安尼兄弟等曾在康城影展獲獎的著名意大利導演一樣受到應有的重視。

今屆康城影展的特別嘉賓是美國老牌導演比利・懷德。這位曾獲 6 項金像獎（20 次提名）的喜劇聖手，現年已屆 72 高齡，但其創作力依然充沛。他的最新作品《迷情》被大會選為閉幕影片，評價相當不俗。另外，大會又舉辦了一個向比利・懷德致敬的回顧展，選映了他的 9 部作品，計為《紅樓金粉》（1950）、《生葬古坵墳》（1951）、《戰地軍魂》（1952）、《雄才偉略》（1958）、《桃色公寓》（1961）、《玉女風流》（1962）、《引狼入室》（1965）、《福爾摩斯的私生活》（1970）和《兩代風流》（1972）等。此外，本屆首創的金攝影機獎 [4] 亦由比利・懷德頒獎。金攝影機獎的目的是獎勵新人，由「導演雙週」、「國際影評人一週」、「新片巡禮」等 14 部新導演的處女作中選出，今屆獲獎的是美國導演羅拔・楊的影片《偷渡》[5]，由法國電影電視影評人協會頒贈 16 毫米攝影機一具。

在本屆參加競賽的 13 部影片之中，最受人爭論的無疑是路易・馬盧的《雛妓》，而導演本人的記者招待會也是筆者所出席的招待會中最富辯論性和最針鋒相對的一個。在片中飾演 13 歲雛妓的美國少女波姬・小絲也有列席，致令招待會擠得水洩不通，攝影記者的鎂光燈閃個不停，使其他男女明星如狄・保加第，珍・芳達，馬斯杜安尼等出席的記者招待會亦相形失色。

今屆參展的影片似乎以英、美影片佔上風，最低限度是

英語片佔了幾乎一半，除美國片《婚外情》、《獨行戰士》、《榮歸》、《迷情》、《最後華爾茲》以及英國片《午夜快車》和《死神的呼喚》外，其他如德國的法斯賓達、法國的路易・馬盧、意大利的馬可・費拉利、美國的祖路士・達辛等的作品都是英語片，再加上一部澳洲片，給人的印象就是英、美資金的天下。在這形勢之下，許多人都預測金棕櫚大獎又會由美國片奪得（近年已有這個趨勢），幸而評判團終能主持公道，把最佳影片獎送給返樸歸真的《木屐樹》。

　　康城影展每天最少有 100 部影片可供新聞界、影評界、片商、戲院商和普通觀眾選擇，這個數目的確相當驚人。除了影片市場的非正式影片外 [6]，由大會主辦的正式節目有「官方選擇」（25 部）、「導演雙週」（21 部）、「國際影評人一週」（8 部）、「新片巡禮」（約 20 部），也就是說參加康城影展的影評人或報界代表，每日平均要看 5 部影片，才算看足大會的正式節目，相信在芸芸二千多位新聞記者或影評人之中，能夠全部看齊者實在絕無僅有。

　　由於筆者在影展期間只逗留了 8 天，故此只看了 16 部正式參加比賽的影片，希望稍遲能在巴黎補看，然後再向讀者作簡略的評介。「導演雙週」這項節目是由巴黎國際電影節的負責人皮爾昂利・戴勞策劃，選了世界各地的影片 21 部，包括澳洲、巴西、哥倫比亞、西班牙、法國、意大利、印度、以色列、菲律賓、葡萄牙、德國、瑞典、美國等 13 個國家的出品，我只看

了其中四又四分一部，即西班牙的《愛麗斯夢遊西班牙奇境》、菲律賓的《英絲安》、瑞典的《一和一》、美國的《女友》，以及《雷納度和嘉麗》的 1 小時。前四部都有一定的水準，尤以美國年青女導演歌迪・韋爾[7]的《女友》最令人滿意。至於卜・戴倫的 4 小時長片《雷納度和嘉麗》則不敢恭維了。

今屆康城電影節的另外一項創舉是由法蘭西晚報主辦的第 1 屆預告片電影節。主辦當局除了在參加比賽的預告片中選出 3 部最佳影片，頒以 1 項金戲票和 2 項銀戲票獎外，又舉行了一次別開生面的預告片回顧展。今年獲獎的影片分別是馬可・維卡里奧的《合法情婦》，艾陀勒・史歌拿的《兩顆寂寞的心》和貝特朗・塔凡里埃的《寵壞的孩子》。《合法情婦》的預告片委實精彩，片中每一個鏡頭都以印象派油畫一般的定格畫面開始，逐漸溶化回影片的正常畫面和動作（相當悅目的柔光攝影），另外加上出色的配樂，使影片平添不少魅力。預告片許多時是整部影片的精華所在，有時可以比影片本身還要出色和富有吸引力，藉以招徠觀眾。一部好的預告片往往結合了廣告片、美術片和影片本身的特色，再經過製作人的精心剪輯，配合沖印特技的運用才能竣工。可以說，預告片的製作也是一門不容忽視的學問。

這次回顧展分為喜劇片、西部片、戰爭片、超級巨製、音樂片等多個部分，展出短片共 33 部，網羅了 40 年來的重要作品，包括《天上人間》、《亂世佳人》、《賓虛》、《沙漠梟雄》、《七

俠蕩寇誌》、《獨行俠決鬥地獄門》、《午夜牛郎》、《碧血長天》、《巴黎戰火》、《良宵花弄月》、《甜蜜生活》、《鐵金剛勇鬥金手指》、《魔鬼怪嬰》、《發條橙》、《愛情故事》、《教父》、《想當年》、《秋水伊人》、《男歡女愛》、《夢斷城西》等等經典作品的精彩片斷，其中尤以《午夜牛郎》、《甜蜜生活》、《魔鬼怪嬰》、《發條橙》、《教父》、《良宵花弄月》和《秋水伊人》等最為出色和最具創意，也難怪在座的觀眾看得眉飛色舞。這是一次最愉快的「懷舊」經驗。今次展出的預告片，顯然以美國的荷里活製作最多，希望下屆能夠看到其他國家的傑出影片。

　　綜觀今屆康城電影節的參展影片，其中許多部都有一個大致上共通的主題或情節，那就是一段不愉快的婚姻，不是由於第三者的介入而瀕於破裂，甚至悲劇收場，就是男女雙方都無可奈何的僵持下去。例如：《左手女郎》、《情慾夢》、《愛之亡靈》、《絕望》、《被矇著的眼》、《死神的呼喚》、《婚外情》、《獨行戰士》、《榮歸》等等。當然，上述影片都各自有不同的故事背景和情節架構，但顯而易見地，它們都是資本主義社會的產品。這個現象不知是反映了康城影展選片委員的口味，還是反映了現社會普遍存在著的婚姻觸礁問題，以及愈來愈惡劣的人際關係？如果說電影是最能反映現實的藝術媒介，在極度物質化的資本主義社會裡面，人類的精神狀態和人與人之間的和諧關係，實在極之需要重整和建立。

《獨行戰士》 *Who'll Stop The Rain*

　　本片是原籍捷克的英國導演卡路‧黎茲到美國後的第二部影片，劇本改編自羅拔‧史東[8]的小說，是近期美國影壇對越南戰事的回響作品之一。片中主角尊是美國政府派駐越南的戰地記者，任滿即將歸國。為了補償他在越南戰爭受到的驚嚇和痛苦，以及那失去的健康和理想，他決心私運毒品回國，希望能藉此與愛妻在下半生享其清福。雷是尊的舊日戰友，是一名經商海員，受尊之託把毒品從越南帶返美國，因而被迫捲入漩渦。他和尊的妻子瑪殊雙雙被毒販追殺，經過一番追逐和激戰，雷殲滅歹徒後負傷去世；尊和瑪殊二人得慶生還，把那害人不淺的海洛英撒播在荒漠黃土之上。編導除了安排激烈的打鬥場面外亦加插了雷和瑪殊因日夕相對而衍生的愛情關係，使本片的結局更為感人。

　　影片以一片火海的越南戰場開首，慘烈的地獄景象在慢鏡和音響的烘托之下呈現在觀眾眼前，李察‧奇連[9]的攝影有極佳成績。上述一場戲和片末鐵路的蕭殺景象是他近年罕見的出色場面。本片是一部極具水準的商業片，氣氛緊湊，充滿動作。卡路‧黎茲拍攝暴力電影亦有一手，影片中荒涼頹敗的氣氛毫不遜於森‧畢京柏的最佳作品。在片末的一場壓軸好戲裡面，有備而戰但卻勢孤力弱的雷在新墨西哥州的荒山與歹徒激戰，他利用熟悉的地形，已有的音響設備和迷幻燈光擾亂敵人；刺耳的音響和令人暈眩的光線使歹徒手足無措（同時亦增加了槍

戰的氣氛）。這一場戲使在座觀眾看到鼓掌叫好，證明卡路・黎茲這一場高潮戲處理得極為成功。《Who'll Stop The Rain》是一首曾經流行一時的歌曲名字，也就是在片末一場槍戰中，雷利用來騷擾敵人的樂曲。

　　編導在一定程度上，反映了今日的美國社會：越戰回國的大兵因為對軍械的認識而普遍採取暴力方式解決自身問題，從戰場出生入死回來的軍人對財富和享樂的過份追求，反毒組人員的其身不正，荷里活影圈的吸毒情形等等。擔綱的演員尼克・諾爾特[10]雖然是初挑大樑，但他演出雷的一角頗有深度，其粗礦的型格和面貌十分適合演出硬派的英雄或梟雄角色，是一位甚有前途的明日之星。

　　卡路・黎茲 18 年來只拍過 6 部影片，計為《浪子春潮》（1960）、《夜必來臨》（1966）、《摩根》（1966）、《一代舞后》（1968）、《賭棍》（1974）和本片。另外值得一提的是：卡路・黎茲曾著有《影片剪輯技巧》一書[11]，至今仍是電影學校的上佳教材。

《榮歸》 *Coming Home*

　　曾經到香港拍攝外景的《榮歸》，是美國新秀導演荷・阿殊比的作品，和《獨行戰士》一樣，該片是以越戰期間的美國社會為背景。荷・阿殊比於 1970 年第一次正式執導的影片《同屋共住》，據說是一部拍得十分出色的喜劇，可惜筆者仍未有機會

一睹。嗣後，他拍攝的《靚仔愛阿婆》及《最後的任務》，都是充滿黑色幽默的上乘喜劇。這兩部影片顯現了阿殊比的反叛性和略帶灰色的人生觀。跟著的《洗頭》是他的失敗作。但他終能拍出《光榮何價》和《榮歸》，證明他是頗有才氣的。從這兩部影片看來，阿殊比是愈來愈正視人類生存的意義，他的態度亦愈來愈嚴肅和帶有傷感。

　　片中的珍・芳達是美國軍官布魯士・丹的妻子，她在丈夫前往越南戰場服役後到傷兵醫院作義務性質的看護工作。她在那裡遇到昔日的同學莊・威，後者早因越戰關係雙腿殘廢，變成惱氣暴躁的癱瘓病人。珍在醫院裡認識到戰爭的殘酷和戰爭帶來的痛苦，對莊・威亦由憐生愛，進而發生了肉體關係。布魯士・丹在越南戰場負傷退役，知道妻子有越軌行為，簡直暴跳如雷，企圖殺之而後快。經莊・威解釋珍其實祇想幫助他，布魯士又對自己的變相逃兵感到內疚（他原來是自己射傷腿部）；在接受了作戰英勇的獎章後，他靜悄悄的走到海邊脫光衣服，向著漫無邊際的茫茫大海游去，意圖結束自己的生命……影片裡面三人都是越戰受害者，莊・威的傷殘不用說，布魯士・丹在退役後失落了生存的意義，心理狀態無法平衡，於是求諸一死，珍・芳達遂將有喪夫之痛。

　　本片的演出相當精彩。除了奪得最佳演員獎的莊・威有出色的表現外，珍・芳達保持一貫水準，布魯士・丹的火爆演技亦搶盡鏡頭。攝影方面，去年以《光榮何價》奪得奧斯卡最佳

攝影獎的希斯高·韋斯勒仍有不俗的表現，可惜在香港拍攝的外景依然老套不堪（布魯士·丹在尖沙嘴坐人力車，珍·芳達頭戴艇家帽在香港仔獵影）；外國人眼中的香港總是這個樣子，真是無話可說。

荷·阿殊比的作品一向都流露出他對美國政治的關心。《靚仔愛阿婆》中，夏勞的母親說他的叔父是麥克阿瑟的「得力助手」[12]，但他卻是獨臂將軍，右邊空著的衣袖仍然能夠敬禮；《最後的任務》中積·尼高遜所飾演的憲兵與犯事新丁的關係，甚至《洗頭》裡面尼克遜就職典禮的「插入鏡頭」。阿殊比要諷刺挖苦的不是軍人，而是戰爭的荒謬。

本片好像《靚仔愛阿婆》等影片一樣，以流行歌曲或民歌貫串，其中包括披頭士、卜·戴倫、滾石、西門與加芬高的歌曲，頗能襯托出影片的氣氛。阿殊比顯然希望擺脫傳統的配樂方式；從《榮歸》的配樂效果看來，流行歌曲更能增加該片的美國風味。

還要一提的是荷·阿殊比出身剪接，與諾曼·朱維遜合作最多。看過《賭王衛冕戰》和《龍鳳鬥智》的觀眾，對於前者的牌局高潮戲和後者的棋局，相信仍有深刻的印象，這兩部電影都是由阿殊比負責剪接。此外，他又以《月黑風高殺人夜》獲奧斯卡最佳剪輯獎。阿殊比至今拍了 6 部影片，水準甚為平均；他比馬田·史高謝斯似乎更具個人風格，看來日後應該還有一番作為。

《愛之亡靈》Empire of Passion

　　《愛之亡靈》是大島渚繼《感官世界》之後的另外一部日、法合製影片。前作的性愛大胆鏡頭已經達到大銀幕電影的極限，大島渚再沒有理由重覆。本片是一部東洋式聊齋，主旨依然是導演最喜歡的課題——性愛和罪行；他最近兩部影片的內容最好拿吉田喜重導演的影片名字《性愛＋虐殺》來概括。故事是描述一名有夫之婦，與比她年輕10歲的青年男子相戀，在後者的慫恿下合謀殺夫，把遺骸投於古井；3年後東窗事發，兩人亦受到應得的懲罰。

　　大島渚的導技是嚴謹有餘，神采不足。他處理這段三角戀情時的態度非常客觀，並不受中國（或東方）的傳統道德觀念所束縛。他沒有對「姦夫淫婦」大加鞭撻。在他的鏡頭之下，他們是真正相愛，為了愛情，為了能夠長相廝守，他們不惜代價，不擇手段，到頭來他們亦甘受懲罰。不過，在筆者看來，兩人之間的戀情依然是肉慾「掛帥」。我們看到的只是他們兩人性慾衝動。單從導演技巧著眼，本片實在相當平板；撇開影片的內容意識不談，筆者寧取色字當頭的《感官世界》。大島渚的近作了無創意，已無復《絞死刑》、《儀式》等片的光芒四射。本片竟獲最佳導演獎，雖然不致像24年前的日本導演衣笠貞之助憑《地獄門》獲最佳影片獎一般無稽，但不禁令人懷疑西方觀眾對東方事物的評價尺度。

　　本片仍然具有大島渚過往作品的影子。除了前述性愛和罪

行的主題外：片中的青年壯漢幾乎是《感官世界》裡面吉藏的翻版（兩個角色都由藤龍也飾演）。片中可笑的警察令人想起《絞死刑》裡面的警官和獄吏。影片處理得較為特別的一場是：雙眼已盲的女主角在丈夫的屍體從古井吊出時的猝然呼喊。她是否真的「見」到丈夫的屍骨呢？值得一提的是宮島義勇[13]的攝影非常出色，為影片生色不少。

大島渚最近 2 部影片都是編導合一，由他自己編寫劇本。然而，筆者認為他最出色的作品都是與別人合編（尤其是與田村孟），例如《絞死刑》、《少年》、《新宿小偷日記》和《儀式》等，希望大島渚能在稍後的作品證明他的編導合一的才能。

最後，有點題外話要說。法國影評界及觀眾對日本影片似乎認識較淺，在推介日本導演方面，不及英、美影評人全面和敏感。他們真正重視的日本導演祇有溝口健二、黑澤明、大島渚，而小津安二郎的影片[14]也是數月前才有機會正式公映。大島渚能夠在法國得寵，其實並不表示當代的日本導演都比他遜色，只不過他能聰明地藉日法合作打開國際市場而已。

《被矇著的眼》*Los Ojos Vendados*

近年來，西班牙導演卡路斯・索拉可說是康城電影節的寵兒。從 1970 年開始，他已經連續 6 次參加康城影展，並獲獎 3 次，計為《安哲妮嘉表妹》獲評審員獎，《養鴉》獲評審特別獎，《伊麗莎吾愛》獲最佳男主角獎。就他最近的 4 部影片而

言，筆者個人比較喜歡《養鴉》。

像《養鴉》一樣，本片是採用時空交錯的技巧，以極為零碎的片段組合劇情。兩片的結局都頗為出人意表，但後者來得有點牽強，而且曖昧不明。影片基本上是一部有關愛情的電影，牙醫太太愛美莉亞（謝拉婷・卓別靈）愛上了戲劇導師路易士（荷西・路易士・甘美斯），拋棄了丈夫曼奴而與路易士一起生活。他們經常在一起排戲，劇情是有關暴力和迫害。路易士指導愛美莉亞如何憑想像進入角色的內心世界。影片於是便有許多故弄玄虛，其實是愛美莉亞想像劇中情景時的意識流片段。影片跟希臘導演安哲羅普洛斯的《狩獵者》一般，是結合了近代政治與意識流技巧。卡路斯・索拉好像企圖控訴極權國家的治安人員濫捕無辜和嚴刑迫供，但編導毫無暗示，近乎無的放矢；如果說他有意指責西班牙政府，那麼他的態度比安哲羅普洛斯更為閃縮。

男主角甘美斯是著名的舞台演員兼導演，但演來成績平平，或是與過多的即興演出有關。謝拉婷・卓別靈的演技亦不及《養鴉》和《伊麗莎吾愛》時的水準。本片的導演和演員意圖通過一部電影來表達他們對戲劇的熱愛，可惜成績未如理想。

《最後的華爾滋》The Last Waltz

本片是馬田・史高謝斯繼《紐約，紐約》後的音樂片，被邀在本屆康城電影節展出，但並無參加比賽。毫無疑問，這是

一部經過事前週密策劃的音樂紀錄片，史高謝斯以極為流暢的影機運動，高度傳真的音響和靈活的剪接，捕捉了演唱者和演奏者的神態、動作、聲線和台風等等，令觀眾亦陶醉在這次音樂演出裡面。影片所紀錄的是一隊美國樂隊[15]在三藩市的音樂會。16 年前，他們首次組成演出；16 年後，他們在拆伙前在同一地點作告別式演出。是次音樂會名為《最後的華爾滋》，也就是影片名字的由來。

這是一部極具水準的半紀錄性影片，就算不太喜歡流行音樂的觀眾也會看得津津有味。史高謝斯在拍攝音樂會的同時，又加插了樂隊成員的訪問記錄。本片比諸卜・戴倫自己拍攝的半紀錄性影片《雷納度和嘉麗》好看得多，一方面是導演本身的修養有關，另一方面則是製作條件上的差別（史高謝斯出動了 7 部 35 毫米的攝影機，並用 24 條聲軌作現場錄音）。此外，卜・戴倫似乎太愛惜自己的膠片，一般意見認為如果他能把將近 4 小時的影片長度剪至 2 小時，或會較為可觀。

筆者至今看了 5 部史高謝斯的影片，覺得他早期的影片《窮街陋巷》反而是最好的作品。該片雖然技巧方面略感粗糙賣弄，但人物非常真實而有創意，每個角色都深印觀眾腦海。《曾經滄海難為水》也是佳構，但演技仍有生硬造作之感，不及《窮街陋巷》自然。羅拔・迪尼路在後者飾演的尊尼小子便比《的士司機》以至《紐約、紐約》的角色惹人好感。綜觀上述 5 部影片，馬田・史高謝斯顯然未曾確立自己的風格。希望他在拍完

這部帶有自娛和玩票性質的影片後能有更進一步的突破。

《最道德的一夜》A Very Moral Night

　　本片是匈牙利老牌導演卡路尼・麥克 1977 年的作品，改篇自匈牙利的著名短篇小說。卡路尼・麥克的處女作拍於 1954 年，比匈牙利另外一位大師導演米克洛斯・楊祖還早了 4 年。這次是麥克第 3 次參加康城電影節，第一次是 1970 年的《愛》，該片共獲 1971 年康城影展評審團特別獎、匈牙利影評人獎和芝加哥電影節的銀雨果獎。第二次是 1973 年的《貓的遊戲》，曾獲提名奧斯卡最佳外語影片金像獎，可惜敗於費里尼的《想當年》。卡路尼・麥克早的名作還有《9 號病房》（1955）、《39 旅》（1959）、《失去的天堂》（1962）、《石下的屋子》（1958）等，後者獲三藩市電影節大獎。

　　《最》片的故事背景是世紀初的匈牙利，一名青年學生在攻讀博士學位之餘，經常出入一間妓院，與其中一名年輕妓女相好。其他「鶯鶯燕燕」和他亦非常熟稔，有如一家人。一次，這位被戲稱為「博士」的青年正準備離開妓院，外面下起傾盆大雨，於是便在妓院留宿一宵。翌日，妓院的「媽媽」和「姊妹」都提議他住進妓院，這樣他便可以省回租錢。因為他祇靠母親寄來的微薄金錢支撐生活，他於是便欣然答應。一日，年老的母親突來探望，她以為兒子住在殷實人家的住宅，其他妓女為了替他隱瞞真相，於是被迫暫停營業。一連串笑料由此產

生，諸如熟客硬闖妓院，年輕妓女輕生，各妓女冒充素有教養的閨女等等。編導以流暢熟練的技巧，拍出一部充滿人情味的喜劇。本片的攝影有非常優異的成績，色彩和光線極為接近匈牙利畫家卡路尼・麥高（兩人的名字亦極為相似）[16] 的畫風。攝影師楊洛斯・托夫 [17] 是匈牙利最傑出的攝影師之一，麥克的前兩部作品都是由他掌鏡。

非常奇怪，東歐國家的觀眾不大喜歡看本土的電影，他們極愛看西歐和美國等資本主義社會的影片。卡路尼・麥克亦自承喜看英瑪・褒曼，布紐爾，甚至《星球大戰》。許多東歐導演亦紛紛伺機投奔西方，如波蘭的謝西・史高里莫斯基和波蘭斯基，捷克的米路士・科曼等等。筆者倒希望有才氣的東歐導演能夠留在自己的國家發展，這個想法可能很自私；但我寧看富有匈牙利色彩的楊祖、麥克和蘇爾敦・法布利 [18]，而不欲見到他們又變成第二個米高・寇蒂斯 [19] 或阿歷山大・高爾達 [20]。

《援兵之計》*El Recurso Del Metodo*

本片雖然是代表墨西哥參加康城影展，但導演米高・利亭原籍智利，而原著的阿里約・卡本第 [21] 則生於古巴，演員方面又分別來自智利、墨西哥、委內瑞拉和古巴等地，故此本片實在可以稱得上是一部名副其實的拉丁美洲電影。現年 36 歲的米高・利亭是智利電視台培育出來的新一代導演。他曾在阿倫第總統當政期間擔任智利國家電影製片廠的第一主席，1974 年後

移居墨西哥。

　　影片是以一個拉丁美洲的國家為背景，由於統治者專斷獨裁、碌碌無能，兼且虛耗國庫，遂在民不聊生的情況底下，導致人民的武裝革命。編導以幽默諷刺的筆調，大力挖苦了南美各國如玻利維亞、巴拉圭、阿根廷等國的獨裁君主。片中的總統先生可說是 19 世紀末期至 20 世紀初期墨西哥、委內瑞拉、古巴和危地馬拉等國獨裁統治者的縮影。他們終生包攬軍政大權，但結果亦逃不脫被人民推翻的命運。

　　總統先生每次前往巴黎渡假或休養，國內政局便立即動盪不安，軍隊首腦又密謀政變，於是總統先生被逼回師鎮壓。影片長達 3 小時多，場面堪稱浩大，若與其他拉丁美洲電影如古巴的《一個官僚之死》、《露茜亞》、《關於落後的回憶》等的製作條件比較[22]，實有天壤之別。片中國會大廈被炸，軍隊在大學展開血腥鎮壓，慶祝總統逝世的嘉年華會，人民的武裝革命等場面都可以看得出是花去不少人力物力。看本片幾乎就等於瀏覽了一部中南美洲近代史的撮要。編導在本片採用的是平鋪直敘的手法，成績相當可觀。在眾多描述拉丁美洲革命的電影當中（如意大利導演達米安尼的《怒吼山河》），本片是取材較為全面而客觀的一部。

《螺旋》Spiral

　　波蘭導演贊祿思在本片所探討的依然是人生態度的問題。

影片描述一位患了絕症的工程師，躲在嚴寒的雪山上企圖自殺，被拯救人員和軍隊救回，後來卻在醫院跳樓自殺畢命。

在本片我們可以找到贊祿思過往作品的影子，例如在《啟發》片中的攀登雪山、對傳統道德的反叛、對家庭生活的懷疑，在《晶體的結構》中討論生命的意義。本片與他以前的作品有很大分別，其一是甚少對白，演員們不用再唸連篇累牘的台詞；其二是極多手搖機鏡頭。然而，非常奇怪，本片並沒有因此而輕鬆活潑起來。編導的說理似乎流於呆滯。

據贊祿思表示，波蘭的電影觀眾對本國導演的作品都有很大興趣，而且還經常熱心討論影片的題旨，故此他本人亦意識到藝術家對社會大眾的巨大影響，這也是他能夠在影片中大談哲學、人生、理想等問題的客觀條件。

《維奧納蒂》 *Violette Noziere*

本片是查布洛近年來較為起眼的作品。今次，查布洛暫時從中產階級的情慾糾紛和罪行抽離，看看工人階級的家庭問題，雖然仍是一貫的懸疑和推理，但最低限度比前作《血親》[23] 嚴謹而富有趣味性。

故事背景是 30 年代的法國，一名 19 歲的女兒維奧納蒂（依莎貝·雨蓓）下毒謀殺雙親，釀成家庭慘變。影片據說是由 30 年代哄動一時的維奧納蒂·諾齊埃爾事件改編。片末的旁白交待維奧納蒂於 1934 年被判死刑，數月後獲法國總統大赦。

1945 年獲釋，後與獄吏之子結婚。維奧納蒂是外表看來純潔而文靜的女學生，與父母親住在狹小的寓所。父親（尚·加爾美）日間可以看到女兒洗澡的情景，女兒晚上可以聽到雙親做愛的聲音。母親（史蒂芬·奧德蘭）不知女兒和丈夫之間發生的醜事，也不知道女兒暗中過著賣淫的生涯。母親希望女兒釣得金龜婿，但卻不曉得女兒養著一個小白臉；女兒不知道自己的父親另有其人，父親亦好像不知道維奧納蒂並非自己所出。家中各人都有不可告人的秘密，其中尤以女兒的秘密最多，而她的謊話也說得最漂亮，可惜仍然免不了被男友所騙。

　　本片可說是法國式的懷舊影片，查布洛以寫實的筆觸拍攝了一齣簡潔而頗見深度的奇情電影。尚·拉比爾[24] 的攝影成績肯定是他與查布洛合作以來最出色的一次，光線和色調的控制都可以看出是下過一番工夫。依莎貝·雨蓓的演出極惹人好感，她飾演具有純潔和邪惡兩副面貌的維奧納蒂，有相當不俗的表現。預料她將繼依莎貝·雅珍妮之後，成為另外一個炙手可熱的「依莎貝」。

《再見，猴子》*Bye Bye, Monkey*

　　馬可·費拉利近年在歐洲風頭頗勁，法國觀眾對他的作品尤其捧場。早期作品《春光破碎》[25] 曾經在港公映，可惜匆匆割畫，未能一睹，但看過朋友俱認為頗有創意。有些意大利影評人認為他是意大利最偉大的電影導演之一，[26] 然而，看過《不

要碰白種女人》、《大食》[27] 和《再見,猴子》之後,我對這個看法有所保留。

　　費拉利的作品構想奇特,綽頭甚多。聽說早期作品《輪椅》描述一個老人為了一張輪椅而毒殺全家,另外一部《女猿人》是關於一個滿臉鬍鬚的女人的故事。在《大食》片中,4個男人聚在一起大吃大喝以結束生命,《不要碰白種女人》是在巴黎市內曠地拍攝的美國西部片;前者的米修·柏哥尼不斷放屁,後者的屠殺場面甚為血腥。費拉利誇張得有點令人討厭。藝術創作其實不應太走極端。他的影片許多時充滿似是而非,似非而是的論調。《再見,猴子》劇中的女演員為了演出被強姦的情節,於是便強迫男主角在昏迷狀態下和她性交,以體驗被強暴的感受。

　　本片的綽頭便是躺在紐約市赫德遜河畔的巨型猩猩骸骨。男主角拉法耶特(謝勒·迪柏度)收養了一隻小猴子,與它相依為命,引致女朋友的妒忌而把猴子殺掉。證諸前述幾部影片,費拉利的剪輯方法頗為零碎,好像要把簡單的情節複雜化。影片無疑有不少象徵和寓意,編導的悲觀態度亦相當明顯;但影片的含義如果要通過導演的闡釋才能為觀者接受,那麼編導的才氣實在值得懷疑。

《木屐樹》L'Albero Degli Zoccoli

　　「美麗的回憶,使我們對將來更有信心和希望。」──艾曼

諾‧奧米。

　　奪得本屆康城影展金棕櫚大獎的《木屐樹》是一部半紀錄性的劇情影片，由現年 47 歲的意大利導演艾曼諾‧奧米執導。奧米的處女作是 1959 年的《時間停頓》[28]，但令他獲得國際聲譽的是 2 年後的《職位》，該片在 1961 年的威尼斯影展獲獎。

　　從《職位》和本片看來，奧米肯定是繼承了意大利新寫實主義的優良傳統。影片是奧米對他童年時代鄉村生活的回顧。像他的大部分作品一樣，本片全部由非職業性的演員演出；而事實上，影片是在他的故鄉貝加摩[29]實地拍攝，演員都是當地的農民和居民。本片令人想起維斯康提的《大地震動》，或者可以這樣說，本片是一部描繪窮人的《1900》[30]。奧米揚棄了刻意營造的劇戲效果，使本片看來含蓄、樸素，能在平淡中見韻味，與《1900》的激情大異其趣。影片長達 3 小時，節奏舒緩，但無沉悶的感覺。奧米以前雖然也有為自己的影片攝影或剪接，但今回卻是他首次集編劇、導演、攝影和剪接等四大要職於一身，魄力委實驚人。相信在當今世界影壇芸芸名導之中，只有瑞典的杜努艾爾能與他一較高下。

　　影片主要是敘述 19 世紀末期意大利北部的一個農莊，裡面住著許多農戶和他們的家人。他們耕種的土地，甚至屋子都是地主所有，每年還要把 2/3 的收成納給地主。編導要展示的便是這些毫無野心、毫無抵抗力的農民的日常生活——他們的歡樂、他們的憂愁，但卻不乏趣味性的描寫。我們可以看到；一

對羞怯的年青男女，他們的戀愛以至結合；在屋角偷種茄子，拿到市場去賣的老人；村婦的分娩；經常因父親髒臭而吵架的兒子；村童的嬉戲；農閒的時間，村民聚在一起講述慄人的鬼怪故事等等……。這一切一切，跟中國的農村何其相像！編導起初一直沒有顯示地主的剝削和霸道，只在片末輕輕點題，但卻收到畫龍點睛的效果。一名農戶的幼兒因上學時弄壞了木屐，農戶暗中把一棵矮矮的白楊樹砍下，替兒子重做一對木屐，後來被地主知悉，下令收回房子和耕牛，把農戶一家逐出農莊。觀眾一直沒有機會看到地主的醜惡嘴臉，但卻已對農戶寄以無限的同情。

影片對神父和修女有非常友善的描寫，奧米似乎是肯定了宗教存在的價值，這在意大利導演之中實在罕見。試舉其中一例，片中有 6 個女兒的寡婦為了幹活而沒有上教堂，後來向神父道歉，但神父很體諒地安慰她，說她對兒女的照顧更為重要，並提議她暫時把兩個孩子送到孤兒院寄養。本片的攝影異常出色，整部影片由巴哈的管風琴音樂配襯，有極佳的成績。

《木屐樹》是一部沒有色情，沒有暴力，沒有資產階級思想，沒有教條主義的好電影。它是一部簡單，樸素而充滿靈氣，愛心的藝術作品。筆者希望中國政府設法拿來公映，讓中國的電影工作者和觀眾，了解西方電影的創作水平。

《雛妓》 Pretty Baby

　　路易‧馬盧近年的作品經常引起爭論。例如,《吹拂在心上》的母子亂倫,《賣國賊老西安》的法國青年甘作納粹鷹爪。前作《黑月亮》改變作風,拍攝超現實的未來世界,企圖與布紐爾看齊,可惜影片沉悶而荒誕,是他的最壞作品。最近路易‧馬盧移師美國新紐奧良,拍攝了一部關於 13 歲雛妓的電影。

　　影片的背景是本世紀初的新紐奧良紅燈區,主角是維奧萊特(波姬‧小絲),母親是妓院中的頭牌妓女,由於渴望早日從良,所以甘讓年幼的女兒接客。年紀輕輕,懷中抱著洋娃娃的維奧萊特又與一個專替妓女拍照的攝影師貝洛克(基夫‧卡拉甸)相戀並且同居起來。

　　路易‧馬盧最受人非議的便是把神女的生涯過於美化和浪漫化,再加上美麗的佈景和攝影,片中的妓院簡直就是輕鬆的家庭派對。雖說母親再嫁之後回來接維奧萊特是肯定了道德價值,但是貝洛克與維奧萊特之間的愛情看起來總是令人有點渾身不自在。路易‧馬盧在記者招待會上指出影片是根據真實的人物和事件改編,但編導在選取題材的時候實有嘩眾取寵之嫌。

《絕望》 Despair

　　法斯賓達今年 31 歲,拍片 31 部(包括 3 部電視製作),另外還有 20 齣戲劇創作。這位德國導演的多產(但卻絕對不是粗

製濫造）已達到令人難以置信的地步。他在過去 10 年所拍的影片數目，許多著名導演在一生之中也不及他的二分一。關於法斯賓達的「神童」傳說的確不少。據說他每天睡眠時間不足 4 小時，但依然幹勁十足，也有人說他在橫越大西洋的飛機旅程上完成一個劇本。筆者在法斯賓達的記者招待會上，面對著這個神情還有點像大孩子一樣的德國人，實在不敢相信他就是拍過 31 部影片的著名導演。

　本片是法斯賓達第一次拍攝英語片，也是他第一次放手由別人編劇。雖然影片的編劇、剪接和錄音等都是英國人，但影片仍然是在德國的柏林和慕尼黑等地拍攝。本片是由納布可夫的早期小說改編，背景是 30 年代的柏林，主角是中年的巧克力糖製造商赫曼（狄・保加第）。他對刻板的生活感到厭倦，對已建立的事業不感滿足；他希望擺脫一切（包括自己的妻子），重新開始。他要找尋自我，於是佈下一個圈套，企圖以另外一個人的面貌和身份出現……。這樣的素材令我們想起勅使河原宏的《他人之顏》和法蘭根凱瑪的《脫胎換骨》。

　法斯賓達的近作《恐懼侵蝕靈魂》、《適者生存》、《柏特娜的苦淚》、《中國輪盤》[31] 都是處理一些不尋常的愛慾關係；第 1 部是年老的德國老婦人和年青黑人相愛，第 2 部是男同性戀的故事；第 3 部是女同性戀的故事；第 4 部是多角的愛情糾葛。上述的影片在情節方面都有一定的發展方向，但《絕望》則較為晦澀，而且令人有沉悶的感覺。本片的攝影和佈景[32] 都有一

定的水準，但法斯賓達的疏離技巧似乎已超出一般觀眾所能容忍的限度，而狄‧保加第的演出亦頗令人失望。

《死神的呼喚》*The Shout*

　　波蘭導演史高里莫斯基近年甚少拍片。《浴室春情》（1970）是他到英國後第一部影片，獲得極高的評價。《月裡嫦娥愛少年》（1973）[33] 則大失水準，該片是改編自納布可夫原著的喜劇，雖有大牌明星壓陣，但仍然支撐不了編導的失敗。史高里莫斯基 5 年來處於失業狀態，幾乎無人問津。最近才被英國製片家杰里米‧湯馬士 [34] 看中，於是得以開拍他期待已久的第 2 部英國片。

　　影片開首是英國某村落的板球比賽，由一所精神病院的病人與病人家屬對壘。阿倫‧卑斯是病人隊的計分者，他向對方的計分者講述一個奇怪的故事——也就是他自己的往事。阿倫‧卑斯曾在澳洲居住，得到當地土著傳授魔法，能藉一聲呼喊致人於死地。某日，他到作曲家尊‧赫特家中作不速之客，看上了他的妻子蘇珊娜‧玉。後來還邀請作曲家到附近的沙丘「見識」他的驚人魔法。影片一方面描述他們三人之間的微妙關係，一方面製造詭秘懸疑的氣氛。阿倫‧卑斯起初憑藉魔法的威嚇力量，屢佔上風，但終被尊‧赫特破法。跟著，影片還有出人意表的結局。

　　編導以粗粒效果的攝影，震人的音響，把超自然的魔法與

現實生活結合，攝製了一部頗具趣味性但並無深義的電影。本片比澳洲導演彼德・韋爾拍攝的《最後的浪濤》（同是有關澳洲土著的奇情電影）來得更有說服力。至於呼喊的威力，據說愛爾蘭和希臘都有類似的古老傳說，中國舊小說亦有《張飛喝斷長板橋》的說法，現實生活中也有女歌手的歌聲震碎玻璃的紀錄。我們也不妨姑妄信之。阿倫・卑斯的演技中規中矩，反而是尊・赫特演來有深度，至於人老珠黃的蘇珊娜・玉仍要展露胴體，似乎令人有點尷尬。

《情慾夢》A Dream of Passion

曾經在希臘拍過《痴漢淫娃》、《朱門蕩母》、《通天大盜》和《雨夜情殺案》[35] 的美國導演祖路士・達辛，近年來經常在希臘導演舞台劇，《情慾夢》是他 8 年來第一部劇情長片。本片像最近復甦的荷里活女性電影如《仙舞飄飄》和《茱莉亞》一樣是刻劃兩個女人之間的關係，由達辛的希臘籍妻子美蓮娜・梅可麗和美國女星艾蓮・貝絲坦合演。

本片比較特別的地方是：編導把古代和現代的希臘悲劇米底亞放在同一的時空上演，而又成功地把戲劇和現實生活中的悲劇揉合在一起。片中的梅雅（美蓮娜・梅可麗）是希臘紅極一時的女演員，在雅典排演悲劇米底亞。布蓮達（艾蓮・貝絲坦）是美國僱員之妻，因丈夫愛上希臘女子，憤而手刃三個親生兒女，活像米底亞悲劇之重演。布蓮達其後自殺不遂，被

逮下獄。梅雅被她的宣傳經理說服，前往監牢探訪布蓮達，為米底亞一劇的上演做宣傳；來勢洶洶的記者群令布蓮達震怒不已，梅雅心中頓覺歉然。嗣後，梅雅對布蓮達的遭遇十分同情，千方百計與她建立友情，盡力了解她的心境而深入劇中角色，到最後終於成功地演活了米底亞。

本片看來是達辛夫婦對戲劇狂熱的一種夫子自道。片中的女演員梅雅和舞台導演之間的關係，他們在排演戲劇時產生的矛盾，可說是他們倆人的寫照。達辛以前也曾把希臘古典戲劇菲特娜現代化，那就是由梅可麗和安東尼‧柏堅斯主演的《朱門蕩母》。本片的片頭設計頗有希臘古風，畫面是希臘遺跡的特寫，旁白是希臘悲劇的台詞，配上希臘風味的音樂，效果不俗，值得一讚。片中布蓮達殺子一幕劇力逼人，達辛在《血濺虎頭門》時代顯現的爆炸性剪輯依然有震懾力量。梅可麗和貝絲姐二人的演技勢均力敵，但稍嫌過火。

《婚外情》*An Unmarried Woman*

保羅‧麥索斯基的首部劇情長片《兩對鴛鴦一張床》是一齣床笫喜劇，編導以幽默諷刺的筆調探討性愛自由的問題。《奇妙的愛情》依然是討論愛情和婚姻的問題，片中的律師在妻子下堂求去後仍然軟硬兼施地設法把她挽留。《老人與貓》是一個有兒有女的老人底孤獨旅程。《前衛青年》[36] 是麥索斯基一部半自傳性電影。現在這部《婚外情》則討論女性婚後的獨立問題，

題材方面與匈牙利女導演美莎露斯的《她們倆》顯然有共通點，而麥索斯基的敏銳觸覺則猶有過之。

麥索斯基聲言本片是獻給與他結婚 25 載的妻子貝茜。他曾經表示，他筆下的角色大部分都是他熟悉的人物。本片的靈感據稱是來自他妻子的朋友——一群經常聚在他家裡肆無忌憚地述說她們的丈夫、家庭、婚姻等等話題的太太們。片中的艾麗嘉（芝露・克萊堡）與丈夫馬田結婚 16 年，原本是一對恩愛夫婦；她們的女兒柏蒂亦已長得婷婷玉立，並且有了男朋友。一日，馬田突然對艾麗嘉坦認有了新歡，要求與她離異。這突如其來的惡耗對她有如晴天霹靂，心如鹿撞的她就在街角上嘔吐起來。過去在她稔熟的太太團當中，她是最受人欣羨的一個，現在則慘慘然有如喪家之犬。艾麗嘉受過這種折磨後，終遇上畫家梭爾（阿倫・卑斯），兩人可說情投意合，但艾麗嘉決定保持獨身。

麥索斯基一向以幽默而不流於笑謔的態度，探討現代美國人的心態，尤其是中產階級的戀愛和婚姻問題。在本片裡面，編導對女性心理有非常細膩的描寫。

本片在細節的鋪陳方面的確經過慎密的觀察。例如片中的女兒柏蒂有了互相娛悅的男朋友，但她對母親聲明永不結婚，母親開解她說世間也有許多快樂的配偶，女兒叫她在親友中試舉三例，艾麗嘉立即啞口無言。

編導把劇中人物處理非常人性化，即以片中的丈夫馬田和

經常挑逗艾麗嘉自命大情人的查理,他們都沒有被塑做成面目可憎的壞蛋。由演員、編劇而轉為導演的麥索斯基在過去 10 年拍了 6 部影片,顯然已經樹立了他的個人風格,最明顯的優點是幽默而溫婉的筆法,以及自然平實的演技和生活化的細節。芝露・克萊堡在片中飾演一個被丈夫離棄後六神無主、備受煎熬的職業女性,演技的確入木三分。她能獲最佳女主角獎,對麥索斯基來說無疑是一大安慰。

原刊《南北極》月刊第 98、99、100 期

1978 年 7 月、8 月、9 月 16 日出版

注釋：

1　例如《費加羅日報》（*Le Figaro*）5 月 31 日評論，《法國電影》雜誌（*Cinema De France*）五月的康城影展特別號。

2　各人原名為 Alan J. Pakula, Liv Ullmann, Franco Brusati, Michel Ciment, Claude Goretta, Mikhalkov Kontchalovski, Harry Saltzman, Georges Wakhevitch, Francois Chalais。

3　*Il Posto*，1961 年作品，香港火鳥電影會曾經選映。

4　*Camera D'Or*，由 Association Francaise de la Critique de Cinema et de Television 頒贈。

5　Robert Young 的 *Alambrista*。

6　許多港台影片就是拿到影片市場放映，然後片商便吹噓曾經參展，以混淆視聽。

7　Claudia Weill 的 *Girlfriends*。

8　Robert Stone。他的另一部作品 *Hall of Mirrors* 亦被改編成電影《野性呼聲》（*WUSA*），由史超域‧盧辛堡導演。

9　Richard H. Kline，重要作品包括《英雄肝膽美人心》、《波士頓殺人王》、《死城》和《金剛》等。

10　Nick Nolte，曾在彼德‧葉斯的《深深深》擔任配角。

11　*The Technique of Film Editing*，和 Gavin Millar 合著。

12　英文是 Right-hand Man，是一語相關。

13　小林正樹的《人間之條件》、《切腹》、《怪談》都是由他負責攝影。

14　《東京物語》，是小津安二郎影片第一次正式在法國上映，評價極高。

15　The Band，成員包括 Rick Danko，Levon Helm，Garth Hudson，Richard Manuel 和 Robbie Robertson。其他加盟客串演唱的有 Bob Dylan，Joni Mitchell，Neil Diamond，Emmylou Harris 等十多位。

16　Karoly Makk。

17　Janos Toth，現年 48 歲。畢業於布達佩斯戲劇影藝學院。

18 Zoltan Fabri，匈牙利著名導演，現年 61 歲。

19 Michael Curtiz，已故美國導演，原籍匈牙利，1926 年往荷里活工作，曾拍名作《北非諜影》。

20 Sir Alexander Korda，已故英國製片家兼導演，原籍匈牙利，亦於 1926 年往荷里活，5 年後移居英國。

21 Alejo Carpentier，現任古巴駐巴黎大使館顧問。

22 本片在 1976 年底曾獲法國國家電影中心（CNC）貸款 80 萬法郎。

23 *Les Liens Du Sang*，在加拿大拍攝的英語片，由當奴‧修打蘭主演。

24 Jean Rabier，查布洛的三十多部影片絕大部分由他負責攝影。

25 *Break-up* 由馬斯杜安尼，嘉芙蓮‧史柏主演。

26 例如 1975 年《國際電影指南》（*Lino Micciche*）的文章。

27 上述 2 片均為法語片，原名是 *Touchez Pas La Femme Blanche* 和 *La Grande Bouffe*。

28 原名是 *Il Tempo Si É Fermato*。

29 Bergamo，意大利北部城鎮。

30 *Novecento*，意大利導演貝托魯奇的近作，也是以本世紀初意大利農村為背景。

31 以上 4 片的英文名字是：*Ali: Fear Eats The Soul*，*Survival of The Fittest*，*The Bitter Tears of Petra Von Kant* 和 *Chinese Roulette*。

32 由 Rolf Zehetbauer 負責，他曾以《歌廳》獲奧斯卡金像獎。

33 *King, Queen, Knave* 由大衛‧尼雲，珍娜‧羅璐寶烈吉妲主演。

34 Jeremy Thomas，英國最年輕製片家之一，現年 28 歲。

35 以上 4 片的英文名字是：*Never on Sunday*，*Phaedra*，*Topkapi* 和 *10:30 p.m. Summer*。

36 以上 4 片的英文名字是：*Bob & Carol & Ted & Alice*，*Blume in Love*，*Harry and Tonto* 和 *Next Stop, Greenwich Village*。

本屆康城影展參展影片 （有＊的不參加比賽）

▌《占美布力克史密夫的讚美詩》（佛烈・舒彼斯——澳洲）

The Chant of Jimmie Blacksmith（Fred Schepisi, Australia）

▌《莫里哀》（阿里安・魯治金——法國）

Moliere（Ariane Mnouchkine, France）

▌《維奧納蒂》（查布洛——法國）

Violette Noziere（Claude Chabrol, France）

▌《左手女郎》（彼德・漢基——德國）

The Left-Handed Woman（Peter Handke, Germany）

▌《絕望》（法斯賓達——德國）

Despair（Rain Werner Fassbinder, Germany）

▌《情慾夢》（祖路士・達辛——美國）

A Dream of Passion（Jules Dassin, USA）

▌《最道德的一夜》（卡路尼・麥克——匈牙利）

A Very Moral Night（Karoly Makk, Hungary）

▌《再見，猴子》（馬可・費拉利——意大利）

Bye Bye, Monkey（Marco Ferreri, Italy）

▌《木屐樹》（艾曼諾・奧米——意大利）

L'Albero Degli Zoccoli（Ermanno Olmi, Italy）

▌《依奇・邦保》（蘭尼・摩烈提——意大利）

Ecce Bombo（Nanni Moretti, Italy）

▌《愛之亡靈》（大島渚——日本）

Empire of Passion（Nagisa Oshima, Japan）

▌《援兵之計》（米高・利亭——墨西哥）

El Recurso Del Metodo（Miguel Littin, Mexico）

▌《螺旋》（贊祿思——波蘭）

Spiral（Krzysztof Zanussi, Poland）

▌《被矇著的眼》（卡路斯・索拉——西班牙）

Los Ojos Vendados（Carlos Saura, Spain）

▌《海難之餘生者》（李加度・法朗高——西班牙）

Los Restos Del Naufragio（Ricardo Franco, Spain）

▌《午夜快車》（阿倫・柏加——英國）

Midnight Express（Alan Parker, UK）

▌《死神的呼喚》（史高里莫斯基——英國）

The Shout（Jerzy Skolimowski, UK）

▌《婚外情》（保羅・麥索斯基——美國）

An Unmarried Woman（Paul Mazursky, USA）

▍《獨行戰士》（卡路・黎茲——美國）
Who'll Stop The Rain（Karel Reisz, USA）

▍《榮歸》（荷・阿殊比——美國）
Coming Home（Hal Ashby, USA）

▍《雛妓》（路易・馬盧——美國）
Pretty Baby（Louis Malle, USA）

▍《迷情》（比利・懷德——美國）＊
Fedora（Billy Wilder, USA）＊

▍《最後華爾茲》（馬田・史高謝斯——美國）＊
Last Waltz（Martin Scorsese, USA）＊

▍《狩獵的意外事件》（艾美尼・盧鐵安奴——蘇聯）
Un Accident de Chasse（Emile Lotianiou, USSR）

▍《好啊，大師》（拉意可・格力——南斯拉夫）
Bravo Maestro（Rajko Grlic, Yugoslavia）

本屆康城影展主要得獎名單

▍最佳影片
《木屐樹》（艾曼諾・奧米）

▎最佳導演

大島渚（《愛之亡靈》）

▎最佳男主角

莊・威（《榮歸》）

▎最佳女主角

依莎貝・雨蓓（《維奧納蒂》）

芝露・克萊堡（《婚外情》）

▎評審團特別獎

《再見，猴子》（馬可・費拉利）

《死神的呼喚》（謝西・史高里莫斯基）

▎影評人特別獎

《大理石人》（安德烈・華意達）

大島渚與吉行和子（中）攝於康城（1978）。
（Photo: By Freddie Wong）

大島渚攝於康城（1978）。
（Photo: By Freddie Wong）

法斯賓達與狄·保加弟在康城（1978）。
（Photo: By Freddie Wong）

法斯賓達在康城（1978）。
（Photo: By Freddie Wong）

波蘭導演贊祿思（1978）。(Photo: By Freddie Wong)

查布洛攝於康城記者會（1978）。（Photo: By Freddie Wong）

謝勒‧狄柏度（右）與導演出席記者會（1978）。
（Photo: By Freddie Wong）

第 32 屆
康城影展 1979

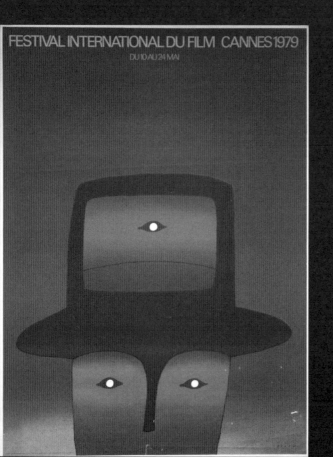

FESTIVAL INTERNATIONAL DU FILM CANNES 1979
DU 10 AU 24 MAI

FRA

Apocaly

在第 32 屆康城影展看到的
《現代啟示錄》

　　美國導演法蘭西斯・哥普拉的新作《現代啟示錄》終於在 5 月 19 日和 20 日跟康城的觀眾見面了。這部耗資達 2 億 2500 萬港幣的越戰問題片，數年來一直是影迷、影痴和圈內人的話題。有關這部影片的傳聞亦多不勝數。從來沒有一部影片在拍攝期間能夠這樣令人矚目。影片在 19 日正式假座康城電影宮放映 3 場，然後又於翌日在奧林匹亞戲院（Olympia）加映 3 場。

　　這部暫時名列電影史上最昂貴影片的《現代啟示錄》，今次在康城放映的版本是工作拷貝（Work Print），連片頭設計和工作人員字幕亦未印好；此外，部分旁白、配樂和音響效果仍未弄妥，他們稱為「尚在進行階段」（A Work In Progress）。據說本片是由 240 多個小時的毛片剪到目前的 2 小時 20 分版本，即是說，剪片比例是 100：1。這個數字委實驚人。《現》片就像去年的《木屐樹》一樣，幾乎到最後一分鐘才宣佈參展，並同樣是捧走了最佳影片的金棕櫚大獎。不過，今次的大獎還要分一半給德國片《錫鼓》（The Tin Drum）；反正哥普拉和該片的導演舒蘭朵夫（Volker Schloendorff）是多年的好朋友，相信人家都

不會介懷。

　　《現代啟示錄》在康城的宣傳和公關負責人是香港影痴熟悉的法國影評人兼導演皮爾・利思昂（Pierre Rissient）。皮爾在康城影展正式開幕前數天才趕赴三藩市會晤哥普拉，並觀看該片參展的版本。事實上，康城的選片委員會裡面，沒有一個人曾經看過這部影片的「發行拷貝」，因為影片還在「即將完成」的階段。這次康城大會破例答允一部尚未完成的作品參展，相信是對曾經拍過《教父》等佳作的哥普拉一種信心的表現。

3 項紀錄

　　哥普拉這次在康城奪得最佳影片金棕櫚獎，可說是刷新 3 項紀錄：1、電影史上最昂貴的影片參展並獲大獎，2、第一部以工作拷貝參展並獲大獎的影片，3、唯一能在影展再獲金棕櫚大獎的導演（哥普拉 5 年前曾以《竊聽大陰謀》（The Conversation）得獎）。哥普拉很坦白地在影片的場刊上承認，他很高興能夠把康城的觀眾當作試金石，他將會依據觀眾對影片的反應而決定最後剪輯（Final Editing）和音響效果的處理。哥普拉為了這部影片也真的吃盡苦頭，天時、地利、人和三大要素全不對勁，況且他亦傾盡所有家財去拍一部美國政府拒絕支持的越戰影片。我個人倒認為他絕對有權這樣做。從現在的版本看來，無論哥普拉將來怎樣增添或刪改，最終只能改變影片的外觀或「包裝」，但影片的內容和主題意識是難以更動的。

　　最早以越戰為題材的美國影片相信是由尊·榮主演的《越南戰火》[1]。這部場面堪稱巨大的戰爭片是完全站在美國政府的立場講說話,再加以不倫不類的外景和佈景,與一般荷里活式的外國歷險片是完全沒有差別的。近期荷·阿殊比(Hal Ashby)拍攝的《榮歸》(*Coming Home*)雖然是以越戰為背景,但故事的主線卻在美國的大後方發生,所以不能算是正式的越戰影片。另外一部是鐵·蒲斯特拍攝的《梅華村大屠殺》[2],據說是一齣成績不俗的越南戰事影片。

　　目前風頭最勁的越戰片無疑是米高·西敏奴(Michael Cimino)的《獵鹿者》(*The Deer Hunter*)。該片在《現代啟示錄》開拍後才進行攝製,而搶先於《現》片完成前公映,並且在今年的奧斯卡大會上奪獲五項金像獎,包括最佳影片、最佳導演和最佳剪接等獎項。哥普拉在影展的場刊上表示,他一手捧出來的大明星沒有一個肯到菲律賓的森林區跟他捱苦,其中當然包括在《獵鹿者》演出的羅拔·迪尼路(以哥普拉導演的《教父》和《教父續集》走紅)。無獨有偶,兩片的導演都是祖籍意大利的美國人。

　　相信任何看過《獵鹿者》和《現代啟示錄》的觀眾都會拿它們互相比較。前者是一部較為「小型」的製作,導演是新紮的米高·西敏奴(前作只得《霹靂炮與飛毛腿》),而後者則是耗資3千萬美元的超級製作,導演又是美國目前最優秀導演之一的哥普拉。因此,我們不應著眼於影片的技巧和外觀,而應

分析影片的內容和編導對越南戰爭的觀點。事實上，米高・西
敏奴拍攝《獵鹿者》時所表現的高度專業性技巧的確是有目共
睹的（除了片初近 1 小時的婚禮過於拖沓之外）。我們大概可以
這樣說，《獵鹿者》是一部拍得極為成功的商業電影。

　　可是，米高・西敏奴對越戰採取的是甚麼觀點呢？片中的
綠帽子軍人從越南戰場回來後還可以在酒吧說一聲（Fuck it!），
表示越戰的可怖和戰爭的荒謬，但越南的人民還能説些甚麼
呢？很明顯，這是一場高科技與落伍武器之間的戰爭，也是文
明與原始之間的鬥爭。《獵鹿者》給人看到的是越南人的殘暴、
獸性和嗜賭，美國士兵的傷殘、痛苦無助和精神崩潰等等。編
導給觀眾看的是「俄羅斯輪盤」的殘忍，越共的滅絕人性（把
手榴彈拋進全是婦孺的隱蔽所）。但是美軍的優勢火力在頃刻間
蕩平一個越南村落，B52 型轟炸機日以繼夜的出動轟炸等等，
影片卻絕口不提。難道這一場不公平的戰爭過後，還要拍一部
不公平的電影來為文掩飾嗎？《時代周刊》上有一篇影評大讚
《獵鹿者》[3]，先不談《時代周刊》的影評水準，單從這份雜誌一
向站在美國政府的立場説話這一點看來，亦可以想見撰文者的
偏袒態度。此外，片末的反華片段[4]，也可以看到編導懷有暗箭
傷人的鬼胎。

　　我們在康城看到的《現代啟示錄》雖然是未完成的版本，
但所需要的不外是一些雕琢的功夫，影片的軀幹和精神大致上
已經確定。單從影片的娛樂性著眼，影片絕不遜於《獵鹿者》，

片中一場直升機群以空對地火箭襲擊越南村落和一場美軍炮艇搜查越南平民船隻而誤殺無辜是最激盪人心的場面。而實際上，這兩場戲亦恰巧說明了美軍在越南戰場的處境和實際情況。尤其是後一片段，觀眾可以看到美國士兵實在不是蓄意殘殺無辜，但由於上級命令，亦可能由於恐懼，或由於誤會，為了先發制人，於是全船無一倖免。這一場很有力的說明美國的對越政策、處境和後果。

忠於自我

哥普拉這一部影片原本可以拍得更為火爆刺激，但正如他自己在記者招待會上宣稱，他最初是準備拍攝一部戰爭片的，但數年來的痛苦經驗所弄出來的連他自己也不覺得是一部戰爭片[5]。此外，他又表示：「這不是一部有關越南的影片，它本身就是越南。」今年年初得出的消息說哥普拉在影片的剪輯上頗為難，他不知道應該保留較多的戰爭場面來討好觀眾，好讓自己早日「翻本」，還是按著自己的判斷和良心來完成一部忠於自我的藝術作品。他在記者招待會上表示，他終於決定按自己的旨意進行剪輯，因為他這次沒有製片人騎在頭上，他可以，而且亦應該讓自己為所欲為。

在數目接近 1000 記者出席的招待會上，有人問哥普拉對《獵鹿者》的意見。他很率直的表示該片的「政治觀點很幼稚」（Politically Naive）。另外，有人質問哥普拉是否有過份渲染暴

力之嫌，哥普拉很氣憤的表示：「你們在片中看到的暴力場面，
與真真正正在越南所發生的戰事相比，簡直微不足道。有人攻
擊我在《教父》中的血腥場面，尤其是那血淋淋的馬首屍骸。
這實在可笑。片中有數十人被謀殺，人們好像視若無睹。觀眾
倒特別關心動物。這無辜的馬兒並不是我們為了拍片而殺害
的，而是製造『狗食物』的公司所為。這可憐的馬於是餵飽了
許多女士懷中的寶貝狗兒。（大意）」在座記者聽到這兒都鼓掌
叫好。哥普拉的影片就像他在招待會上的表現一樣——率直、
敢言。

　　《現代啟示錄》是由尊・米遼斯[6]根據約瑟・康萊德（Joseph
Conrad）的原著《黑暗之心》（*Heart of Darkness*）的部分素材
改編而成電影劇本。故事的主線是描述一位年青的美軍上尉威
拉德（馬田・辛）奉命前往越南邊境的柬埔寨地區，解除一位
美軍上校寇茲（馬龍・白蘭度）的職務，並結束他的性命。因
為這位曾經一度戰績彪炳的軍官被懷疑是神經失常，藏匿於柬
越邊境的深山大澤自立為王。威拉德於是乘巡邏艇溯河而上，
找尋寇茲的下落，經過一番曲折之後，終於「解決」了寇茲。
然而，導演哥普拉仍未立定主意如何結局。在電影宮看到的結
局是威拉德手刃寇茲後，接受村民的膜拜，而在奧林匹亞戲
院看到的結局[7]則是威拉德手刃寇茲後，與另一同僚乘巡邏艇
離去。

　　哥普拉說他自己有意把這部片拍成歌劇的樣子（片中直昇

機出動的一場便配上華格納的歌劇音樂 *Valkyrie*），這可以解釋影片下半段的戲劇性光影效果和較為舞台化的空間和佈景。由於本片的配樂和旁白的混音工作仍未完竣，故此很難說成績的好壞。但筆者對下半部的感覺是：威拉德的心路歷程似乎有點抽象，觀眾很難把它與《黑暗之心》的道德架構拉在一起；馬龍·白蘭度飾演的寇茲亦沒有甚麼特別的表現。

不過，影片的前半部的確可以看到編導對美軍當局的大力鞭撻。片中有一位嗜好滑水的美軍上校，聽說隊中來了一位滑水好手，於是下令部屬向河流的上游挺進，在其他隊伍的掩護之下來一次滑水表演。而這位上校的裝扮活像美國拓荒時期的加士達將軍（General Custer 以屠殺紅印弟安人知名），像這樣的描寫，也難怪美國軍部拒絕協助拍攝的工作。

《現代啟示錄》並不是一部完美無缺的藝術作品，但是哥普拉捍衛真理的誠懇態度的確值得人們鼓掌喝采。

原刊《南北極》第 109 期，1979 年 6 月 16 日

注釋：

1   *The Green Berets*，由尊・榮和 Ray Kellogg 合導。

2   *Go Tell the Spartans*，導演是 Ted Post，由畢・蘭加士打主演。

3   Frank Rich 撰寫，刊於 1978 年 12 月 18 日出版的《時代周刊》，中譯見《電影
    雙週刊》第 8 期。

4   片中賭局的巡官操潮汕口音，片末的工作人員字幕亦注明是中國公證人和中
    國打手。

5   許多劇照顯示的戰爭場面都刪掉了。

6   John Milius，荷里活著名編劇兼導演。執導作品包括《大賊龍虎榜》(*Dillinger*)
    和《大綁票》(*The Wind and the Lion*)。

7   這個結局是哥普拉應記者的要求而換上，再作放映。他自己宣傳他喜歡的是
    第一個結局。

哥普拉接受記者提問（1979）。（Photo: By Freddie Wong）

哥普拉與主持米修・薛蒙（左）交換意見（1979）。（Photo: By Freddie Wong）

舊的康城電影宮（1979）。（Photo: By Freddie Wong）

80年代

第 33 屆
康城電影節 1980

FESTIVAL INTERNATIONAL DU FILM CANNES 1980
DU 9 AU 22 MAI

CETTE AFFICHE EDITEE GRACIEUSEMENT PAR LE GPS NE PEUT ÊTRE VENDUE

ROY SCHE

All that work.
All that glitter.
All that pain.
All that love.
All that crazy
rhythm.
All that jazz.

ROY SCHEID

JESSICA LANGE ANN REIN
GIUSEPPE ROTUNNO ALAN HEI
DANIEL MELNICK
BOB FOSSE ROBER

▲ 1980 年第 33 屆宣傳海報

◀ 1980 第 33 屆康城電影節金棕櫚獎
電影《浮生若夢》(*All That Jazz*)

▼ 1980 第 33 屆康城電影節金棕櫚獎
電影《影武者》

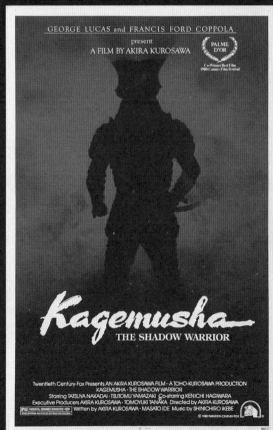

第 33 屆康城電影節巡禮

之一：歷屆影展今年亞洲片最多

一年一度的世界影壇盛事康城電影節——又宣告揭幕了。今年的影展已經是第 33 屆，由 5 月 9 日至 22 日舉行，為期剛好 2 週。

筆者 5 月初在巴黎度過了相當寒冷的一個星期，已經預料到康城的天氣也不會像平常般暖和。抵達康城後果然是天色陰暗、氣溫頗低的初冬景象。沙灘上冷冷清清的，不要說無上裝女郎，就是一心想曬黑點皮膚的弄潮兒也不多見。雖然如此，但海旁大道的汽車長龍卻由朝到晚都在那裡，真不明白那些駕車人士有這樣的耐性。電影宮附近的餐廳和露天咖啡座依然擠擁不堪，卡爾登酒店更是人頭湧湧；不少影迷擠塞在門口，希望能夠一睹大明星的風采。康城仍然是康城。晚上在電影宮看電影要全套禮服，脖子上要套上蝴蝶結；你說這是資產階級的玩意嗎？他們說這樣才夠派頭。

今年最令人矚目的影片是黑澤明的《影武者》，一般評論皆認為金棕櫚大獎非他莫屬。去年風頭最勁的影片是美國導演哥普拉的《現代啟示錄》，而今年的《影武者》哥普拉與佐治·盧卡斯都有參與製作（據說是外國版的執行製片），看來勝算甚高。

　　這次影展的大師級人馬還包括法國的尚盧·高達和阿倫·雷奈，以及意大利的費里尼等。不過，高達的影片是以瑞士片的名義參展。此外，參加「官方選擇」部分的歐洲第一線導演還有匈牙利的美莎露斯、波蘭的贊祿思、意大利的史高拿、貝洛奇奧和甸奴·利斯、德國的雲·溫達斯等。

　　今屆康城電影節的競賽部分有多部亞洲影片參加。除了日本的《影武者》外，我們還會看到印度導演馬連奴·山的《平凡的日子》，以及菲律賓導演連奴·布洛加的《豹》。這兩位導演的前作都曾於香港國際電影節上放映，前者有《邊際人》和《帶著斧頭的人》，後者有《英思安》和《黑暗魔爪》，都獲得不俗的評價。

　　此外，還有一部亞洲影片在「官方選擇」的正式項目展出，但不參與競賽，那就是中國上海美術電影製片廠攝製的動畫片《哪吒鬧海》，由王樹忱、嚴定憲和徐景達導演。記憶中，今年似乎是歷屆康城影展中，最多亞洲影片參加的一屆，説不定會被亞洲國家奪去重要的獎項哩！

　　今屆參展的「官方選擇」影片共有 30 部，參與比賽的只有22 部，其餘 8 部純粹展出的影片是：《哪吒鬧海》（中國）、《公眾電話》（法國）、《水上迴光》（美國）、《打碎玻璃》（英國）、《女兒國》（意大利）、《生活的險阻》（法國）、《我有開麥拉面孔》（意大利）等。

　　除了上述影片外，還有一部神秘電影，也算是「官方選擇」

的節目。從參展名單看來，今年好像沒有了蘇聯影片（除非是那部神秘電影），是因為中國參加了「官方選擇」的項目呢？還是大會當局抗議蘇軍侵略阿富汗？

《快報》，1980 年 5 月 13 日

之二：會場外街頭各式活劇多

今年康城影展以一部加拿大、法國合作的歌舞片《神奇的》作為揭幕影片，導演吉爾・卡利的成績普通而已。事實上，康城的開幕禮影片往往不會是轟動性的大片，因為許多重要人物在電影節開始了數天後才駕臨康城，反而是頒獎禮和閉幕影片更為重要。

電影節的競賽部分每年都邀請各國的電影界知名人士出任評判，去年的評審團主席是法國女作家莎岡（她編過電影劇本也執導過影片）。今年原本是邀請瑞典大師英瑪・褒曼擔任主席，但他顯然對這個有風頭可出但相當費神的職務沒有多大興趣，於是由美國過氣（？）影星卻・德格拉斯冷手執個熱煎堆，榮任評審團主席。其他成員包括雅比娜・杜・包華露維莉（法國女製片人）、李絲梨・加儂（法國女明星）、簡・阿當（英國佈景設計師）、羅拔・本乃揚（法國影評人），維利柯・布拉扎（南斯拉夫導演）、查理士・張伯連（美國影評人）、安德烈・戴爾和（比利時導演）、真路易基・隆迪（意大利影評人）、米高・史賓沙等。

康城電影節愈來愈像一個大戲台，整條棕櫚大道便是生動的舞台。電影宮的正門由早到晚都擠滿了看熱鬧的人群，尤其在晚上，那些堆在門前引頸翹望、想一睹大明星風采的影迷可謂熱誠可嘉。此所以要出動荷槍實彈的警衛在大門口維持秩序。卡爾登、大華、馬蒂尼斯酒店本身便是一個大戲台，不獨大明星、大導演要亮相，其他如製片人、片商、戲院老闆、影評人、記者都在那裡堆起笑臉，等他們想碰到並寒喧幾句的要人，或者向一些他們好像認識但又記不起是誰的人打招呼。

卡爾登和馬蒂尼斯酒店裡裡外外都是電影廣告牌和海報，活像巴黎五光十色的戲院區和紅燈區（許多名士來到康城亦是抱有同樣的「觀光」目的），當然，氣派自是前者高貴，最低限度一進一出的人士多是衣履煌然，昂視闊步。沙灘旁邊經常有許多發明星夢的美女（？）希望有星探、製片、導演賞識而設法製造一些哄動的場面（脫光衣服是最常用的手法）。就是棕櫚大道也佈滿海報和廣告牌，使人目不暇給。

我們經常可以看到電視或電影外景隊在獵取花絮鏡頭，只要有一大堆人哄在一起，那不用說一定是某某明星或導演在那裡「曝光」。法國電視台的外景車隊便是一直停在大華酒店外面。沙灘上也經常可以看到許多水銀燈或反光板等照明器材。總之是好戲陸續有來，有點像「街頭劇」般隨時上演。

電影宮附近的時裝店、髮型屋有許多都以明星照片招徠顧客，櫥窗內盡是一些當時得令的明星近照，例如嘉芙蓮‧丹

露、伊莎貝・雅珍妮、阿倫・狄龍等。最多影人出沒的「藍色酒吧」又時常有些跑江湖的藝人在表演雜技，諸如吞刀片、吃火柴、噴火焰或者表演諧劇等等。

　　宣傳影片的手法往往也是好戲之一。例如，澳洲片《軍法審判》便出動了兩名全副武裝的騎兵在大街上巡遊，另外又有人以一輛載有白色棺木（和一些穿著 18、19 世紀服裝的男女）的馬車四處招搖，車上的幾個黑衣人有時又把棺木抬上抬下，極之惹人注目。

《快報》，1980 年 5 月 15 日

之三：中國導演不喜性愛場面電影

　　中國去年以謝鐵驪的《早春二月》參加康城影展的非競賽部分，頗獲好評。今年又以一部動畫片《哪吒鬧海》參加「官方選擇」的項目，但不參與競賽。該片是上海美術電影製片廠1979 年的製作，由王樹忱、嚴定憲、徐景達三位聯合導演。影片在 5 月 11 日下午 3 時在電影宮的大戲院放映一場，觀眾反應不錯，中途離座的觀眾很少（許多參加比賽的影片都有人半場離去，尤其是安排給記者和影評人的特別放映）。

　　放映完畢後，就像其他參賽影片一樣，由導演親自主持記者招待會，解答影評人和記者的問題。除了王樹忱本人出席外，中國代表團的其他成員白穆、唐國強、胡健、曾憲瑞都參加了記者招待會，只不過他們坐在觀眾席的第一行。王樹忱笑

容可掬地解答座上的發問，而那位法語傳譯亦揮灑自如地譯出
談話內容。這位傳譯員看來是在法國長大的中、法混血兒，他
的表現比去年初巴金訪問巴黎第八大學時國內派出的傳譯員好
得多。大會另外還有一位英語傳譯員，負責把法語譯成英語，
或把英語問題譯成法語。

　　這幾位代表團成員大部分時間都穿著筆挺的西服，給人的
印象是和藹可親。他們全都有參加東寶公司為《影武者》而設
的酒會，王樹忱更在脖子上打了蝴蝶結，他說晚上要去電影宮
看電影，所以不得不入鄉隨俗。

　　王樹忱是上海美術電影製片廠的副廠長，是資深的動畫影
片製作者，也經常從事佈景設計和創作漫畫的工作，曾經拍過
《小號手》、《黃金夢》、《過猴山》等動畫影片。

　　白穆是上海電影製片廠的老牌演員，論資歷大概與趙丹同
期，曾經演出過張駿祥的《翠崗紅旗》、方徨的《兩個巡邏兵》
和《逆風千里》、桑弧的《春滿人間》，還有《不拘小節的人》
和《南征北戰》等。在他臉上可以看到歲月無情的侵蝕痕跡，
但他仍然精神奕奕地和另外幾位代表頻頻出席酒會和觀看參賽
的影片。

　　唐國強是北京八一電影製片廠的年青演員，曾經演過《小
花》、《南海風雲》、《今夜星光燦爛》等。他的樣貌跟台灣演員
柯俊雄非常相像。我跟他談到這一點的時候，他便問我是不是
指《家在台北》的那位演員，他跟著又說柯俊雄比他瘦一點。

看來他亦有同感哩！至於胡健和曾憲瑞都是北京中國電影發行
放映公司的代表，後者還擔任英語傳譯的工作。

　　在康城有機會跟他們幾位交談，藉以了解國內電影近期的
製作情形。王樹忱說近期較有水準的影片是黃祖模導演的《盧
山戀》、水華導演的《傷逝》，而一些老牌導演又在拍攝一些認
真的大製作，例如謝晉的《王昭君》、陳鯉庭的《大風歌》，以
及桑弧改編巴金原著的《子夜》等等。

　　在談到今屆康城的話題作《影武者》的時候，他們說這部
影片的攝影和戰爭場面都很可觀，但缺少真正動人之處，而且
節奏慢了一點。我問唐國強有沒有看過黑澤明的其他影片，他
說也有看過《羅生門》和《德爾蘇・烏扎拉》等。從另外一位
法國友人與他們之間的談話，知道他們喜歡森姆・富勒的戰爭
片《紅一縱隊》，但不喜歡那些太多性愛場面的電影。

《快報》，1980 年 5 月 17 日

之四：神秘長片沉悶・停電鬆了口氣

　　5 月 18 日，電影節開幕後第 5 天，法國工會舉行全國大
罷工，連帶電影節也受到影響。這天早上 8 時半的一場電影特
別延遲至 9 時半才放映，據說是一部差不多 3 小時長的神秘電
影，有些人推測是美國導演史丹利・寇比力克的《閃靈》。

　　吃過早點後，慢條斯理的走到電影宮附近，看看有甚麼
罷工的跡象。果然，許多店鋪、咖啡室裡面都烏燈黑火；有些

為了繼續營業,所以都燃點起洋燭。不久,一隊旗幟鮮明、秩序井然的示威人群巡行至電影宮面前,然後由工會代表以擴音機發表他們的宣言,似乎是反對法國政府施行新的社會保險制度,他們認為這一措施使勞工大眾蒙受不利。

如果電力供應中斷,豈非無戲可看?先向電影節的報界接待處查詢,據說大會已和電力工會取得默契,到時不會把電影宮的電流截斷。吃了這顆定心丸之後,遂施施然進場看其神秘電影,原來是蘇聯導演安德烈‧塔哥夫斯基的《潛行者》。塔哥夫斯基的前作我已看過 3 部。其一是以俄國畫家安德烈‧盧布涅夫(Andrei Roublev)為主題的同名電影(黑白膠片攝製的史詩式電影)。其二是《星球梳那利斯》(Solaris),是蘇聯式的《2001 年太空漫遊》,雖然是科學幻想影片,但對於愛情的描寫,有非常奇詭動人的筆觸。前兩年,他的近作《鏡子》又在巴黎公映,成績亦相當不俗。現在這部《潛行者》也是嚴謹之作,但節奏奇慢,頗覺沉悶。

幸而放映了 1 小時後電力中斷,暫停放映,於是得以鬆一口氣,並趁機到報界接待處取影片資料。11 時半,他們以擴音器宣佈繼續放映,遂進戲院看其「下集大結局」。影片放到下午 1 時仍未有完場跡象,雖然略悶,但又捨不得離場,故此連當天康城市政府在棕櫚灘賭場設宴招待各國記者、影評人的聚會也錯過了。這一場「神秘電影」,法文的原義是「驚異電影」或「意外電影」(Film Surprise);在電影中斷時有位觀眾說:「這

真是雙重意外（double Surprise）。」也算幽默得可以。

　　散場後，匆匆忙忙啃了件三文治，呷了杯檸水啤酒，便冒雨趕去電影宮，準備看下午 2 時半放映的菲律賓片《美洲虎》。誰料大會人會卻臨時宣佈，因電力罷工而取消這場放映。暗忖電影宮的放映也取消了，不用說其他戲院也無片可看了。索性打電話給一位在香港時認識的法國女孩子莉莎（她曾在台灣和香港留了 2、3 年，對中國文化甚有興趣），看她是否有空聊聊中國雲南京劇團到巴黎表演的情況；她媽媽接電話說她 6 時半才會從巴黎趕到康城，立即便會去看 7 時半的一場《美洲虎》。她叫我去他們家裡會合。我見到莉莎的弟弟穿著整齊的禮服，打了蝴蝶結，我才醒悟我持著的記者證，照大會的規定是不能在電影宮看晚上的節目，況且我又沒有準備好蝴蝶結。在時間匆促的形勢底下，只好硬著頭皮「闖關」。不過，可能因為下午的一場取消了，所以晚上的一場也就大方地讓記者，影評人進場參觀。

　　回頭再說這部《美洲虎》，乃是菲律賓導演連奴・布洛加的最新作品。布洛加是菲律賓最傑出的導演之一，年紀也不過 40 歲。他的前作《英思安》和《黑暗魔爪》均曾先後在香港的國際電影節上映。這次是菲律賓電影首次參加康城電影節的競賽部分。連奴・布洛加和男女主角在散場後亦照例在大堂接受觀眾的喝彩，以及讓攝影記者拍照。《美洲虎》的故事題材不算新鮮，布洛加仍然選擇了馬尼拉的貧民窟背景；影片的成功大概

是導演和演員的功勞，不過本片出色的映像也是東南亞影片中極為罕見的。

《快報》，1980 年 5 月 19 日

之五：黑澤明答記者問題態度尖酸

5 月 14 日，宣傳已久的黑澤明的超大作《影武者》終於跟康城的觀眾見面了。該片是由日本的東寶公司和黑澤明的公司合力攝製，而美國的霍士公司亦有參與其事。日語版本的執行製片是黑澤明和他的老拍檔田中友幸，英語版本的執行製片則是美國著名導演法蘭西斯‧哥普拉（《教父》、《現代啟示錄》）和佐治‧盧卡斯（《星球大戰》）這兩位仁兄都以拍攝千萬美元的巨製而聞名，今次與黑澤明合作炮製這部超級巨片當然是駕輕就熟了。

一翻開影片的宣傳資料一看，發覺主要的工作人員都是與黑澤明長期合作過的人選，包括編劇的井手雅人、製作顧問橋本忍等，還有日本影壇最傑出的 3 位攝影指導──齋藤孝雄、中井朝一和宮川一夫，可説是精鋭盡出了。也因此，我對這部影片的期望是相當高的。

看完這部 3 小時的巨製之後我的確有點失望。不是説本片拍得不好，而是沒有想像中偉大，這種感覺就像看完《德爾蘇‧烏扎拉》後一樣，感到不太滿意。這個以德川幕府為時代背景的故事，日本導演其實已拍過不少次；例如，稻垣浩的《風林

火山》。只是，這次是集中描寫武田信玄和他的「替身」（也就是日文原名所指的影武者），以及武田的兄弟信廉、兒子勝賴、竹丸之間的關係。

影片無疑是拍得十分嚴謹，映像和視覺元素（包括佈景、服裝、道具、外景攝影，都非常豐富，只可惜故事略為單調，枝葉不足，而導演手法又過於傳統，節奏則太過緩慢。如果黑澤明能夠把這部影片加以濃縮和刪剪，相信效果一定會更好。片末一場屍橫遍野的肅殺景象（黑澤明以慢鏡拍攝戰馬受傷掙扎），雖然有其壯烈淒厲的味道，但委實是拖得太長了。我覺得黑澤明以前的黑白製作如《用心棒》、《天國與地獄》、《武士勤王記》等等都可以一看再看，而這部《影武者》則一次已足，或者是影片不夠緊湊所致吧。

影片放映完畢後，黑澤明和本片主角仲代達矢都有出席記者招待會（下午 1 時），由法國著名影評人米修・薛蒙擔任司儀，另外還有英、法語及日、法語傳譯為黑澤明作翻譯。這次招待會就像去年哥普拉的招待會一樣，在電影宮的大戲院裡面舉行；於是，許多人都意味到《影武者》一定是金棕櫚大獎的得主。筆者認為這次記者招待會沒有上屆《現代啟示錄》的刺激和有趣，而黑澤明在回答記者問題時的尖酸態度也有失風度（雖然有些問題的確問得多餘）。座上有位影評人問他為甚麼有好幾場戰爭場面要用夜景來拍，他語帶譏諷地說因為這樣才可省錢，但明眼人都知道這是負氣的說話。

　　東寶公司早幾天在馬蒂尼斯酒店舉行雞尾酒會，款待有關人士；與會的賓客都可獲印刷精美的《影武者》宣傳小冊和禮物一份（電子鬧鐘）。原本黑澤明也會出席，但據說他因為身體不舒服，故此臨時缺席。不過，該片的男主角仲代達矢亦有到場當其主人家，他彬彬有禮、滿臉笑容地以純正的英語招呼賓客。當然，還有東寶公司的首腦川喜多夫婦，而中國代表團的成員王樹忱、白穆、唐國強等幾位，以及嘉禾公司的董事長鄒文懷都有出席。

　　仲代達矢已經年近 50，但唇上長了髭鬚的他看來卻只像 30 來歲的年青小伙子，我起初在記者招待會上根本便不認得，也意料不到那人竟是仲代達矢。他在 1957 年以來拍片超過 100 部，其中包括舉世聞名的傑作，例如黑澤明的《用心棒》、《天國與地獄》、《穿心劍》，以及小林正樹的《黑河》和《人間之條件》等。

《快報》，1980 年 5 月 21 日

之六：血腥影片買家興趣已減

　　4 月底，有「緊張大師」之稱的荷里活殿堂導演希治閣，終於以 80 高齡辭世。希治閣原籍英國雅息士郡，由默片時代開始拍片，英國第一部有聲影片《碧玉無瑕》（*Blackmail*, 1929）便是由他導演。1939 年被荷里活邀約拍攝《蝴蝶夢》，嗣後 40 年，他的名字一直是票房的保證，絕少拍出失敗的作品。在荷

里活傳統的明星制度佔優的形勢底下，他使導演地位能夠凌駕明星之上。他是著名的「老頑童」，喜歡在自己的影片中，曇花一現地亮一亮相。繼尊・福、候活・鶴斯以及差利・卓別靈等殿堂導演先後去世之後，由默片時代開始拍片而仍然健在的荷里活導演大概只剩下拉奧・華爾殊、京・維多和亨利・京等幾位。

5月中，巴黎的電影收藏館舉行了一個向希治閣致意的回顧展，陸續放映希治閣的一些重要作品。他們在康城電影節也舉辦一個特別節目，在5月15日的下午5時，電影宮有一個「向希治閣致敬」的節目，放映他的一些傑作的片段，並由摩納哥王妃嘉麗絲・姬莉出席主持盛會。年輕的觀眾可能不知道嘉麗絲・姬莉是何方神聖，但看過希治閣的《後窗》、《捉賊記》、《電話情殺案》等影片的觀眾，相信都會對這位端莊、艷麗的女星留下深刻印象。

在電影節期間，他們於電影宮的高克多影室放映了希治閣的4部作品，《迷魂記》、《怪屍案》、《淒艷斷腸花》和《國防大秘密》。過去幾年，康城電影節都有以導演為專題的回顧展，前年是荷里活喜劇大師比利・懷德（其新作《迷情》則在「官方選擇」的項目放映），去年是意大利導演佛朗赤斯高・羅西（其新作《基督在依布里止步》亦在「官方選擇」項目放映）。這些放映活動規模不大，相信是大會當局向影評人和專業人士提供導演專題研究的機會。今年碰著「緊張大師」希治閣逝世，於

是順理成章也來一個小型的回顧展。

　　談到希治閣，我們自不然會想到那些震驚、懸疑和犯罪的電影。今年康城電影節的影片市場有很多恐怖震慄電影，我們在《銀幕》或《法國電影》等特刊上，經常看到這些恐怖電影的廣告或試片通知，像《血狂》、《午夜的叫聲》、《沉默的呼喊》、《不要接電話》等片名，不問而知都是這一類貨色。不過，大部分已經無法引起買家的興趣，看來血腥、暴力、恐怖電影的潮流逐漸進入低潮，希治閣的影片雖然也是以嚇唬觀眾為目的，但對電影語言的掌握是那樣的純熟和精練，他在人情方面的描寫是那樣的深刻，根本已經把震慄的電影提昇到藝術電影的層次。

　　希治閣的逝世當然不會影響到康城電影節的天氣，但無可否認，今年 5 月法國「藍色海岸」的天氣卻是近年最差的。直到今天為止，能夠見到太陽的日子最多只有 3、4 天，其餘的時間不是陰天，便是下雨，一片愁雲慘霧的。再加上電影節的競賽部分也沒有真正令人興奮的好片，於是更顯得今年的電影節比過去幾年失色。前年最低限度有《木屐樹》，去年也有《現代啟示錄》和《錫鼓》，而今年最引人注目的《影武者》並不太令人滿意。

　　如果天氣晴朗，陽光普照，我們即使看電影看得發悶，也可以去海邊走走，或者在沙灘旁曬曬太陽，享受一下溫煦的陽光，以至欣賞一下弄潮兒的千姿百態。可惜，今年的天氣是那

樣的惡劣，從戲院散場出來後還要狼狽地躲避那淒迷的風雨，也實在使人沮喪。更由於氣溫的劇變，大概很多影界人士都受了風寒，看戲的時候不斷傳來咳嗽的聲音；那種此起彼伏、連綿不絕的噪音，使看戲的情緒也受到不大不小的影響。

《快報》，1980 年 5 月 23 日

之七：康城導演手法各有千秋

今年意大利派出了多部影片參加康城電影節，計有艾陀勒‧史高拿的《陽台》、費里尼的《女兒國》、貝洛奇奧的《跳進真空》和甸奴‧利斯的《我有開麥拉面孔》等 4 部，而《我》片則是電影節的閉幕禮影片，筆者未看，因此不能置評。現在就簡單地談談另外 3 部。

史高拿近年在康城頗為得意，近作《污穢、卑劣、醜陋》和《特別的一天》都大獲好評。《陽台》是一部敘事手法頗為特別的電影，藉著一個在陽台上的交際場合，反映了知識份子和中產階級的各種各樣人物和面貌。影片的結構可説是分為許多個小故事，由各個不同的但又互有關連的角色組成，整齣影片的骨幹便是以這個「陽台」串連，每次「過場」史高拿都接回陽台的同一場面來再分頭敘述故事。這種技巧與布紐爾在《自由的幻影》裡面所用的接力式的「主線轉移」手法又有不同。本片長 2 小時半有多，演員陣容堪稱強大，網羅了法、意兩地的紅星，包括維多利奧‧加士曼、沙治‧里根尼、馬斯杜安

尼、尤高‧托納西、尚路易‧杜寧南和他的女兒瑪莉‧杜寧南等。由於筆者弄錯了開映時間，所以沒有看到起初的 1 小時，但從影片的下半部看來，史高拿的諷刺喜劇仍具水準。本片能夠獲得最佳劇本獎，相信與編導的敘事手法有關。

貝洛奇奧的《跳進真空》與他以前的作品如《袋中拳》和《以父親的名義》一樣，都是以意大利家庭裡面的人際關係做主題。今次他描述的是一段畸型的兄妹關係。飾演中年法官的米修‧柏哥尼和飾演他妹妹的安諾‧愛美都是法國人，但卻以説意大利語的影片分別獲最佳男主角和最佳女主角獎，倒頗令人意外。故事中的法官認為嫁不出去的妹妹已經有點不正常，於是威迫利誘另一嫌疑犯去「解決」她，誰料那名年青而失意的演員卻與她產生了愛情，最後是法官跳樓自殺。貝洛奇奧認為一切悲劇、一切痛苦的根源都是在童年時候便已種下。這兩兄妹一向相依為命，並且要照顧年幼的弟妹（其中一位顯然是神經不正常），他們好像兩夫婦般住在一起，但又沒有進一步發展亂倫的畸型關係。貝洛奇奧這部影片是整個競賽項目中最有深度的心理劇電影。

費里尼的近作《女兒國》依然具有《費里尼羅馬》、《卡薩洛華》的優點，即是説充滿迷人的映象效果和豐富的想像力，但亦具有以上影片的缺點，那就是堂皇富麗的佈景背後只得脆弱的軀殼，故事零碎而缺乏有力的主題支撐。費里尼在影片裡諷刺了婦解運動，同時亦嘲諷了一般男士的色迷心竅。整部影

片的結構有點像「愛麗斯夢遊仙境」──馬斯杜安尼在火車上遇到美貌而性感的女郎，於是中途下車，跟她去到一個「女人的城市」，裡面的女人都是婦解運動的支持者，她們不需要男性：費里尼到康城並沒有主持記者招待會，只讓記者拍照，或許是恐怕「凶悍」的婦解影評人向他發炮吧？

《快報》，1980 年 7 月 8 日

之八：影展評分制度似有漏洞

　　美國電影在康城電影節一向有非常重要的地位，10 多年來不斷奪得金棕櫚大獎，例如羅拔・艾特曼的《風流軍醫俏護士》、謝利・沙茲堡的《同是天涯淪落人》、法蘭西斯・哥普拉的《竊聽大陰謀》和《現代啟示錄》等等。今年亦有一部美國影片奪得金棕櫚大獎，那就是卜・科西的《浮生若夢》。卜・科西以前曾經拍過《蠟炬成灰淚未乾》、《歌廳》和《連尼》，也算是荷里活音樂歌舞片中的高手。筆者個人認為他的前 3 部作品都比這部《浮生若夢》出色，但本片卻獲得康城影展的最高榮譽；這正如《影武者》不是黑澤明的最佳作品，但卻獲頒金棕櫚大獎一樣。

　　法國影評界對卜・科西的影片評價並不太高。如果根據《巴黎一週》的影評人的星標顯示，《浮生若夢》排名不過第 9，而法國導演阿倫・雷奈的《美國舅舅》卻高踞首位。這點其實並不偶然，因為雷奈的影片獲得影展的評審團「一致」投票通過

頒予評審團特別獎。可是，對於《影武者》和《浮生若夢》卻反而意見參差；那麼為甚麼《美國舅舅》不被選為最佳影片呢？可見康城影展的評分制度也有漏洞。《美》片另外又得國際影評人獎，知音實在不少。

　　這兩部影片目前都在巴黎市面的戲院公映，《浮生若夢》顯然拜金棕櫚大獎所賜，票房走勢甚勁，香舍麗榭大道上的戲院大排長龍。不過，《美國舅舅》的觀眾入座情況亦不弱，阿倫‧雷奈畢竟是法國觀眾熟悉的導演。從今屆康城影展的競賽影片看來，阿倫‧雷奈的確是世界影壇上最具創作力的導演之一。在《美》片中我們可以看到他依然能夠在電影語言的運用方面有所創新。可惜，這樣的電影實在很難有機會在香港公映，因為導演手法太新，一般觀眾難以接受，而且該片又沒有香港觀眾熟悉的明星，更難望有機會在商業院線排期公映。只好寄望香港國際電影節或其他電影會找來放映吧！

之九：阿倫雷奈老矣，高達吸引記者

　　正所謂「歲月催人老」，當年震動世界影壇的法國新浪潮導演之一的阿倫‧雷奈已經滿頭白髮。猶記 1959 年，他以一部《廣島之戀》而蜚聲國際。無獨有偶，今年以《慢動作》參加比賽的尚盧‧高達，也是於 1959 年以處女作《斷了氣》而名震影壇。有些人稱這部《慢動作》是高達的第 2 部處女作，因為自從 1968 年法國學生運動之後，高達一直在拍一些政治意味極

濃而「電影感」極為薄弱的電影，甚至不以膠片而以錄影帶來
創作。雖然如此，高達至今仍然能夠引起法國影評人和知識份
子的注意和爭論，而杜魯福、查布洛和路易・馬盧等新浪潮健
將早已喪失了當年的銳氣和創造力，並且沉迷於拍攝他們當年
大力反對的、傳統的、僵化的電影，但高達卻仍然「勒著肚皮」
在不斷摸索他自己的新方向和新路線。從這一點看來，沒有人
敢替他以後的作品和前途下結論。

　　高達的記者招待會，是黑澤明以外最轟動、最具吸引力的
一個。只有百多座位的會議室當然是一早滿座，遲到的記者和
影評人把會議室圍到水洩不通，而日本的電視攝影隊也到場採
訪。在今屆影展裡面，高達的發言最令人佩服和發人深省。雖
然許多影評人都是話中有刺，但高達仍然能夠輕鬆地化解了。
這部《慢動作》大概是高達 12 年來最傳統最容易為一般觀眾接
受的影片，或者可以說，跟他 1968 年以前的作品沒有太大分
別。影片中的「偷格慢鏡」看來是唯一較為特別的電影手法，
除此之外，我們看到的是不折不扣的 1968 年以前的高達。

之十：法國導演塔凡里埃風頭正勁

　　法國導演在康城露臉的還有貝特朗・塔凡里埃。他跟尚
盧・高達一樣，也是影評人出身的新秀導演，現年只有 39 歲。
1974 年以處女作《聖保羅鐘錶匠》獲法國路易・迪呂克獎，跟
著的《宴會開始》、《法官與刺客》、《寵壞的孩子》都可以看到

他的潛力和才華。最新作品是去年的《死亡的窺伺》和今年參展的《假期》。

　　塔凡里埃在法國的聲名愈來愈響，是法國影評人力捧的新秀導演。前作《寵壞的孩子》曾經在香港國際電影節放映。《假期》是在他的故鄉里昂拍攝，他與攝影師皮爾威廉・格連充份地捕捉了里昂市美麗的時刻。影片的故事是以一名 31 歲的女教師突然間對自己的職業產生了厭惡和恐懼的心理而展開，並且旁及她的愛情生活，是一齣散文式的電影，由日常的生活和片段拼湊而成，比較著重感情的抒發。

　　另外一部代表法國參賽的影片是莫里斯・皮亞勒的《奴奴》，攝影師也是由皮爾威廉・格連擔當（在康城展出的格連新作還有積葵・巴浩的《外景晚上》和塔凡里埃的《死亡的窺伺》）。皮亞勒是近數年才受人注意的新進導演，雖然實際上他已經 55 歲。前作《張大的咀巴》曾經在法國文化協會主辦的法國電影週上映過。「奴奴」是「路易」的乳名，是一個 28 歲無業青年的名字，他與一個有夫之婦奈妮勾搭上了。影片便是描寫這三個人之間的情慾關係。擔當主演的男女演員都是目前法國影壇最受歡迎的年輕一輩的演員。飾演奴奴的是謝勒・迪柏度，阿倫・雷奈的《美國舅舅》也是由他主演。飾演奈妮的是依莎貝・雨蓓，她還主演了高達的《慢動作》和匈牙利女導演美莎露斯的《女繼承人》，都在今年的康城參加競賽；在近數年的康城影展中，她每年都有影片參展，風頭的確甚勁。

之十一：美國影片 5 部參選

《大賊龍虎鬥》是以美國歷史上的劇盜謝西・占士的傳奇作為影片的主要情節。影片比較特別的綽頭是以現實生活上的同胞兄弟來扮演銀幕上的兄弟，一共有 4 組之多，例如，由史泰斯・傑治和占士・傑治扮演法蘭和謝西・占士兩兄弟，由大衛・卡烈甸（美國《功夫》片集的男主角），基夫和羅拔・卡烈甸扮演楊格三兄弟。和路達・希爾曾經為森・畢京柏編過《亡命大煞星》的劇本，本片的槍戰鏡頭相當激烈而又爽脆，實在絕不遜於畢京柏那些中槍或玻璃粉碎的慘烈的慢鏡頭。影片雖然無大新意，但卻顯然強調了因錯失而造成的怨恨和惡性循環，冤怨相報而接二連三的釀成無可避免的悲劇。

從今年展出的法國影片看來，除了《美國舅舅》比較富有優美、典雅的法國情調之外，其餘的《慢動作》、《奴奴》和《假期》都傾向於以寫實的筆觸反映現代法國青年的心態，對於男女之間的性關係有真實而略嫌粗鄙的描寫。一般法國影片所具有的浪漫情調已經被某些美國影片的社會寫實主義所代替。

今年參加比賽的美國影片共有 5 部。它們是和路達・希爾的西部片《大賊龍虎鬥》，森姆・富勒的戰爭片《紅 1 縱隊》，卜・科西的歌舞片《浮生若夢》，荷・阿殊比的諷刺性喜劇《富貴逼人來》，以及丹尼斯・賀柏的倫理文藝悲劇《晴天霹靂》，剛好代表了荷里活影片的 5 種類型。

康城舊貌，遠處可見新電影宮的工地（1980）。（Photo: By Freddie Wong）

康城舊城一角（1980）。（Photo: By Freddie Wong）

隶城舊城堡（1980）。
Photo: By Freddie Wong）

康城舊城相對寧靜（1980）。
（Photo: By Freddie Wong）

阿倫‧雷奈的記者會亦擠得水洩不通（1980）。（Photo: By Freddie Wong）

高達的記者會仍然引起哄動（1980）。（Photo: By Freddie Wong）

（左起）阿倫・雷奈，妮歌・嘉西亞，羅哲・皮爾（1980）。
（Photo: By Freddie Wong）

塔凡里埃與娜姐莉・貝伊（1980）。（Photo: By Freddie Wong）

印度導演馬連奴‧山（1980）。（Photo: By Freddie Wong）

尚盧‧高達見記者（1980）。（Photo: By Freddie Wong）

第 35 屆
康城電影節
1982

35e FESTIVAL INTERNATIONAL DU FILM

CANNES   14-26 MAI 1982

Charlie Horman thought that being an American would guarantee his safety.

His family believed that being Americans would guarantee them the

They were all wrong.

 1982 年第 35 屆宣傳海報

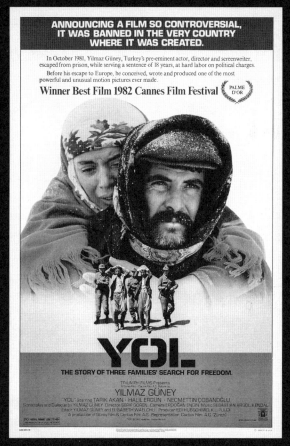

特寫第 35 屆康城電影節

前言

第 35 屆康城影展的展期是 5 月 14 日至 26 日，頭尾只得 13 天，比過往縮短了好幾天。我在 12 日乘法航班機前往巴黎，於 13 日早上立即轉機往尼斯，然後與同機的施南生和梅・杜拜厄斯（Mel Tobias）坐計程車到康城。

今年似乎特別多香港來客，除了邵氏、嘉禾、思遠、第一、安樂等常客之外，我認識的香港電影界朋友最低限度有新藝城的施南生、南方的許敦樂、珠城的梁李少霞、麥當雄製作公司的王小敏、張家振，此外還有中原影業公司的廖一原、劉芳，長城的傅奇，國際電影節的同事李元賢及太太，邵氏的方逸華、蔡瀾和章國明等等。聽說我坐的班機有 100 多名香港客要去康城的，難怪負責「南特第三世界電影節」的阿倫・乍拉度（Alan Jalladeau）問我：「你們香港人是不是要把康城變成殖民地？」

說起來，香港的一部參展影片——許鞍華的《胡越的故事》——便是一部極具殖民地色彩的影片；當然，我所指的是香港、菲律賓和越南這三個地方（作為影片的背景），曾經或仍然是英、美、法的殖民地。由於法國觀眾對菲律賓影片和越南

難民的關注,《胡越的故事》或會受到歡迎。許鞍華是繼唐書璇
(《董夫人》)之後,第 2 位在康城的「導演雙週」展出作品的
香港女導演。聽說影片的男主角周潤發亦隨該片導演和製片到
康城出席影展,但至執筆之時仍未有機會碰到他。

　今年康城的天氣真是好極了,來了 4、5 天都是萬里無雲的
艷陽天,只要在 Blue Bar 的露天茶座泡上一個半個小時,便曬
得紅彤彤的一副健康膚色,難怪人人都咧嘴而笑,都說:「Il fait
très beau !」(法語:天氣真好)。猶記得 2 年前的康城,天昏
地暗,一杯冰凍的啤酒喝進肚子裡,冷得人牙關打顫。

　康城影展規模愈來愈大,參展的人愈來愈多。從甚麼地方
可以看出來呢?很簡單,只看一場早晨 8 點半的參賽影片,也
不是甚麼大師作品,一部阿倫.布烈治導演的英國文藝愛情影
片,竟然擠得連座位也找不到,逼得許多影評人或電影節負責
人也要「落草為寇」,坐在兩旁的行人通道上,電影節主辦當局
亦早有遠見,2 年前便已著手興建新的電影宮;原定今年啟用,
但建築工程仍未完竣,因此推遲至 1983 年才應用。由於馬尼拉
影展之宮的塌毀做成傷亡事件,一向作風緩慢的法國人便更加
振振有詞:「我們並不想把人命當作草芥哩!」新電影宮的地點
距離舊地頗遠,靠近康城舊港和舊城,而遠離那一大片美麗的
棕櫚灘。今年依然是衣香鬢影、星光璀璨的卡爾登、美麗華、
格蘭、馬天尼斯酒店,明年肯定漸趨沒落。到時,可能輪到大
華(Majestic)、美好(Splendid)等酒店叱咤風雲了吧?

特殊的開幕影片

今年康城以 1 部 66 年前的默片作開幕首映。在康城的 35 年歷史裡面，這還是頭一次。這次他們放映的是美國電影之父格里菲斯（D. W. Griffith）在 1916 年完成的經典名作《黨同伐異》（*Intolerance*），由法國著名的電影作曲家菲臘・薩迪（Philippe Sarde）重新編撰音樂。菲臘是法國製片人阿倫・薩迪的兄弟，近 10 年的法國片大概有一半是由他負責配樂，可見其受歡迎的程度。

這種為默片重新配樂並配以大型樂隊伴奏的做法並不算新鮮。前兩年阿培・剛斯（Abel Gance）的《拿破崙》便在世界各地大受歡迎，去年倫敦影展又為京・維多（King Vidor）的《鴉群新鳳》（*The Crowd*）作同樣的處理。許多年前，日本已故導演衣笠貞之助的默片《瘋狂的一頁》被重新發掘出來之後，也是因為配上精彩的音樂而轟動一時。

這次放映《黨同伐異》本來也準備用大型樂隊即場演奏，但因樂隊指揮臨時染病而沒有時間排練，於是只用鋼琴伴奏。2 個半小時以上的影片要不停地彈奏鋼琴，也難怪觀眾特別向演奏者熱烈鼓掌。他是今年已經 82 歲的著名英國鋼琴家史丹利・基爾賓（Stanley Kilburn）。

格里菲斯的《黨同伐異》在今天看來仍然是偉大的作品。它的偉大不單只是場面、佈景的偉大，而是指它在電影語言方面的成就。若論場面的偉大，單是巴比倫的一場攻防戰就已經

令觀眾嘆為觀止，日後許多所謂大場面影片亦難望其項背。至於幾個不同年代的故事用平行剪接的手法來交代，集中襯托一個主題，也是極富想像力的技巧運用。

今次放映的拷貝由美國的雷蒙・羅浩亞（Raymond Rohauer）提供。據說格里菲斯在當年《黨同伐異》公映之後，對於影片的成績不太滿意，故此事後還加以剪輯，因此有不同的版本。羅浩亞從英、美、法等地方搜羅該片的舊拷貝，加以重新整理，並把影片重新染色（不同的片段有不同的色彩）。目前這個拷貝應該是最接近當時的樣貌。最近在香港國際電影節舉辦的巴士達・基頓作品回顧展，全部影片都屬於雷蒙・羅浩亞，他花了二十多年來搜集和「修整」基頓的影片，早已是國際知名的基頓專家。真料不到他竟然還擁有格里菲斯這張皇牌！

大陸影片首次參加競賽

繼前年的卡通片《哪吒鬧海》在「官方選擇」的項目展出後，今年中國又有 1 部《阿 Q 正傳》參展，並且參與角逐金棕櫚大獎。該片的導演岑範、演員嚴順開（上海曲藝劇團演員）、作曲王雲階（中國電影音樂學會會長），以及上海電影製片廠的廠長徐桑楚都來了康城出席影展。

《阿 Q 正傳》在下午 1 時放映完畢之後，我正要趕往會議室參加記者招待會，就在電影展之宮的 2 樓走廊碰到一位架了太

陽眼鏡、穿著畢挺西裝的「中國紳士」，大概 50 歲的模樣，精
神極為飽滿，看起來有點像日本導演黑澤明，但後者和藹可親
得多，我正在思索目前的長者是否就是岑範導演，並準備用普
通話發問的時候，他竟然用頗為純正的廣州話問我：「請問你會
議室喺邊度？」由於我知道他是朱石麟的學生，年輕的時候曾
經在香港生活，再加上我認出了正在旁邊出現的上影廠長徐桑
楚，於是更肯定這位是岑範導演。自我介紹一番之後，我便帶
他們去 4 樓的會議室。

　　這部由陳白塵改編魯迅小說的《阿 Q 正傳》拍得不錯：
岑範導演得很好，嚴順開的阿 Q 亦演得十分傳神。雖然影片問
鼎金棕櫚大獎的機會看來不高，但能夠與外國的電影大師如安
東尼奧尼、尚盧・高達、林賽・安德遜等一較高下已經是難能
可貴的事情，就以我所看的一場，觀眾的反應非常熱烈，半途
離座者甚少，筆者覺得影片將近結尾的一場發夢處理得較為俗
套，影響了整部戲的風格和藝術成就。

　　當然，岑範不是高達，不是安東尼奧尼，故此記者招待會
的場面顯得有點冷落。但岑範有很好的風度，說話得體，比諸
許多見慣大場面的外國導演亦毫不遜色。岑範、嚴順開、王雲
階都先後提到羅曼・羅蘭以及他的小說《約翰・克里斯朵夫》，
後來座上一位法國老婦特別向他們道謝。當岑範提到他以前的
作品越劇電影《紅樓夢》在中國大陸有 2 億人次觀眾的時候，
那些記者和影評人都瞠目結舌。電影藝術可以促進文化交流，

但電影文化的交流亦需要其他文化藝術的支持（例如文學作品）。當某些法國人仍然無知得把香港視作日本地方，當大部分外國觀眾仍然未聽過魯迅的名字，我們怎可以要求他們了解魯迅筆底下的阿 Q 精神和中國在世紀初的社會狀況呢？

土耳其的《自由之道》

最近幾年，美國影片頻頻與人分享金棕櫚大獎，好像成了習慣。例如 1979 年哥普拉的《現代啟示錄》跟德國片《錫鼓》瓜分大獎，1980 年卜‧科西的《浮生若夢》跟日本片《影武者》共得最佳影片獎。而今年又再歷史重演，《大失踪》和《自由之道》平分春色。今屆的參賽影片其實有許多絕不遜色於《大失踪》，只是康城影展諸公急於向美國影界拋媚眼，哥斯達嘉華斯遂得其所哉。哥斯達嘉華斯早於 10 多年前（第 22 屆）以《大風暴》(Z) 獲得康城影展特別獎和最佳男主角獎（尚路易‧杜寧南）。

土耳其影片《自由之道》是在最後一分鐘才宣佈參展。它跟艾曼諾‧奧米的《木屐樹》和哥普拉的《現代啟示錄》一樣是後來居上的勝利者，連影展的官方場刊也沒有把《自由之道》列入比賽影片名單，但卻讓它捧去了金棕櫚大獎。這是康城影展有史以來，第一次讓日本以外的亞洲國家奪得最佳影片大獎。

《自由之道》的導演薛里夫‧哥蘭（Serif Goran）藉藉無名，但負責編劇的尤馬茲‧瑾尼（Yilmaz Guney）卻有點來頭。他的

前作《族人》和《敵人》曾分別於第 4 和第 5 屆香港國際電影節中放映。雖然兩部片都是由錫基・奧坦執導，而由瑾尼在獄中編寫劇本（他被土耳其軍政府監禁，罪名是謀殺一名法官），但一般意見都認為影片是瑾尼的作品，他在監獄裡面作幕後導演。《族人》數年前在瑞士羅加諾電影節奪得大獎，《敵人》亦於 1982 年在柏林電影節獲得評判團劇本獎。這次《自由之道》獲獎，登台領獎的也是瑾尼本人（據知他也是導演之一）。他於不久前逃出魔掌，準備四海為家，因為他相信土耳其法西斯政府不會就此輕輕放過他。

　　哥斯達嘉華斯的《大失踪》不久前在香港正式公映。一部康城影展金棕櫚獎得主的影片能夠這麼快便推出上映，大概是有史以來的第一次。其中最主要的原因是由於它是一部美國片，而哥斯達嘉華斯和積・林蒙都有商業價值。雖然筆者對《大失踪》的總體成績不太滿意，但其實影片亦具有相當的商業娛樂成份，如果有適當的宣傳工夫配合，相信不致於匆匆割畫。在影片公映的最後一場，筆者偕友人前往重看，在戲院碰到許多青年導演和影評人來捧場。估計仍有不少向隅的熱心影迷正在埋怨映期太短，這現象又令我想起外國的迷你戲院。如果香港有這種小型戲院，一些比較曲高和寡的影片上畫的時間應當可以延長，而戲院方面仍然有利可圖。即將在九龍深水埗開業的京華戲院便是一個有遠見的嘗試。

西德電影

　　本屆康城影展的最佳導演是西德的維拿・荷索，他以《陸上行舟》獲獎。看荷索的影片，每次都是難得的經驗。從《天譴》到《卡斯伯侯薩之謎》，從《玻璃精靈》到《史楚錫流浪記》，從《吸血殭屍》到《胡錫傳》以至《陸上行舟》，每一次都是一個驚喜。《陸上行舟》是他到目前為止，最具野心之作。影片雖然長達 2 小時半，但絕無沉悶的感覺。它使人想起荷索的前作《天譴》，使人想起哥普拉的《現代啟示錄》，甚至使人聯想到侯活・鶴斯的《金字塔血淚史》。但《陸上行舟》是荷索一部極具個人風格的影片毫無疑問。片中主角費茲加拉度（克羅斯・京斯基飾演）的執著和蠻幹，也就是荷索一己的執著和蠻幹。片初的一場表現了費茲加拉度對歌劇的狂熱，基本上也反映出荷索對電影藝術的狂熱。

　　西德另一位導演漢斯約根・薛柏堡的參展影片是《柏斯飛》，改編自華格納的同名歌劇。《柏斯飛》是華格納在 100 年前完成的 3 幕歌劇，是他最後 1 齣歌劇作品，拍成電影後有 4 小時半的長度。當然，與薛柏堡的 7 小時半前作《希特拉》（*Hitler: A Film From Germany*）相比，它仍然是「小巫」而已。影展當局安排的一場放映是在凌晨 1 時。我在看了整天電影之後，根本沒有勇氣去接受這個挑戰，因為自知沒有過人的精力，能夠在三更半夜去看一部 4 小時半的歌劇電影。這齣影片我是在巴黎補看的。法國高蒙（Gaumont）公司的米修・基

（Michel Gué）一直非常幫忙，每次都送我一些贈券，讓我能夠在香舍麗榭（Champs-Elysees）的大戲院觀賞正在公映的新片。我知道客居巴黎的蓬草是一個不折不扣的歌劇迷，因此便找她一起去看《柏斯飛》，順便向她請教一些歌劇方面的問題。

看著名導演拍攝歌劇電影，當然比一般歌劇紀錄片來得有趣，因為可以看到導演本身的心得和他的演繹方法。像約瑟‧盧西拍攝莫札特的《唐喬望尼》（*Don Giovanni*），英瑪‧褒曼拍攝莫札特的《魔笛》（*Magic Flute*），都溶入了他本身的藝術風格，倒不必斤斤計較電影與歌劇的相異之處。薛柏堡的《柏斯飛》比上述兩片長得多，但由於歌劇本身的吸引力和導演薛柏堡強烈的映像風格，影片仍然能夠牢牢地控制著觀眾的情緒。只要不是對歌劇反感的電影觀眾，只要不是過於苛求的歌劇粉絲，對這部影片應該感到滿意。

波蘭電影

去年底波蘭因全國工潮擴大而實行軍事管制。波蘭著名導演安德烈‧華意達（Andrzej Wajda）早在去年初便完成了一部描寫工人階級跟領導階層鬥爭的影片《鐵人》，並獲去年康城電影節大獎。華意達目前正在巴黎，為高蒙公司籌拍描述法國大革命的影片《革命之後》（*L'Affaire Danton*）相信一定有其政治上隱喻和借古諷今的意圖。

十多年來一直在英國寄居的波蘭籍導演史高里莫斯基，在

去年的倫敦影展重新剪輯和展出他在 1967 年拍攝而被當局禁制的影片《舉手》(*Hands-Up!*) 那時,他還以為波蘭政局已經改善,但不旋踵波蘭政府便宣佈軍事管制。《披星戴月》是史高里莫斯基十多年來,首次觸及波蘭局勢的作品。1970 年代的幾部影片如《浴室春情》(*Deep End*)、《月裡嫦娥愛少年》(*King, Queen, Knave*) 和《死神的呼喚》(*The Shout*) 等都以英國的人和事為背景。《披星戴月》雖仍以英國為背景,卻以波蘭人為主要角色。

影片述及幾位不懂英語的波蘭工人,在工頭奴域克的帶領下,到倫敦為一個特權階層的波蘭人修葺房子。他們工作 1 個月便可賺到在波蘭 1 年的薪金。1981 年底,波蘭政局突變,奴域克一方面與老闆失了聯絡,領不到酬金,另一方面又決定把真相隱瞞,希望其他工友能安心工作,把工程如期地完成。後來錢用得七七八八,開始面臨飢餓的威脅,奴域克便用盡各種各樣的方法,在超級市場和其他店鋪使出高買手段,藉以維持生計。

後來工程終於完成,各人正踏上歸途,奴域克面臨困境,他應該如何對其餘的人,揭露祖國的真正形勢呢?史高里莫斯基以非常細膩的筆觸,刻劃了這幾個身處異鄉的波蘭人的遭遇,亦挖苦了某些英國紳士的刻薄成性。《披星戴月》是史高里莫斯基自《浴室春情》以來最成功的作品。

反叛的英國電影

英國的另一部參賽影片是林賽·安德遜的《醫者魔鬼心》。他的前作《如果》早於 1969 年贏得康城電影節的最佳影片獎。看過《如果》的觀眾,相信都會同意,林賽·安德遜反叛成性,對於英國的整個社會制度恨之入骨,於是通過電影媒介來冷嘲熱諷一番。不過,不要以為他在無的放矢;事實上,林賽·安德遜對於現社會的許多毛病的確洞若觀火。

《如果》是林賽·安德遜對於教育制度的無情鞭撻,而《醫者魔鬼心》則向醫療服務的種種弊病開火,同時亦反映了社會上許多不平的現象。負責編劇的大衛·舍溫(David Sherwin)在這兩部片的諷刺筆觸都異常辛辣,完場前的高潮戲(前者是大鬧高等學府、後者是搞亂貴族醫院),可說是反叛情緒的宣洩。

林賽·安德遜的挖苦對象,上至英國皇太后、醫院院長、外科教授、護士長、電視台記者、警察局長,下至醫院的員工和裝修工人等等。他自己曾經說過:「我想我自己的性格是非常羅曼蒂克和非常理想主義,也許我嘗試以冷諷和懷疑主義去平衡一下」。觀乎他的作品,林賽·安德遜倒頗有自知之明。

至於艾陀勒·史高拿的《瓦倫尼之夜》卻相當令人失望。影片雖然有許多著名演員壓陣,像尚路易·巴浩、馬斯杜安尼、嫻娜·施兒嘉麗、夏菲·基圖、尚路易·杜寧南等等,可惜故事徒具軀殼,沒有可以令人回味的地方。劇情是描述法王

路易十六逃往瓦倫尼，但難逃劫運；影片不乏豪華瑰麗的場面，但都如過眼雲煙，拍來平淡乏味。

法國作品令人失望

尚盧・高達的《情慾》亦有很強的演員陣容，伊莎貝、雨蓓、嫻娜・施兒嘉麗、米修・柏哥尼，還有《鐵人》的男主角謝西・拉哲維洛維茲（Jerzy Radziwilowicz）。許多年沒有跟高達合作的攝影師拉烏・古達（Raoul Coutard）又再為他掌鏡。《情慾》毫無疑問是高達近年來的重要作品，一向喜歡高達的自然會喜歡本片，不喜歡高達作品的大概亦會討厭它。不過，有一點可以肯定：現階段的高達比杜魯福、查布洛更有才氣。杜魯福的《隔牆花》還可以一看，查布洛的新作《帽店的鬼魂》則難看得要命。

今年法國的參展影片可說乏善足陳。尚盧・高達的《情慾》是代表瑞士參展，而法國的 3 部影片：彼德・迪・蒙地的《旅行之邀請》、羅拔・克藍瑪的《高速運轉》、謝勒・基蘭的《對於暴力的輕微追查》都不是出類拔萃的影片。最令人詬病的還是前二者的導演都不是法國人。反而是獲得金攝影機獎（Camera d' Or 新人獎）的法國片《三十而死》有更美滿的成績。

第三世界作品有潛力

今屆的參展影片有不少平庸之作，除了上面提到的例子之

外，還包括阿倫・布烈治的《士兵的歸來》、阿倫・柏加的《射月》、保羅・洛查的《愛之島》、維拿・舒路達的《你從未體驗過》等等。由於篇幅所限，這裡也不必浪費筆墨。

雲・溫達斯的《偵探作家》不能算是壞影片，但也不是令人興奮的上佳作品。多年前溫達斯到香港的時候，可能找到一些靈感，於是便要在美國的唐人街拍一個中國壞女人的偵探故事，藉著「漢默」（Dashiell Hammett）的名字來推銷他的劇本。這估計很可能是正確的哩！

美國女導演蘇珊・史度曼的處女作《大城少女夢》有一看的價值，但拿來比賽卻似乎未夠斤兩。部分歐美影片的水準低落，正好反映出第三世界電影的進步。阿爾及利亞的參展影片《沙風》（導演拉喀達・夏米拿曾以《灰燼年度的紀錄》獲康城影展金棕櫚大獎）、古巴的《西西莉亞》（導演堪伯圖・蘇拿斯的前作《智利大合唱》剛於第 6 屆香港國際電影節上映），都是富有地方色彩的佳作，可惜未能獲獎。不過，土耳其影片《自由之道》能夠與《大失踪》分享最佳影片金棕櫚大獎，總算是難能可貴的事情。也難怪法國影評人米修・薛蒙（Michel Ciment）在《快訊週刊》（L' Express）以「當亞洲醒來的時候」為標題，撰文報導亞洲影片參展康城的情況。電影藝術和電影事業，不應再讓歐美電影專美了。

意大利電影

意大利的電影大師安東尼奧尼，10 多年來只拍了 4 部影片。1972 年，他在中國拍攝的紀錄片引起軒然大波。1974 年拍了一部《過客》便無聲無息，一直到 1979 年才完成新作《奧伯瓦之迷》（*The Mystery Of Oberwald*），但至今未有機會觀看。現在這部《女人女人》是他 10 多年來的第 4 部作品。

影片的本事這樣説：「這是一個非常意大利化的故事，但它處理的卻是宇宙性的主題。其中之一是愛，一個像世界般古老的題材，具有小小新意，角色裡和周圍都有現代感。最低限度我希望它是這樣的。」（安東尼奧尼）

看本片的最大發現是女主角之一的丹妮娜·施維莉奧（Daniela Silverio）。她是一個艷光四射的美人胚子，是蒙妮嘉·維蒂（Monica Vitti）以來，最有氣質和魅力的意大利女演員。安東尼奧尼選角的眼光的確不同凡響。

意大利另一部參賽影片是塔維安尼兄弟的《聖羅蘭素之夜》，獲得評判團特別獎和天主教國際獎。塔維安尼兄弟早於 1977 年以一部電視片《我父，我主》（*Padre Padrone*）獲得康城影展的最佳影片獎。1979 年的《草地》（*Il Prato*）也是一部極為出色的作品。

「8 月 10 日晚上是聖羅蘭素之夜。滿天的彗星生氣勃勃。在托斯卡尼（Tuscany），人們傳説每顆彗星都會滿足一個願望。有個女人亦許了願：她要成功地告訴她所愛的人，另一個聖羅

蘭素之夜，非常遙遠又非常不同的一個晚上。本片履行了這個願望。它描述了一大群男人、女人和小孩在 1944 年的夏天，在托斯卡尼違抗德軍要求他們在城中教堂集合的命令。他們要出發找尋自由。」

《聖羅蘭素之夜》幾乎就等於貝托魯奇的《1900》其中一章，那就是德國納粹潰敗之前夕，意大利法西斯黨人所面臨的厄運。當然，塔維安尼兄弟有他們自己的風格，足以使本片成為扣人心弦的一次歷史見證。

刊於《中外影畫》第 28、29 **期，**1982 **年** 6 **月、**7 **月號**

本屆參賽影片

角逐本屆金棕櫚大獎的影片共有 23 部：

▌瓦倫尼之夜

　（*Night In Varennes*，艾陀尼・史高拿，意大利／法國）

▌士兵的歸來

　（*Return Of The Soldier*，阿倫・布烈治，英國）

▌阿 Q 正傳

　（*The True Story Of Ah-Q*，岑範，中國）

▌對於暴力的輕微追查

　（*Douce Enquete Sur La Violence*，謝勒・基蘭，法國）

▎旅行之邀請

（*L'Invitation Au Voyage*，彼德‧迪‧蒙地，法國）

▎聖羅蘭素之夜

（*La Notte Di San Lorenzo*，塔維安尼兄弟，意大利）

▎射月

（*Shoot The Moon*，阿倫‧柏加，美國）

▎大城少女夢

（*Smithereens*，蘇珊‧史度曼，美國）

▎愛之島

（*The Island Of Loves*，保羅‧洛查，葡萄牙）

▎披星戴月

（*Moonlighting*，史高里莫斯基，英國）

▎大失踪

（*Missing*，哥斯達嘉華斯，美國）

▎沙風

（*The Sand's Wind*，拉喀達‧夏米拿，阿爾及利亞）

▎陸上行舟

（*Fitzcarraldo*，維拿‧荷索，西德）

▍醫者魔鬼心

　　(*Britannia Hospital*，林賽‧安德遜，英國)

▍偵探作家

　　(*Hammett*，雲‧溫達斯，西德)

▍女人女人

　　(*Identification Of A Women*，安東尼奧尼，意大利)

▍另一種眼光

　　(*Another Kind Of Look*，卡路尼‧麥克，匈牙利)

▍你從未體驗過

　　(*Never In Your Life*，維拿，舒路達，德國)

▍情慾

　　(*Passion*，尚盧‧高達，瑞士)

▍*A Toute Allure*

　　(羅拔‧克藍瑪，法國)

▍西西莉亞

　　(*Cecilia*，堪伯圖‧蘇拿斯，古巴)

▍自由之道

　　(薛里夫‧哥蘭，土耳其)

▎柏斯飛

（*Parsifal*，漢斯約根・薛伯堡，西德）

至於開幕影片《黨同伐異》以及閉幕影片《E. T. 外星人》（*E. T.*，史提芬・史匹堡導演）都不參與比賽，但仍算是「官方選擇」的項目；此外還有阿倫・柏加的《迷牆》和費德烈・羅薛夫的《歌星積葵・布爾》亦同時展出。

評審團名單

今年康城影展的評審團由 10 位評審組成，為首的是主席：

▎佐治奧・史蒂拿

（Giorgio Strehler，意大利舞台導演）

▎尚積葵・晏諾

（Jean-Jacques Annaud，法國電影導演）

▎謝拉婷・卓別靈

（Geraldine Chaplin，英國女演員）

▎舒素・錫基・達米柯

（Suso Cecchi D'amico，意大利電影編劇家）

▎加比爾・加西亞・馬奎斯

（Gabriel Garcia Marquez，哥倫比亞作家）

▌科倫・賀夫
（Florian Hope，西德記者）

▌薛尼・盧密
（Sidney Lumet，美國電影導演）

▌馬連奴・山
（Mrinal Sen，印度電影導演）

▌雷納・蒂梵尼
（Rene Thevenet，法國製片家）

▌克羅特・蘇尼
（Claude Soule，法國高等電影技術委員會主席）

金棕櫚大獎得主

▌最佳影片
《大失踪》（哥斯達嘉華斯，美國）
《自由之道》（薛里夫・哥蘭，土耳其）

▌最佳導演
推拿・荷索（《陸上行舟》，西德）

▌最佳劇本
史高里莫斯基（《披星戴月》，英國）

▋最佳男主角

積・林蒙（《大失踪》，美國）

▋最佳女主角

Jadwiga Jankowska Cieslak（《另一種目光》，匈牙利）

▋評判團特別獎

《聖羅蘭素之夜》（塔維安兄弟，意大利）

▋最佳攝影

Bruno Nuytten（《旅行的邀請》）

▋國際影評人獎

《自由之道》（薛里夫・哥蘭，土耳其）

《野花》 Les Fleurs Sauvages （Jean Pierre Lefebvre，加拿大）

▋天主教國際獎

《聖羅蘭素之夜》

▋金攝影機獎

《三十而死》 Mourir A Trente Ans （Romain Goupil，法國）

▋影展特別獎

安東尼奧尼之全部作品

丹妮娜・施維莉奧與安東尼奧尼（1982）。（Photo: By Freddie Wong）

第 36 屆
康城電影節 1983

36ᵉ FESTIVAL INTERNATIONAL DU FILM
CANNES 7-18 MAI 1983

▲ 1983 年第 36 屆宣傳海報　　▶ 1983 第 36 屆康城電影節金棕櫚獎電影
《楢山節考》

THE BALLAD
OF NARAYAMA

A
FILM
BY
SHOHEI
IMAMURA

PALME D'OR
FESTIVAL DE CANNES
1983

記第 36 屆的康城國際電影節

1983 年 5 月 7 日，第 36 屆康城電影節在新電影宮開幕。我在 5 月 10 日乘坐 TGV 特快火車（Train A Tres Grande Vitesse）從巴黎到馬賽轉車，傍晚時份抵埗。頭一次乘坐這種號稱世界最快速火車（比日本新幹線的子彈火車還要快），卻沒有預期中的快捷；不過若論平穩舒適，卻肯定是全歐數一數二的火車服務。

今年首次啟用的新電影宮，設計雖然未稱得上盡善盡美，但氣派和實用價值卻堪一讚。其中屬於建築物一部分的賭場，更是可圈可點。有誰看電影看得氣悶，只要輕挪兩步便可以「賭番兩鋪」，方便之至。當然，閣下得穿上「踢死兔」（即禮服），才可進場。至於酒店、夜總會、停車場，不在話下。

新電影宮除了最大的盧米埃爾影院（Grand Auditorium Lumière）之外，還有德布西影室（Salle Debussy），安德烈・巴辛影室（Auditorium André Bazin）和尚路易・波里影室（Auditorium J. L. Bory）。四個放映院的命名，除了紀念電影發明者路易・盧米埃爾和音樂家德布西之外，其餘兩個都是以影評人或電影理論家為名，可見法國政府和電影節當局多麼看重和尊敬影評人。希望下次香港舉辦電影金像獎的時候，不要把

負責評選的影評人放在最不當眼的地方。

　　新電影宮的位置隣近市政廳（Hotel De Ville）和古色古香的舊城；泊滿遊艇的舊港在它的西邊，而經常活色生香的海灘則在東邊。康城影展首屈一指的卡爾登酒店目前已失去了地利，但仍未至於門可羅雀。畢竟，羅馬也不是一日建成的，要取代卡爾登的地位並不容易。不過，無可否認，康城影展的中心已經移向西邊。「東遊」的人士如果不是去舊電影宮看電影，那大概是去海灘欣賞「迷人」的景色了。

　　雖然是首次應用，新電影宮沒有想像中混亂。可能我遲來了數天，一切顯得井井有條。迄今只在盧米埃爾影院看了兩場電影，其一是艾曼諾・奧米的《行行重行行》，其二是大島渚的《戰場上的快樂聖誕》（英文原名：聖誕快樂，羅倫斯先生）。後者放映時的杜比音響效果令人一新耳目，音樂從四面八方傳來，好像被一隊樂隊上下左右的重重包圍，音響之精妙令人難以置信。甚麼時候香港國際電影節的放映場地會有杜比音響系統呢？如果現在不向主辦當局提出這個好像不大逼切的問題，那可能 10 年後也不會有杜比立體聲的設備。事實上，好幾部杜比音響的影片，如克羅特・利路殊（Claude Lelouch）的 Les Uns Et Les Autres 便因大會堂沒有杜比設備而不克參加香港電影節。

　　6 年來是第 5 次出席康城電影節，幾乎每次都有示威遊行。有一年還因電力工人罷工而至停電不能放映。今年情況似乎更

加嚴重。巴黎的學生運動顯然波及康城。今天是我第一天開始在新電影宮看電影，但已見到相當緊張混亂的場面。穿著白色長袍的遊行隊伍（應該是醫學院的學生或見習醫生）在棕櫚大道示威，有的甚至闖進新電影宮靜坐。電影宮幾個主要門口都佈滿警察防暴隊，示威群眾曾數度與警察衝突，主要的道路都有交通擠塞的現象。康城好像愈來愈熱鬧（難聽的字眼是擠擁），幾乎達到令人難以忍受的程度。

新電影宮雖然已花枝招展地登場，但「東宮娘娘」（舊電影宮）仍未退休。「國際影評人一週」和「導演雙週」兩個重要的官方節目都在那裡舉行。舊電影宮的大影院用來放映「導演雙週」的影片肯定會減少擠逼的情況，但依舊在高克多影室（Salle Cocteau）舉行的「國際影評人一週」卻未許樂觀，因為對於過去兩年要「打衝鋒」才能進場的現象，影展當局並未有採取任何可以改善的措施。在兩個電影宮之間趕來趕去，對於出席影展的各界人士，提供了非常健康的輕量運動；整天坐在電影院裡無疑對人體有害，而急步甚至慢跑，則對人體極有裨益。

影展評判

第 36 屆康城影展的評判團由 10 位成員組成，主席是美國作家威廉・史迪朗（William Styron），曾寫過《妮・端納的自白》和《蘇菲的選擇》，其他 9 位評判員是：

▍葉鳳・芭貝（Yvonne Baby）

法國記者兼作家，負責《世界報》（*Le Monde*）的文化版。

▍沙治・龐德卓（Sergey Bondartchuk）

蘇聯電影導演兼演員，導演作品包括《奧塞羅》、《滑鐵盧戰役》以及《戰爭與和平》。

▍尤錫夫・沙興（Youssef Chahine）

埃及電影導演，1954 年的作品《地獄的天空》在康城展出，使西方人士發掘了年輕的奧瑪・沙里夫，近作《埃及故事》參展去年倫敦電影節。

▍蘇里曼・薛斯（Souleymane Cisse）

馬利（菲洲）導演，近作《風》。

▍基拔・迪・高史密特（Gilbert De Goldschmidt）

法國製片家，最近監製米修・朗的《禮物》。

▍瑪莉安琪娜・美拉度（Mariangela Melato）

意大利電影演員，女導演蓮娜・華穆拉的愛將，前作《愛與無政府主義》曾在康城展出。

▍卡路・黎茲（Karel Reisz）

原籍捷克之英國導演，《自由電影》的中堅份子，近作是《法國中尉的女人》。

▍莉雅‧雲‧莉亞（Lya Van Lear）

以色列人，以色列電影收藏館之創辦人兼館長。

今年的評審團成員頗多第三世界人士，埃及、馬利、以色列，第三世界的影片是否會像去年一樣奪得大獎呢？還是先看看有甚麼影片參賽吧。

參賽影片

▍澳洲／美國

《災難歲月》*The Year Of Living Dangerously*（彼得‧韋爾）

▍西班牙

《卡門》*Carmen*（卡路斯‧索拉）

▍法國

《錢》*L'Argent*（羅拔‧布烈遜）

《謀殺之夏》*L'ete Meurtrier*（尚‧貝加）

《受傷的男人》*L'homme Blessé*（柏德歷斯‧舒浩）

《明月照溝渠》*La Lune Dans Le Caniveau*（尚積葵‧貝力斯）

▍英國

《生命的意義》*Monty Python‧The Meaning Of Life*（泰利‧鍾斯）

《熱浪紅塵》*Heat And Dust*（占士‧艾華利）

▌英國／日本

《戰場上的快樂聖誕》*Happy Christmas, Mr. Lawrence*（大島渚）

▌匈牙利

《積犯》*Les Recidivistes*（卡斯迪・高維茲）

▌印度

《了結的事件》*Affaire Classée*（馬連奴・山）

▌意大利／蘇聯

《懷鄉》*Nostalghia*（安德烈・塔可夫斯基）

▌日本

《楢山節考》*The Ballad Of Narayama*（今村昌平）

▌瑞士

《馬利奧烈奇之死》*The Death Of Mario Ricci*（克羅特・戈烈達）

▌蘇聯

《兩人的車站》*A Station For Two*（艾達・歷贊諾夫）

▌美國

《天地任我闖》*Cross Creek*（馬田・烈特）

《喜劇之王》*The King Of Comedy*（馬田・史高西斯）

《鐵漢柔情》*Tender Mercies*（布雷斯・貝里士福特）

▎意大利

《琶亞娜的故事》 *The Story of Piera*（馬可・費拉利）

▎墨西哥

《伊蘭迪拿》 *Erendira*（雷・格拉）

▎無國籍

《圍牆》 *Le Mur*（尤馬茲・瑾尼）

此外，還有以下幾部不參與競賽的「官方選擇」影片：

▎香港

《投奔怒海》 *Boat People*（許鞍華）

▎加蓬／法國

《赤度》 *Equateur*（沙治・根斯堡）

《行行重行行》 *Cammina Cammina*（艾曼諾・奧米）

▎英國

《血魔》 *The Hunger*（東尼・史葛）

▎紐西蘭

《報復》 *Utu*（謝夫・梅菲）

▎美國

《安哲羅，吾愛》 *Angelo, My Love*（羅拔・杜華）

《真假戰爭》 *War Games*（尊・伯咸）

　　許鞍華的《投奔怒海》雖然是「官方選擇」影片，但大會一直未有公布，極有可能因為政治理由。直到今天（5 月 12 日星期四），才在《國際銀幕》（*Screen International*）等刊物看到該片將於星期六放映的消息，然而廣告上亦只看到中文片名，此外既無英文片名，也沒有法文或任何其他名字（不可能是印漏了吧？）該片在康城參展之事，一直充滿神秘色彩；初時聽說是以「神秘電影」（Film Surpris）的身份展出，現在似乎比「神秘電影」更引人入勝。可以預料，影片無論受到好評或劣評，都會引起一番轟動。

　　今年康城影展當局依然頻頻向美國影界大拋媚眼，開幕影片是美國的《喜劇之王》（去年是格里菲斯的《黨同伐異》），閉幕的《真假戰爭》也是美國片，「官方選擇」部分也是以美國片最多，除上述兩部之外，還有《天地任我闖》、《鐵漢柔情》和《安哲羅，吾愛》。當然，判評團主席也是美國人。康城電影節對美國影片市場的確懷有戒心。

　　法國影界今年居然有四部影片參加比賽，也是前所未見。為了不想別人非議主辦國偏心，康城影展通常只接納三部法國片比賽。今年竟特別通融，接納《錢》、《謀殺之夏》、《受傷的男人》、《明月照溝渠》等四部法國片參加比賽，使人對這幾齣影片另眼相看。

　　流亡國外的土耳其導演尤馬茲・瑾尼在法國完成了一部名為《圍牆》的新片，竟然以「無國籍」的身份參展，實在是法

國影界向土耳其獨裁政權的抗議。中國影片目前據知只得楊延
晉的《小街》在「導演雙週」展出，另有吳貽弓的《城南舊事》
在影片市場放映。

　　今年電影節的海報由黑澤明設計，一位躍馬橫戈的盔甲武
士佔據了整個畫面，好像是慶祝他兩年前的《影武者》奪去大
獎。日本影界今年有大島渚的《戰場上的快樂聖誕》和今村昌
平的《楢山節考》參加比賽，可以預見今屆影展又是日本電影
耀武揚威的一年。

評選結果

　　結果，康城電影節，經過為期 12 天的放映活動，已於 19
日圓滿結束。各項競賽得獎名單已獲公佈，最為人矚目的「金
棕櫚獎」，由日本影片《楢山節考》奪得，該片導演為今村昌平。

　　榮獲評審團特別獎的是英國影片《生命的意義》，最佳男
主角為意大利影星基安歷亞・華朗，最佳女主角為西德影星凱
娜・薛古拉，「電影創作獎」（即為最佳導演獎）則分別由法國
導演羅拔・布烈遜，以《錢》一片，及意籍蘇聯導演安德烈・
塔可夫斯基，以《懷鄉》一片共得。

　　印度影片《了結的事件》，亦獲得評審團大獎，《卡門》一
片則獲得「最佳藝術貢獻獎」，同時兼得法國「電影技術大獎」。

90年代

第 43 屆
康城電影節
1990

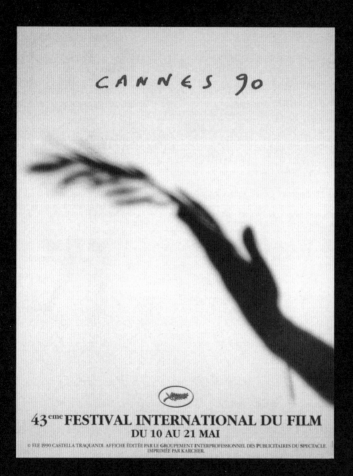

CANNES 90

43eme FESTIVAL INTERNATIONAL DU FILM
DU 10 AU 21 MAI

© F.I.F. 1990 CASTELLA TRAQUANDI. AFFICHE ÉDITÉE PAR LE GROUPEMENT INTERPROFESSIONNEL DES PUBLICITAIRES DU SPECTACLE.
IMPRIMÉE PAR KARCHER.

▲ 1990 年第 43 屆宣傳海報　　　▶ 1990 第 43 屆康城電影節金棕櫚獎電
《野性的心》（*Wild at Heart*）

WINNER BEST PICTURE CANNES FILM FESTIVAL 1990

Nicolas Cage

Laura Dern

DAVID LYNCH'S
Wild at Heart

第43屆康城電影節——反映世界新形勢：歐洲一體化

　　法國的康城國際電影節是在 1946 年——即第二次世界大戰結束後翌年創辦的。當年獲得最佳影片獎的是描述法國地下軍抵抗納粹德軍的《鐵路戰鬥隊》(La Bataille du Rail)，而奪得最佳導演獎的則是該片的法國導演雷納·克里蒙（René Clement）。為了抗衡威尼斯國際電影節而舉辦的康城電影節，本來定於 1939 年創辦，但因德國納粹的入侵而暫時擱置。《鐵路戰鬥隊》能夠在第 1 屆康城影展獲獎，意義非常重大。可以這樣說，當年的康城瀰漫著一片歌舞昇平的自由氣氛。

　　二次世界大戰之後，全世界大部分國家被劃分為兩大陣營，其一是以美國為首的資本主義國家（包括第三世界的發展中國家），其二是以蘇聯為首的共產主義國家。戰後 40 多年來，地區性的戰爭幾乎無日無之，大部分戰事都跟蘇共的傾覆主義和霸權主義有關。全球性核子戰爭的陰影曾經一度寵罩著整個地球。

　　從政治、社會、民族、文化這些層面來回顧的話，去年和今年的康城電影節就有更深一層的意義，而今年的整體形勢又

比去年更令人鼓舞。原因是東歐共產主義陣營分崩離析，蘇聯走上開放改革之路；東、西歐關係緩和，東、西德宣佈統一。戰後數十年來，東、西方的關係從來未試過像今天這樣緩和以及互相扶持、互相信賴。

去年的康城電影節，正值法國舉國慶祝大革命 200 週年紀念。法國大革命宣揚的精神就是自由、平等、博愛，也因此，法國文化部長積‧朗格（Jack Lang）和康城大會主席皮爾‧維藹（Pierre Viot）在去年的電影節官方場刊上都強調了「自由」（Liberté）這兩個字。前者以 "Un Double Ferment de Liberté"（醞釀自由的雙重酵素）為題，指出了康城影展經常展出被禁的影片，讓被禁制的作品重獲自由的事實。皮爾‧維藹則以 "Cinéma et Liberté"（電影與自由）為題，頌揚康城影展為自由、人權所作的努力。

事實上，康城電影節一向是東歐電影工作者「窺視」西方世界的一個「缺口」；而東歐國家十多年前已有放映西歐導演如杜魯福（楚浮 Truffaut）、林賽‧安德遜（Lindsay Anderson）的作品。東歐國家的人民早就嚮往西方社會，東歐的突變、東、西德的統一，當然有其一早存在的社會因素。

在康城影展叱咤風雲的大導演當中，有不少是蘇聯或東歐國家的導演，例如波蘭斯基（Roman Polanski）、史高里莫斯基（Jerzy Skolimowski）、米路士‧科曼（Milos Forman）、康察洛夫斯基（Mikhail Konchalovsky）、華意達（Andrzej Wajda）、塔

可夫斯基（Andrei Tarkovsky）…… 等等，他們都或先或後地離開自己的祖國，跑到奉行資本主義的國度去繼續他們的創作生涯。其中最值得一談的是波蘭的華意達和蘇聯的塔可夫斯基。

華意達在 1978 年以《大理石人》（*Man of Marble*）獲康城影展的國際影評人獎。早已被各國影評人推許為電影大師的華意達，在波蘭國內的地位因而更受尊崇。1980 年，他在格但斯克的電影工作者座談會上說：「面對波蘭嚴峻的時局，藝術家最重要的責任是甚麼呢？答案只有一個：那就是說真話……」

翌年，華意達又以一齣探討波蘭時局的《鐵人》（*Man of Iron*）奪得康城電影節的金棕櫚大獎。康城影展的評審委員，對華意達以及粉墨登場的波蘭團結工會領袖華里沙可說支持不遺餘力。華意達後來應邀到法國拍攝了一齣描寫法國大革命事跡的《革命之後》（*Danton*）。去年東歐發生巨變，華里沙率先成為波蘭新行政體系的領導人。電影、電視這兩種孿生的大眾傳播媒介，可說影響深遠。華意達今年又以《柯札克》（*Korczak*）——一部回顧二次大戰時納粹暴行的影片——參展，因為沒有參加比賽，故此沒有拿得任何獎項，但曾經為他演出過《大理石人》和《鐵人》的姬絲汀娜・楊達，則以 1981 年的被禁影片《審問》奪得最佳女主角獎。

至於另外一位蘇聯的電影大師塔可夫斯基（1932-1986），他的影片亦屢次被蘇聯政府禁映，但康城電影節則多番展出其作品，包括後期的《潛行者》（*Stalker*, 1979）、《懷鄉》

(*Nostalgia*, 1983) 和《犧牲》(*The Sacrifice*, 1986)。蘇聯和東歐國家的導演經常在康城電影節出現，然後不旋踵便投奔西方國家。我就曾經在康城看過康察洛夫斯基的電影《西伯利亞人》(*Siberiade*)，在記者招待會上見過他發言的風姿，跟著便發覺此公已經跑到美國去拍攝《瑪莉亞的情人》(*Maria's Lover*)。

從東歐跑到美國去的電影導演有捷克的米路士·科曼、伊文·巴沙 (Ivan Passer)、楊·卡達 (Jan Kadar)，攝影師有匈牙利的維莫斯·錫蒙 (Vilmos Zsigmond)、拉茲洛·高維茲 (Laszlo Kovacs)，捷克的安特利錫克 (Miroslav Ondricek) 等等。

另外還有不少東歐著名的導演、編劇、攝影師跑到英、法、德、意等西歐國家。只要您到過 1989 年以前的東歐，您就會明白其中原因。

今年康城電影展的官方場刊上面，法國文化部長積·朗格的獻詞標題是 "Le Festival de Tous Les Cinémas" (所有電影共冶一爐的電影節)，而康城大會主席皮爾·維靄的獻詞標題是 "Cinéma Sans Frontières" (電影無分國界／沒有國界的電影)。歐洲共同市場的國家將於 1992 年實行歐洲一體化，歐洲聯邦已經漸具雛型。去年東歐國家相繼摒棄共產主義，東、西歐關係出現了前所未見的緩和跡象。東、西德的統一更把一向以來東、西歐的敵對關係轉變成兄弟般的友愛之情。這種和睦相處的融洽氣氛，在康城而言早就有所體驗。東歐和蘇聯的電影工作者在康城一直就像如魚得水，不高興的可能只是鐵幕國家中

掌管意識形態的政府官員。東歐導演中能説流利的英語和法語的，以我所見最少就有捷克的伊里・曼素（Jiri Menzel）和波蘭的贊祿思（Krzysztof Zanussi，還加上德語）。東、西歐在 19 世紀末期共產主義未曾興起之時，本來就是一個關係密切的文明進步的社會。

「歐洲一體化」看來不僅是西歐共市國家的課題，在不久的將來，很快便會成為東歐國家需要考慮的切身問題。今年康城影展已經看到西歐電影界的「一體化」跡象，有表現在藝術創作方面的，也有體現在電影製作方面的。法國新浪潮闖將尚盧・高達的新作——名字就叫《新浪潮》（Nouvelle Vague）——有著高達一貫喜歡採用的默片式字幕説明；但今次高達的字幕則不僅採用法語，還包括英語、意大利語、西班牙語……等等，而且沒有附上英語字幕。令人感到興趣的是：似乎所有觀眾都能夠理解各國語文的含義（最低限度沒有觀眾抱怨或抗議）。

在電影製作方面，奧地利導演厄素・葛提（Axel Corti）的作品《禁宮情妓》（La Putain Du Roi）被冠以「歐洲製作」（Europe）的標籤，而不是通常以製作公司或導演的國籍來決定影片的原產地，例如法國出品及法、意合作等等。影片毫無疑問是一齣國際合作的影片，男主角鐵摩菲・達爾頓（Timothy Dalton）是英國人，女演員 Valeria Golino 是意大利人，導演是奧地利人，製片 Maurice Bernart 是法國人。在記者招待會上，導演和製片都強調影片的國際性，並且提到 1992 年歐洲一體化

的前景。封建時代歐洲的皇室之間許多時為了鞏固權力或吞併別國而互相通婚、締結盟約，但通常都是虛偽的、別有用心的「友善」表現。在康城影展所見的融洽、和睦相處的情況，的確令人對歐洲大一統的遠景有更進一步的憧憬。

在歐洲一體化即將實現的前夕，康城電影節仍然可以看到美國的潛在勢力。開幕影片——黑澤明導演的《夢》——雖然是日本大師級導演的作品，但主要資金卻是來自美國，而監製史提芬‧史匹堡也是美國人。閉幕影片是拍過《美國舞男》的保羅‧舒路達的新作《陌生的誘惑》（Comfort of Strangers）。至於獲得今年金棕櫚大獎的《野性的心》（Wild at Heart），是由美國導演大衛‧連治（David Lynch）執導，可以説是百分之一百的美國口味的電影。美國電影又再獨領風騷。

不過，今年康城影展值得留意的現象之一是：蘇聯和東歐電影似乎備受歡迎，參賽的影片雖然未能奪得金棕櫚獎，但卻贏得不少次要的獎項。最佳導演大獎由蘇聯、法國合作的《計程車怨曲》獲得，導演是柏浮‧朗堅尼。最佳女主角獎頒給波蘭片《審問》的姬絲汀娜‧楊達。蘇聯老牌導演潘菲洛夫重拍高爾基原著、普杜夫金的經典名作《母親》，亦獲得最佳藝術貢獻獎。至於頒給最佳新人的金攝影機獎（Caméra D'or）則由蘇聯導演維達尼‧卡涅夫斯基的《不要動，死後復活》奪得。國際影評人獎（非競賽部分）亦由《天鵝湖》的蘇聯導演伊理連科獲得。

我個人比較喜歡捷克的一齣黑白影片《隔牆有耳》(*The Ear*)，雖然未有獲獎，但絲毫不損其藝術成就。影片是 1969 年的作品，被禁超過 20 年，到今時今日才能重出生天。

這是 1972 年以來第一部在康城電影節參加比賽的捷克影片。影片描述政府中的高官與太太參加完酒會回家，發覺家中被人暗中裝置了竊聽器材，引起兩夫婦的極大恐慌；編導既諷刺了社會主義國家特權統治、人權喪失的恐怖，亦深刻地描繪了老夫老妻的人倫關係。

從獲獎名單看來，西歐電影的藝術創作好像全面陷於低潮。

除了法國片《大鼻子情聖》獲得男主角和高等技術委員會大獎，英國片《秘密議程》獲得評審團獎，意大利片《闔府平安》贏得天主教評審團大獎之外，其餘獎項幾乎全是蘇聯、美國和亞、非國家的天下。

去年蘇聯和東歐國家的民主改革浪潮，對於康城影展的選片委員和評審諸公的評選尺度，應該亦有一定的影響。預料明年的康城影展，將會有更多被禁的蘇聯和東歐傑作參展甚至獲獎。我們拭目以待好了。

原刊《君子雜誌》(*Esquire*)，1990 年 9 月號

第 43 屆康城電影節得獎名單

▎金棕櫚獎：

　大衛・連治（David Lynch）

　代表作：《野性的心》（*Wild at Heart*，美國）

▎最佳男主角：

　謝勒・迪柏度（Gerard Depardieu）

　代表作：《大鼻子情聖》（*Cyrano de Bergerac*，法國）

▎最佳女主角：

　姬絲汀娜・楊達（Krystyna Janda）

　代表作：《審問》（*The Interrogation*，波蘭）

▎最佳導演大獎：

　《計程車怨曲》（*Taxi Blues*，蘇聯／法國）

　導演：柏浮・朗堅尼（Pavel Longuine）

▎康城評審團大獎：

　《天問》（*Tilai*，布基納法索）

　導演：伊迪莉莎・歐特拉高（Idrissa Ouedraogo）

　《死之棘》（*The Sting of Death*，日本）

導演：小栗康平（Kohei Oguri）

▎評審團獎：

《秘密議程》（*Hidden Agenda*，英國）

導演：堅・盧治（Ken Loach）

▎最佳藝術貢獻獎：

《母親》（*The Mother*，蘇聯）

導演：潘菲洛夫（Gleb Panfilov）

▎金攝影機獎：

《不要動，死後復活》（*Bouge Pas, Meurs et Ressuscite*，蘇聯）

導演：維達尼・卡涅夫斯基（Vitali Kanevski）

▎最佳短片金棕櫚獎：

《午膳約會》（*The Lunch Date*，美國）

導演：阿當・大衛遜（Adam Davidson）

▎高等技術委員會大獎：

皮爾・羅姆（Pierre L'Homme 攝影指導，法國）

代表作：《大鼻子情聖》

▎國際影評人獎：

競賽部分

《死之棘》（小栗康平，日本）

非競賽部分

《天鵝湖》(*Swan Lake/The Zone*，蘇聯)

導演：伊理連科 (Youri Ilyenko)

▌天主教評審團大獎：

《闔府平安》(*Everybody's Fine*，意大利)

導演：吉西比・多納杜尼 (Giuseppe Tornatore)

▌路易・布紐爾獎 (拉丁美洲影評人選出)：

《菊豆》(*Judou*，中國)

導演：張藝謀 (Zhang Yimou)

第 43 屆康城電影節側寫（1990）

　　「韶光飛逝，鉛華易老！」這是我今次參加康城電影節的一點感觸。

　　彈指間，已經 7 年沒有到過歐洲，沒有到過那令人午夜夢迴的巴黎和花多眼亂的康城。在康城碰到熟人的時候，我就說：「已經 7 年沒有來這裡趁熱鬧了。」聽到這句說話，朋友們眉宇間似乎有點感慨，因為時間過得實在太快了。

　　在康城碰到以前經常一起「摸酒杯底」的池島章。他仍然是那麼年青，仍然為日本的松竹公司效力。他對我說：「你依然是老樣子。」但我心知肚明：歲月不饒人。即使南特影展的阿倫（Alain Jalladeau）對我說：「Tu ne veillis pas！」（您一點兒沒有衰老！）可是，《七年之癢》這個影片的名字，總在我的腦海縈繞不散。

　　上回到康城，新電影宮（Nouveau Palais）剛好落成啟用，原來的舊電影宮則主要放映「導演雙週」的節目。今次重訪舊地，發覺舊電影宮已夷為平地。聽說市政府方面正準備重建，另有用途。康城電影節的核心地帶本來是舊電影宮和鄰近的 Carlton 酒店，但隨著電影宮往西遷徙，康城的中心亦向西移，在新電影宮斜對面的 Majestic 酒店，早已成為車水馬龍、冠蓋

雲集之地。所謂「十年風水輪流轉」的確沒錯！

　　康城影展在 5 月 10 日開幕，我在 12 日才乘坐法航班機前往巴黎，並立即在戴高樂機場轉機到尼斯，然後坐了 300 法郎的計程車往康城。我下榻的酒店名為 Hotel Saint-Yves，是「不入流」的小旅館，但環境清幽恬靜，有如富豪別墅，而且有庭園供停放車輛之用，從酒店步行至新電影宮，只需 15 分鐘。酒店老闆娘曾在美國住了 7、8 年，英語異常流利，兼且非常好客。

　　過去 5、6 年，因為貪圖方便，所以捨遙遠的康城而取鄰近的東京，參加了 1985 年和 1987 年的東京國際電影節。到東京遊歷令我大開眼界。然而，東京的消費實在太昂貴了。我住的酒店要千多港元一晚，最便宜的大概只能打個 5 折，此外，別無選擇！這次重遊康城，覺得康城比東京可愛得多。你猜前文提到的酒店房租多少？我跟香港國際電影節的李元賢「同處一室」，每人每晚只付 140 法郎（約 200 港元），難以置信，是嗎？

　　在巴黎轉機的時候，天色陰沉。來到康城，居然又是燦爛的陽光。天朗氣清，風和日麗，令人精神為之一振。不過，坐了 20 小時飛機（包括轉機），精神萎靡，不在話下。因此，頭一天抵達康城，並無看電影的打算。在酒店安頓好行李後，跑到新電影宮對面街角的餐廳吃午餐。雖說飢不擇食，但這頓法國餐令我非常失望。尼斯沙律（Salade niçoise）粗枝大葉，黑椒

牛扒（Steak au poivre）味如嚼蠟，連雜果批（Tarte aux fruits）也好像是隔了幾夜的！這是我今次在康城最失敗的一頓午膳！

　　還好，坐在露天的行人路上進餐，可以看著形形式式的路人來來往往，最令我感到興奮的，居然不是花枝招展、烟視媚行的女士，而是眼前稍縱即逝的各國名車。坐下不到 5 分鐘，居然就看到開篷的法拉利 328、開篷的佳士拿 Le Baron、開篷的愛快羅密歐 1600 Spider 1967、開篷的保時捷 911Carrera 4、林寶堅尼的 Miura 跑車。可以這樣説，康城是電影「發燒友」的樂園，也是汽車「發燒友」的天堂。有甚麼地方像康城這樣，開篷的 Jaguar E-Type 隨街停泊？

　　如果你也是車迷的話，你一定看車看得眉飛色舞。康城是一個很奇怪的地方，最昂貴的超級汽車、最卑微的迷你汽車、最新款的轎車、最古典的老爺車、最殘破的舊車……，通通可以在馬路上行走。同樣道理，最富有的電影大享、最潦倒的窮導演、最新嫩的影評人，都可以在電影宮看同一場電影。這是自由社會的可貴。今年康城電影節特別強調「電影無分國界」（Cinéma sans frontières）——或「沒有國界的電影」。

　　談康城影展，當然要談展出的電影。以往由於工作關係，又或許由於著實「發燒」，故此每逢康城影展，幾乎都是日以繼夜地看電影，每天不看六場電影，誓不罷休。這次我對自己説：「我今次來是度假，每天只看 3 齣電影。」於是，非常愜意。早、晚都有充足的時間吃頓好的法國餐或意大利餐。美中

不足的是：沒有女伴在身邊，始終感到落寞。

　　影展開幕之前，香港一些小道消息說，張藝謀為德間康快執導的《菊豆》比黑澤明的《夢》更有問鼎金櫚獎的機會。事實證明，又是一廂情願的胡亂猜測。黑澤明的《夢》是開幕影片，但並沒有參加比賽（Hors compétition）。我是在巴黎的時候才補看這部影片。這一代製片人和影評人大肆渲染或強調黑澤明在美術方面的才華。自從《影武者》之後，每次宣傳都大量印製或出版黑澤明為其影片繪製的彩圖，好像比他的電影作品本身更重要。

　　事實上，黑澤明一直堅持拍攝黑白影片，直到《沒有季節的小墟》，才採用彩色軟片拍攝，但攝影效果仍然接近黑白。事實上，黑澤明最精彩的作品大多是 50、60 年代的黑白製作，像《羅生門》、《用心棒》、《蜘蛛巢城》、《七俠四義》……等等，即使黑澤明本來就是畫家出身，過份強調其繪畫天份，似乎有本末倒置之嫌。《夢》給我最深刻印象的是《尋找梵高》的一段，「人在畫中遊」，的確具有前所未見的震撼力。至於其餘七個「夢」，很難說有甚麼重大的突破。

　　張藝謀的《菊豆》由日本德間書店的大老闆德間康快投資拍攝。德間康快連《敦煌》這樣昂貴的古裝歷史巨構也拍得起，像《菊豆》這種小本製作真是「濕濕碎」。難得的是張藝謀的前作《紅高粱》曾把日本鬼子罵得狗血淋頭，德間先生卻既往不咎，邀請張藝謀合作拍片。《菊豆》雖然沒有獲得大獎，但影片

本身拍得不壞；雖然有人認為故事發展過於宿命，但我認為這正是影片的精粹所在。影片結果獲得拉丁美洲影評人頒發的路易布紐爾獎（Prix Luis Bunuel Des Critiques Latino-Americains），可說敬陪末座。

　　不要以為張藝謀拿不到大獎是令人難堪的事，看看高達又如何？這位法國新浪潮電影的闖將，今次找到垂垂老矣的法國中生阿倫‧狄龍，擔綱演出其最新作品《新浪潮》（Nouvelle Vague），依然備受矚目。無論你是否喜歡高達的電影，高達本人卻始終是一個神話，他出席的記者招待會依然是最哄動、最擠擁的。為了控制場面，大會禁止所有攜帶相機的記者和影評人進場，此舉令一些遲到的電視攝影師大發雷霆（因為導播已經在裡面，但卻沒有攝影機）。高達在康城影展受到這樣熱烈的捧場，而《新浪潮》一片又正式參加比賽，卻連一個次要的獎項也「撈」不到，豈不更令人難堪？

　　其實，許多大師級導演雖然有作品展出，但卻沒有參加比賽，例如前述的黑澤明的《夢》，以及費里尼的《月吟》、華意達的《歌察克醫生》（Korczak）、奧利維拉的《發號施令的虛榮》，甚至保羅‧舒路達的《陌生的誘惑》（The Comfort of Strangers）等等，都沒有參加競賽。我不曉得他們是否認為自己是大師身份，沒有必要跟「新仔」較量；但我知道他們即使願意參賽，亦未必可以拿到大獎（唯一例外的是奧利維拉）。我忘記了是哪一位導演曾經這樣說：「把作品拿出來讓人家評頭品

足，根本任何時候都在比賽。」

　　談到影片獲獎，當然不能遺漏今年的金棕櫚大獎的得主——大衛‧連治（David Lynch），代表作是《野性的心》（*Wild at Heart*）。曾經拍過《象人》、《藍色夜合花》的大衛‧連治，終於憑一部怪裡怪氣但卻頗有原創性的現代情慾片，成為康城電影節的新寵兒。雖然沒有看到頒獎典禮（當晚回到巴黎，朋友家的電視又有接收的問題），只聽到電視上傳來一陣陣的噓聲。對於大衛‧連治獲獎，各人都感到有點意外。

　　以《獨行俠》片集和《辣手神探奪命槍》走紅國際影壇的奇連‧伊士活，70年代初期演而優則導；近年在自導自演之餘，竟逐漸提昇至藝術片導演的層次，其作品多次入選康城電影節的競賽部分，例如前年的《八哥傳》和今年的《獨行戰士》（*White Hunter, Black Heart*）。奇連‧伊士活在本片飾演一個醉心於打獵的電影導演，在非洲拍片之際仍不忘獵殺大象。影片雖然沒有指名道姓，揭示導演的身份，但明眼人都知道奇連飾演的是已故的尊‧候斯頓（John Huston），而影片的劇情就相當於老尊拍攝《東非抗敵記》（*The African Queen*）的一段插曲。奇連‧伊士活拍來有板有眼，戲味濃郁，富幽默感，且亦有較深的寓意。偏偏康城評審諸公看不上眼，奇連跟高達一樣，連一個微不足道的甚麼獎也拿不到。

　　談到已故的尊‧候斯頓，實不得不談某些老導演的幹勁。老尊在80高齡之際，仍然可以拍出一部傳世之作《龍鳳俏冤

家》（*Prizzi's Honor*）。黑澤明今年亦已屆 80 高齡，據松竹的池島章透露，黑澤明已接受松竹之邀為後者拍片；黑澤明上一回為松竹拍片，應該是 1951 年改編自杜斯妥也夫斯基小說的《白痴》。光陰荏苒，轉眼便是 40 年；大概黑澤明亦不勝惆悵。

另一位令人震驚的老將是葡萄牙的奧利維拉（Manoel de Oliveira），此公今年八十有二，居然還可以拍出一部氣魄宏大的《發號施令的虛榮》，簡直令人佩服得五體投地。如果他這部影片好像前作《法蘭西絲嘉》（*Francisca*）那樣舞台化，倒不令人驚訝；但本片的古代戰爭場面卻可以跟黑澤明的《亂》分庭抗禮，史詩式的戰鬥場面悲壯感人。奧利維拉在 80 年代仍然十分多產，幾乎每年都有作品面世，問你服未？奧利維拉要是參加比賽，今年的金棕櫚大獎說不定就是他的囊中物。

康城電影節的參賽影片和花花絮絮，真是長寫長有。在這裡，我且引一則小道消息作結，也好讓電影「發燒友」和汽車「發燒友」興奮一下：意大利方面正準備開拍法拉利（Enzo Ferrari）的傳記片。若然影片能在康城首映，屆時一定會有盛大的法拉利車展，且讓我們拭目以待。

原刊香港《Playboy》1990 年 7 月

康城點滴（1990）

　　康城（Cannes）是法國東南部的一個小城鎮，以一年一度的國際電影節而名震天下。這一帶有連綿不絕的沙灘、深藍色的海水，法國人稱之為藍色海岸（Côte d'Azur），英美的說法則是法國的里維埃拉（French Riviera）。這裡人們面對的是地中海的汪洋大海，水上活動非常普及，成為法國人放暑假的渡假勝地。在法國人的字典裡，是沒有「避暑」這兩個字的，他們連歡迎都來不及，哪裡會去「避」呢？法國人最喜歡把皮膚曬成古銅色，他們稱之為 Bronzé；這裡的陽光，當然比北部諾曼第那疲弱的太陽來得奏效。

　　藍色海岸大概從吐倫（Toulon）一直伸展到尼斯（Nice），中間全部都是渡假的好去處，Saint-Tropez（電影《瘋狂沙灘會》中描述的著名天體沙灘）、Sainte-Maxime、Saint-Raphael、康城、尼斯、Antibes、蒙地卡羅……。如果沒有舉世知名的電影節，康城可能像其他南部小城一樣，僅能成為法國人在夏天弄潮的旅遊點。Cannes 的中文譯名因港、台、中的發音而各異，香港譯為「康城」，台灣譯作「坎城」，中國大陸譯為「戛納」，都不大貼切。其實，照法語的發音，最正確的應該是用普通話去說「幹」，是 G 音而不是 C 音，或者更準確一點是「幹了」（還

要拖一點點尾音），但千萬不要把 S 唸出來。我用普通話問您：
「幹了沒有？」您說：「幹了！」那就是最準確的 Cannes 發音。

第一次到康城是 13 年前，那時我尚在巴黎的私立電影學院
攻讀電影製作；暑假時幹了 1 個月暑期工，然後跟在香港時已
相熟的法國友人 Christophe 去南部和西班牙遊玩。他的祖母在
Sainte-Maxime 有一幢古堡式的別墅，樹林、草地、游泳池，還
有令人垂涎的酒窖。有一天，我們在早上 9 時駕車出發，在一
天之內便遊遍了 Côte d'Azur，康城、Antibes（畢卡索博物館）、
尼斯、Eze、蒙地卡羅、La Turbie（古羅馬遺跡）、Vence、Saint
Paul-De Vence，然後在晚上 9 時返抵 Sainte-Maxime。雖然是走
馬看花，但總算遊過法國南部。

至於第一次以影評人身份出席康城電影節則是翌年 5 月，
那時剛好輪到我拍畢業影片，我竟然溜去康城看電影，犧牲不
可謂不大。從巴黎的里昂車站（Gare de Lyon）坐火車到康城，
要 9 個半小時。那時還未有 TGV（Train à Très Grande Vitesse 高
速火車），記憶中從馬賽開始就「站站停」，早上 10 時坐上火
車，要到晚上 7 時半才到達康城。現在聽說 TGV 火車可以開
到馬賽，行車時間已經縮短至 7 小時。由 1978 年起至 1983 年
止，每年都在康城電影節「膜拜」一番。今次重訪康城，相距
上次已有 7 年之久。前後到過康城 8 次，相信可以談談康城的
印象，而不致距離事實太遠。最近幾次到康城，都是從香港坐
飛機到巴黎，然後轉飛尼斯，再由尼斯坐出租汽車到康城。其

實，坐汽車或火車到康城，已經是最平民化的方式，還有許多人是坐直升機和遊艇來的哩！

康城本身是一個海邊的城鎮，對於參加電影節的人來說，其主要活動的中心是岸邊的 Boulevard De La Croisette，因為舊電影宮（Palais Du Festival）和新電影宮（Palais Des Festivals Et Des Congrès）都是在這條長滿棕櫚樹的林蔭大道之上。對於弄潮兒來說，主要的海灘有兩處，其一是棕櫚大道對開的海灘（Plages De La Croisette，大部分由高級酒店所擁有），其二是新電影宮以西的公眾海灘（稱為 Plages Du Midi）。

事實上，目前新電影宮的所在地，比較接近康城的發源地；新電影宮的旁邊就是康城的舊港（Vieux Port），而舊港的旁邊（向西）就是舊城（Le Suquet），而康城的市政廳亦在不遠之處。Plages De La Croisette 的東邊是皮爾・康圖港（Port Pierre Canto）和棕櫚灘港（Port Du Palm Beach），後者是康城遊艇會（Yacht Club）的所在地，而旁邊就是棕櫚灘賭場（Casino Palm Beach）。

法國南部可說是真正的銷金窩，康城、尼斯、蒙地卡羅都有賭場。賭場可說是法國旅遊點的傳統（世界上有規模的賭場都以法語讀出點數），要不澳門也不會被稱為東方的蒙地卡羅。阿倫・迪龍和尚・加賓主演的警匪片《械劫銷金窩》（*Any Number Can Win*, 1962）就以尼斯作為背景。新電影宮亦有賭場之設，令電影大亨們多一個散心（也散銀紙？）的地方。

　　康城最少有一百家酒店，由最貴族化、最有派頭的卡爾登（Carlton）、大華（Majestic）、馬蒂尼斯（Martinez）、Gray d'Albion、Miramar，以至最經濟的 Hôtel De La Poste、Robert's Hôtel 都有。此外，還有很多私人寓所出租，取費低廉；康城的住房可說是豐儉由人。今次我住的 Hôtel St. Yves，環境幽美，有園子可以泊車，雙人房亦不過是 280 法郎。如果說到康城遊玩的人都喜歡住在尼斯，那是天大的笑話。雖然從尼斯到康城，也不過是數十分鐘車程，但每天來回 2 次，也實在麻煩。難道住尼斯的酒店是不用付錢的嗎？

　　對於遊客來說，康城一般是指海灘以北、鐵路以南的地區。皆因大部分酒店、餐廳、酒吧、電影院、精品店以至沙灘、海港和其他遊樂場所，都在這撮近似半月型的地帶。康城的鐵路和高速公路（依著前者的弧度建成）把市區分成南北兩個部分。鐵路以北其實還有一大片環境幽美的住宅區——有點兒像香港的半山區。一位法國朋友 Elisabeth Cazer 的母親就住在鐵路北面的 Avenue De Vallauris，今次到康城亦抽空前往拜訪。Cazer 太太仍然是那麼健談，只可惜不久前因意外而導致不良於行。不過，她仍時常來往於巴黎、康城之間，從她口中亦瞭解到法國社會繁榮的表象底下潛藏著的隱憂。

　　沿著 Boulevard De La Croisette 漫步，您會發覺沙灘上最少有十來二十家餐廳，其中一部分直屬於那些高級酒店；例如 Hôtel Carlton 對開是 Carlton Beach，Hôtel Miramar 對開是

Plages Miramar，Hotel Martinez 對開是 Plages Martinez Beach 等
等。除了參加某些酒會之外，我個人很少到這些餐廳進餐，一
來太花錢，二來太花時間。

　　前幾次到康城，有空的時候會找一些價錢相宜而又美味的
法國地方菜吃。其中有幾家法國餐廳，例如 La Mère Besson、
L'Esquinade、Toque Blanche，都有出色的「招牌菜」；我至今仍
然懷念多年前在 L'Esquinade 吃的脆嫩無比的牛柳，配上 Côtes
De Provence 紅酒和 Dijon 的芥末，令人食指大動。

　　今次來康城，發覺意大利餐廳愈開愈多。在新電影宮附
近的 La Torche 幾乎成為我的飯堂。除了偶爾光顧過 La Mère
Besson 和 L'Esquinade 一次半次之外，我在 La Torche 最少簽了
10 次賬單。今年的康城天氣特別好，坐在溫暖的陽光底下，看
過路過的「靚車」和「靚人」，心情格外開朗。La Torche 的意
大利菜的確不賴，招呼又好。我最喜歡的是「四季薄餅」（Pizza
Quatre Saisons）和「四季沙律」（Salade Quatre Saisons），
佐以半瓶 Chianti 紅酒，餐後再來一客意大利雪糕和咖啡
（Cappuccino）。然後，施施然的進電影宮看電影，我不禁興奮
地對自己說：「C'est la vie！」

　　在康城吃海鮮也是不錯的選擇。在舊城附近有多家法
國餐廳都有鮮美的海鮮湯供應。至於土特產方面，一種叫做
Caulisson 的杏仁軟糖，是法國南部的特色糖果。吃巧克力吃膩
了的女士，可以買來一試。

　　除了意大利和法國餐廳之外，康城亦有為數不少的中國飯館和越南菜；其中的大觀園在舊電影宮附近，受到喜愛中國菜的電影名人的青睞。另外一家在高速公路旁的北京樓，也是日本遊客和港客常到之地。

　　除了在 Boulevard De La Croisette 走動之外，我最喜歡在 Rue d'Antibes 和 Rue Felix Faure（前者的延長）蹓躂。通常在海邊的林蔭大道走動的時候，總是心情緊張、步履匆忙的，這是為了看電影而趕時間；而在 Rue d'Antibes 走過的時候，往往是兩場電影之間的休閒時間，心情比較輕鬆寫意。Rue d'Antibes 兩旁都是電影院、咖啡座、餐廳、精品店、書店等等，令人有悠閒的渡假感覺。最難受的是出席東京電影節，從澀谷的電影院走出來，密密麻麻的人群像潮水般進退，壓逼感非常強烈。

　　在康城，無論您怎樣忙，您都有渡假的感覺；在東京，即使您非常悠閒地享受著假期，您仍然有正在工作中的錯覺。

ELEGANCE INTERNATIONAL SEPTEMBER 1990

法國電影在康城（1990）

　　璀璨熱鬧的第 43 屆康城電影節，又告曲終人散。即使康城今年的戲碼，未能令人留下深刻的印象，但法國南部和煦的陽光，以及從地中海吹來的薰暖的春風，足以令您眷戀不捨，難以忘懷。

　　在世界各地的重要影展當中，康城是規模最大的，而環境也是最理想的。試看柏林、威尼斯、倫敦、東京、紐約等地的電影節，有哪裡可以看電影看得那麼舒服！從暗黑的電影院走出來，到處是陽光、海灘、美女、靚車、露天咖啡座、精品店、法國和意大利美食、棕櫚樹、繁花似錦……。對於疲倦的眼睛來說，這無疑都是上好的調劑。

　　已經有 7 年沒有來康城了。7 年前，已有人山人海的感覺。7 年後的今天，情況未如想像中壞，可能是電影節當局對於出席的報界和影評人，挑選得相當嚴格。但總覺得康城的人情味，比諸 12、13 年前，愈來愈見淡薄。此外，還有「同行如敵國」的情況出現；為了爭取獨家圖片，法國的攝影新聞界，似有排擠外國同行的嫌疑。康城的空氣污染亦愈來愈見嚴重，川流不息的汽車遇上塞車的時候，排出的廢氣和電油味相當濃烈，令人感到不快。

今年康城電影節的評審團由 10 位電影界和文藝界知名人士組成，主席是《末代皇帝溥儀》的意大利導演貝托魯奇。10 人當中，有 3 位是法國人，包括女演員芬妮・雅頓（Fanny Ardant）、女作家法蘭素娃・芝洛（Françoise Giroud）和電影導演貝特朗・布利亞（Bertrand Blier）。電影節的官方場刊在第 1 頁就刊登評審團的名單，以示尊敬和尊重。回看香港電影金像獎的評審委員從來沒有受到應有的重視，去年金像獎的頒獎禮紀念場刊上，居然沒有評審團的名單，實在使人費解。在商業掛帥的社會，文化人、電影人、影評人不獲尊重，能不令人擲筆三歎！開幕影片是日本電影大師黑澤明的《夢》，而閉幕影片則是美國著名編劇兼導演保羅・舒路達的《陌生的誘惑》（*Comfort of Strangers*），兩部影片都沒有參加競賽。比賽結果，美國導演大衛・連治（David Lynch）以《野性的心》（*Wild at Heart*）奪得最佳影片金棕櫚大獎；翌日巴黎的《解放報》以大字標題 "*David Lynch, Palme Gore*"（大衛・連治，血棕櫚），幽了大衛・連治和影展當局一默（金棕櫚獎的法文是 Palme d'Or）。

《野性的心》本質上是一齣商業娛樂片，但無可否認有極為原創性的意念，而商業片能夠達到這種境界，也就得以登堂入室。片中血淋淋的暴力鏡頭，顯然令某些影評人和電影人感到不快，大衛・連治獲獎一刻，似乎噓聲多於掌聲。不過，影片的確有許多能夠令少年以至中年觀眾認同和產生共鳴的地方，其在商業上的成功可能會超越大衛・連治的前作《象人》和《藍

色夜合花》。

今年法國的參展影片共有 5 部，計有尚盧・高達的《新浪潮》、尚保羅・拉品諾（Jean -Paul Rappeneau）的《大鼻子情聖》（*Cyrano de Bergerac*）、厄素・葛提（Axel Corti）的《禁宮情妓》（*La putain du roi*）、雷蒙・迪柏當（Raymond Depardon）的《沙漠中的女俘虜》（*La Captive du Desert*）以及貝特朗・塔凡里埃（Bertrand Tavernier）的《爹爹話當年》（*Daddy Nostalgie*）。參賽影片中有 5 部是法國片，也算是陣容強大。

1959 年以《慾海驚魂》（*A Bout de Souffle*）震驚影壇，並揭櫫法國新浪潮電影的闖將尚盧・高達，今年參展的影片就叫作《新浪潮》（*Nouvelle Vague*）。男主角居然是向來不屬於法國新浪潮電影的阿倫・迪龍。由於此事在拍攝期間一直保持高度秘密，許多記者和影評人都感到很意外。記得多年前，高達曾經公開批評尚保羅・貝蒙多，指他自從《慾海驚魂》一炮而紅之後，就不肯拍他執導的影片（可能片酬太「乞」吧？）如今請來阿倫・迪龍（兩人都是 60、70 年代的天皇巨星），也算是報卻一箭之仇吧！

阿倫・迪龍在 60 年代，憑兩部意大利電影在康城大出鋒頭，其一是安東尼奧尼的《情隔萬重山》（*The Eclipse*, 1962），其二是維斯康提的《氣蓋山河》（*The Leopard*, 1963）；前者獲評審團特別獎，後者更是金棕櫚大獎的得主。不過，阿倫・迪龍始終是商業電影的寵兒，跟法國新浪潮扯不上任何關係。今天

高達找他來演《新浪潮》，不知算不算是商業綽頭？

　　阿倫·迪龍在片中演一對孿生兄弟，但兩人卻從來沒有一起出現。高達近年的電影常有高度的疏離感，晦澀難明；經常摸索新技巧和新的表現方式。但許多時給人「為摸索而摸索」的感覺。《新浪潮》又出現大量的文字說明（Caption），有英文、法文、西班牙文、意大利文……（就像片中出現的各國名牌汽車），如果沒有一定的外文修養，那就更加看得一頭霧水。要看懂高達的電影，可不是普羅大眾所能企及的事情。

　　只是，高達仍然是國際影壇上的一個神話，他出席的記者招待會依然是那麼「墟撼」。電影節當局為了控制場面，竟然禁止所有持有照相機的影評人和攝影記者進場。有位來自英國的電視台攝影師就不得其門而入（他的導播卻在室內乾等），幾乎跟維持秩序的工作人員大打出手。這或許是高達本人的要求（高達的怪脾氣早已街知巷聞）。如果是影展當局的安排，那就值得非議了。既然預先知道出席人數眾多，何不安排在較大的場地舉行？記得當年哥普拉出席《現代啟示錄》的記者招待會，也是放映後立即在戲院內舉行。禁止攝影記者拍照（尤其是遠道而來的外國記者），是對新聞工作者權利的侵犯。要發新聞的時候就找記者來拍照，不需要的時候就一腳踢開，未免有點不近人情。

　　自從 1980 年以來，高達已經是第 4 次在康城影展參加比賽，前三次是《慢動作》（*Sauve Qui Peut/La vie*, 1980）、《狂

熱》(*Passion*, 1982)、《偵探》(*Detective*, 1985),每次都無功而退,今次亦不例外。現在回顧法國新浪潮眾闖將,杜魯福英年早逝,查布洛銳氣全消,高達故作高深,看來只得伊力‧盧瑪(Eric Rohmer)、路易‧馬盧(Louis Malle)和阿倫‧雷奈(Alain Resnais)最有後勁。

今年參賽的法國電影當中,受到法國影評人一致好評而又獲得出席影展的外國影評人激賞的是尚保羅‧拉品諾執導的《大鼻子情聖》。事實上,《大》片在康城影展開幕前兩個月已在法國公映,可說叫好又叫座;一齣已公映的影片居然又能破例參加比賽,可見影展當局對本片的厚愛有加。

拉品諾這個名字在法國影壇已經出現了 25 年有多,但此公迄今只拍過 5 部影片;計有《古堡生活》(*La Vie de Château*, 1965)、《旗開得勝》(*Les Maries De l' An II*, 1970)、《野人》(*Le sauvage*, 1975)、《感情衝動》(*Tout Feu, Tout flamme*, 1981)以及《大鼻子情聖》。在這 25 年中,拉品諾如何維持生計,也是一大疑問。

本片改編自法國 19 世紀時期的經典戲劇作品——羅斯丹(Edmond Rostand)的同名劇作,由法國最著名的編劇家尚克羅特‧加里埃(Jean-Claude Carrière)執筆。加里埃的前作包括《錫鼓》和《布拉格之戀》,都是擲地有聲的作品。男主角是目前法國影壇中片酬最高的小生謝勒‧迪柏度(Gerard Depardieu),喜歡法國片的香港觀眾應該看過他主演的《隔牆花》、《薩根

堡》、《戀戀山城》或者《羅丹的情人》。迪柏度在本片演文武全才的俠士史蘭奴，暗戀美艷動人的表妹羅珊，而羅珊愛上的卻是文韜武略都不及史蘭奴的基斯汀安。史蘭奴最吃虧的是其貌不揚兼且鼻大，卻又陰差陽錯成為基斯汀安的好友，並且為後者撰情書至成為他的「幕後發言人」。終於，羅珊知道了史蘭奴對她竟是一往情深，而她一直傾慕的其實是才華橫溢的史蘭奴，只可惜情天恨海為時已晚，令人不勝唏噓！

迪柏度在本地影迷口中，早有「大鼻佬」之雅號，如今飾演羅斯丹劇中的大鼻劍客，這個角色真的稱得上是「度身定做」，不作第二人想。影展舉行之前，早已喧傳最佳男主角獎是迪柏度的囊中物，結果果然是大熱勝出。羅斯丹的經典劇作曾多次被搬上銀幕，最成功的一次是 1950 年美國導演米高·戈登（Michael Gordon）的同名影片。說來湊巧得很，當年飾演史蘭奴的荷茜·法拉（Jose Ferrer）亦憑著這個角色奪得奧斯卡最佳男主角金像獎。

尚保羅·拉品諾的新作是一次全新演繹。所謂「珠玉在前」，拉品諾面對的是嚴峻的挑戰。畢竟，新《大鼻子情聖》證明了拉品諾的眼光和才華（本片攝影師 Pierre l'Homme 還奪得高等技術委員會大獎）。影片有豐富的笑料、熱鬧的動作場面、動人的愛情故事、準確的歷史考究。尤其值得一提的是名作家 Anthony Burgess（《發條橙》的作者）為本片翻譯的英文字幕，跟原來的法語對白（史蘭奴出口成章，字字珠璣）同樣精彩。

對於懂法語和英語的觀眾而言，是雙重享受。我期待本片在香港公映，我亦希望片商能放映原裝法語版本（片上中英文字幕）。說不定迪柏度從此成為香港觀眾的新偶像哩！

另一齣代表法國參賽的影片是雷蒙・迪柏當的《沙漠中的女俘虜》，由法國最受歡迎的新秀女星 Sandrine Bonnaire 主演。迪柏當是著名的記者／攝影師，1982 年以《記者》（*Reporters*）獲得法國的最佳紀錄片凱撒獎。1983 年開始拍攝劇情片，但依然具有強烈的紀錄片風格，作品包括《社會新聞》（*Fait Divers*, 1983）和《在非洲的一個女人》（*Une femme En Afrique*, 1985）。

在正常情況下，法國片我是必然捧場的。但由於幾位朋友看後都說節奏出奇地慢，十分「難頂」，於是自動棄權。不過，法國電影有一派奉行 Cinéma-Vérité（真實電影）的電影工作者（例如 Jean Rouch），對於民俗學特別感到興趣。有機會仍希望找迪柏當的新作來一看。

影展中有一齣影片被一些法國電影雜誌標明是歐洲片（Europe），而不是美國片（United States）或法國片（France），那就是生於巴黎的奧地利導演厄素・葛提執導的《禁宮情妓》。影片無疑是有很強烈的國際性，例如男主角鐵摩菲・達爾頓（Timothy Dalton）是英國人，導演是奧地利人，女演員 Valeria Golino 原籍意大利；不過，我仍然視本片為法國片。原因是：原著作者 Jacques Tournier 是法國人、製片 Maurice Bernart 是法

國人，還有許多演員和工作人員是法國人，而最重要的是故事本身主要發生在法國。

　　作為一部古裝的宮廷愛情文藝片，《禁宮情妓》有一定的吸引力；但整齣影片似乎欠缺了令人產生共鳴或使人留下深刻印象的筆觸。簡言之，是嚴謹有餘，而神采不足。戴上假髮的鐵摩菲仍然令人想起他的占士邦（James Bond）角色。影片描述的愛情糾葛令我想起《孽戀焚情》（Les Liaisons Dangereuses），但後者的刻劃入微顯然比本片出色。

　　至於貝特朗・塔凡里埃的《爹爹話當年》，則是一齣英、法合作的混血電影。貝特朗是法國新浪潮電影之後崛起的中堅派導演，曾先後於 1980 和 1984 年以《假期》和《鄉村的星期日》參加比賽，結果憑後者獲得最佳導演獎。話說當年的評審團主席就是《爹爹話當年》的男主角狄・保加第（Dirk Bogarde）。他看完《鄉》片後對貝特朗說：有機會我來替你演一部。7 年後，貝特朗和狄・保加弟分別以導演和演員身份再臨康城。

　　本片的編劇是貝特朗的太太 Colo Tavernier O'hagan，父親是英國人，而貝特朗的父親——詩人作家雷納・塔瓦里埃（René Tavernier）——剛於影片接近完成時逝世。因此，本片可以被視為貝特朗和太太的半自傳混合體。貝特朗找了英國血統的狄・保加弟和珍・寶金（Jane Birkin）演一對父女，顯然具有現身說法的意味。

　　像前作《聖保羅鐘錶匠》一樣，貝特朗經常探討血緣關係；

亦像其前作《死亡的窺伺》（*La Mort En Direct*）一般，貝特朗喜歡拍攝跟英國有關的事物。片中的狄‧保加弟和珍‧寶金一時說英語，一時說法語，大概也是貝特朗和太太的寫照。影片描述的父女、母女以至父母間的感情，真實、細膩而幽默；貝特朗的表現，比諸《鄉村的星期日》，仍具見功力。最後仍需一提：貝特朗以本片獻給剛於 2 月逝世的英國老牌導演米高‧鮑維爾（Michael Powell，曾拍《紅菱艷》）。貝特朗對英國似有濃得化不開的感情。

Elegance International September 1990

小栗康平出席記者會時攝（1990）。（Photo: By Freddie Wong）

小栗康平與松坂慶子（1990）。（Photo: By Freddie Wong）

《大鼻子情聖》廣告牌（1990）。(Photo: By Freddie Wong)

張藝謀與鞏俐出席記者會（1990）。(Photo: By Freddie Wong)

蘇聯導演潘菲洛夫（1990）。（Photo: By Freddie Wong）

蘇聯電影《母親》的廣告牌（1990）。（Photo: By Freddie Wong）

第 46 屆
康城電影節
1993

46e FESTIVAL INTERNATIONAL
DU FILM CANNES 1993 · 13 AU 24 MAI

Affiche éditée par le Groupement Interprofessionnel des Publicitaires du Spectacle · Maquette Michel LANDI · Imprimée par KARCHER
*Collection Cinémathèque Française

▲ 1993 年第 46 屆宣傳海報

霸王别姬
ADIOS A MI
CONCUBINA

Una película de **CHEN KAIGE**

PALMA DE ORO•Mejor película•CANNES 93
NOMINADA AL OSCAR•Mejor película extranjera.
GLOBO DE ORO•A la mejor película en habla no inglesa.

 IBEROAMERICANA FILMS

第 46 屆康城電影節

　　5 月 12 日，從巴黎的 Hotel De Crillon 啟程，開車到日內瓦湖南岸的 Evian，並非為了一嚐真正 Evian 礦泉水的滋味，而是 Royal Hotel 之邀，在山明水秀的度假勝地渡宿一宵。翌日，懷著戀戀不捨的心情，再駕駛數百公里的路程，直撲法國南部的康城；舉世聞名的國際影展，就在這天揭幕。由於是第一次從巴黎駕車到康城，在暗黑的晚上，也著實摸索了好一陣子，才找到我們慣常下榻的聖伊扶酒店（Hotel Saint-Yves）。

　　自從 1978 年首次以影評人身份參觀康城電影節以來，曾先後 8 次參與其盛，到了今年終於親眼目睹中國電影「零的突破」，亦可算是人生快事之一。中國影人在國際影展上獲獎，近年常有所聞，繼張藝謀的《紅高粱》和《秋菊打官司》分別在柏林和威尼斯影展奪得金熊獎和金獅獎，侯孝賢以《悲情城市》得金獅獎，而今年的柏林影展又由中國大陸的《香魂女》和台灣的《喜宴》分享大獎。世界三大影展中的柏林和威尼斯，都先後由中國大陸和台灣導演奪魁，如今只剩康城影展未由中國影人染指大獎，今年有陳凱歌的《霸王別姬》和侯孝賢的《戲夢人生》同時角逐金棕櫚獎，說不定中國電影又下一城？這個問號一直在我的腦際盤旋，直到影展閉幕（我在當天離開康城）

翌日，在意大利 Modena 的 Real Fini 酒店找到一份意大利報紙，我才得到一個還算滿意的答案。

話說今年參加康城影展「官方選擇」的影片共 28 部，其中 23 部參與比賽，5 部作觀摩展出。開幕影片和閉幕影片都由法國電影搶去鋒頭，前者是安德烈‧弟善禮（André Techiné）執導的《美好的時日》（*Ma Saison Préférée*），後者是新進導演艾斯博斯圖（Philomene Esposito）的《毒緣》（*Toxic Affair*）。兩片都以法國女星吸引影迷，前者是近年甚受法國歡迎的嘉扶蓮‧丹露，雖已年過 50，仍然美艷如昔；後者則是久休復出的伊莎貝‧雅珍妮，原來此姝已暫別法國影壇 10 年，令人大興時光飛逝之嘆。

今年的參展國家當中，以英、美、法的陣容最強，各有 5 部作品參賽或展出，其次是意大利和澳洲，分別有 3 部和 2 部影片參賽，其餘俄羅斯聯邦、德國、日本、香港、台灣、新西蘭、海地、南非各有 1 部。從參展影片的導演名單看來，新進導演幾乎佔了 2/3（連陳凱歌和侯孝賢都成為資深導演），可說是歷年僅見的現象。看來西方影壇青黃不接，已露端倪。

法國片除了前述的開幕和閉幕影片（後者沒有參加競賽），還有阿倫‧卡華利亞（Alain Cavalier）的《解放我》（*Libera Me*）、羅傑‧勃朗松（Roger Planchon）的《兒皇帝路易十四》（*Louis, Enfant Roi*）以及巴塔巴斯（Bartabas）的《馬薩巴》（*Mazeppa*）。老導演卡華利亞的前作《德肋撒》（*Thérèse*）令人

驚艷，簡潔、凝鍊，風格直追布烈遜，但新作《解放我》則近乎走火入魔，全片以近鏡和特寫鏡頭拍攝，雖是由人演出的有聲片，但自始至終沒有一句對白，而劇情亦高深莫測，令人摸不著頭腦。勃朗松的《兒皇帝路易十四》只是大銀幕電視片，跟《大鼻子情聖》等古裝片比較，成績相去甚遠。最令人驚喜的是新導演巴塔巴斯的《馬薩巴》，描寫一個迷戀駿馬的畫家加入馬戲團，有豐富的寓意和懾人的映像。

參展的 5 部美國片中，史提芬・蘇德堡的《青蔥歲月》（King Of The Hill）算是來頭最大，因此公曾以《性感的謊言》（Sex, Lies And Video Tapes）奪得康城大獎，可惜影片無甚特色，與前者比較可說靈氣盡失。其餘各片如阿貝・法拿拉（Abel Ferrara）的《異形怪體》（Body Snatchers）、祖兒・舒麥加（Joel Schumacher）的《怒火風暴》（Falling Down）、蘭尼・哈連（Renny Harlin）的《絕嶺雄風》（Cliffhanger）、尊・麥羅頓（John McNaughton）的《暫借的情人》（Mad Dog And Glory）基本上都以商業娛樂作為取向，前二者能夠參加比賽，只證明荷里活的「銀彈」仍有一定作用。

5 部參展的英國片，我只看了 3 部。肯尼夫・布倫納（Kenneth Branagh）《抱得有情郎》（Much Ado About Nothing）和米克・李（Mike Leigh）的《赤裸裸》（Naked）都錯過了，無從置評。但聽說《赤裸裸》拍得不錯，結果米克・李奪得最佳導演獎。彼德・格連納韋（Peter Greenaway）的《馬孔的嬰兒》

（*The Baby of Macon*）雖云借古諷今，但導演描述的古代虐嬰故事，變態、殘暴之餘，恐亦難免「掛羊頭，賣狗肉」之譏。羅拔・楊（Robert Young）的英美合作影片《公爵也瘋狂》（*Splitting Heirs*）只是一齣不算成功的喜鬧劇，雖然商業片的最高境界亦是藝術，但此片顯然未能登堂入室，拿來康城比賽似乎不倫不類。堅・盧治（Ken Loach）看來仍然是英國最有真材實料的導演之一，順手拈來都是好題材，《頂硬上》（*Raining Stone*）描述受社會經濟不景影響的父親，為了「死要面子」，而惹禍上身，題旨有點像第昔加的《單車竊賊》，但 40 年代的意大利跟 90 年代的英國比較，當然有很大分別。影片完結時，觀眾起立鼓掌，情況非常熱烈，幾乎令人以為此片乃「真命天子」？結果堅・盧治以此片奪得評審團大獎（與侯孝賢的《戲夢人生》分享）。

　　意大利今年共有 3 部作品參賽，歷奇・托納西（Ricky Tognazzi）執導的《警衛隊》（*La Scorta*）看來是動作取勝的警匪片，我因為影展開幕翌日方到康城，並且要為友人張羅記者證，所以錯過了。歷奇・托納西是意大利紅星尤高・托納西（Ugo Tognazzi）之子，《警衛隊》是他的第 3 部作品。曾以《我父，我主》（Padre Padrone）獲得金棕櫚大獎的塔維安尼兄弟（Paolo & Vittorio Taviani），以新作《伊麗莎》（*Fiorile*）再次問鼎康城大獎。影片的題旨近似中國人常說的因果報應，劇情架構不落俗套，故事引人入勝，結果鎩羽而歸，令人感到不值。普

彼・艾法提（Pupi Avati）的《樂頌詩》（*Magnificat*）以古代的意大利為背景，對當時的風俗有深刻的描寫，雖然未獲評審團垂青，但普彼・艾法提是一位值得期待的導演。

康城今年原定開闢「電影大師巡禮」新項目，奈何許多高齡大師都處於半退休狀態，像黑澤明七老八十仍然活躍於影壇者畢竟屬於少數。由於片源不足，這個項目只好束諸高閣。黑澤天皇的新作《裊裊夕陽情》（*Madadayo*）只好「斯人獨憔悴」地作觀摩展出，可惜未受好評。黑澤明的最大問題是作品老態畢呈，老人家的心態盡現觀眾眼前。我們看看七十多歲的法國導演伊力・盧馬的近作《春天的故事》和《冬天的故事》，甚至尊・候士頓在 80 歲時拍攝的《龍鳳俏冤家》（*Prizzi's Honour*），就知道老導演保持年青心態和洞察世情、切勿自溺於過往輝煌歲月的重要。

德國年輕大師雲・溫達斯（Wim Wenders）的新作《咫尺天涯》（*Far Away, So Close*）基本上是《柏林蒼穹下》（*Wings Of Desire*）的續篇。但由於珠玉在前，而新作又沒有真正的突破，吸引力自然大打折扣。不過，雲・溫達斯的技巧仍然高明，肯認真咀嚼的話，依然令人看得津津有味。

較為冷門的海地電影《岸上的男人》（*The Man By The Shore*），以及南非電影《好朋友》（*Friends*）都是新進導演的作品，成績已算不俗，但要在康城奪魁，看來仍須努力。紐西蘭女導演珍・甘比茵（Jane Campion）的《鋼琴別戀》（*The*

Piano），一看就知有「冠軍相」，不但映像懾人、劇情冷峻中充滿暗湧，女主角荷莉・亨特（Holly Hunter）的扮相和演出令人印象難忘。影展進入第 2 週的時候，《鋼琴別戀》和《霸王別姬》的奪標呼聲甚高，每天出版的《法國電影》（*Le Cinéma Français*）和《銀幕雜誌》（*Screen International*）特刊都有影評人為參賽影片評分，前述 2 片所獲星標最多。當時我就對「開車拍檔」說，康城影展多年未出現過 Ex Aequo 的情況，看來今年會是《鋼琴別戀》和《霸王別姬》雙冠軍。

　　但私底下，我其實是希望侯孝賢的《戲夢人生》得獎。放映的時候，目睹頗多觀眾離場。這個情況毫不稀奇，在電影節目排得滿滿的電影節裡面，較為晦澀難懂或需要耐心咀嚼的影片，往往難討觀眾或評判歡心，許多疲憊不堪的觀眾甚至會打瞌睡，但這並不表示影片拍得不好，而是它缺少了為觀眾「提神醒腦」的官能刺激而已。侯孝賢今次是第一次在康城電影節參加比賽，能夠奪得評審團大獎，已經對國人有所交待。獲獎與否，對於真正的藝術家而言，其實並不那麼重要。最重要的是繼續創作。過去有人為了在影展中獲獎而拍電影，結果扼殺了自己的藝術生命。

　　今年康城影展的各項大獎是甚麼人選出來的呢？我看亦應該為各位介紹一下。今年康城影展的評審團由一位主席和九位評審委員組成；主席是法國著名電影導演路易・馬盧（Louis Malle，近作《愛情重傷》），其餘成員包括意大利著名影星歌

迪亞‧嘉汀娜（Claudia Cardinale）、澳洲女演員茉迪‧戴維斯（Judy Davis）、伊朗導演基阿魯斯達米（Abbas Kiarostami）、波斯尼亞導演古斯杜尼卡（Emir Kusturica）、法國電影攝影師威廉‧盧桑斯基（William Lubtchansky）、美國製片家湯‧盧地（Tom Luddy）、葡萄牙影評人奧古斯圖‧薛巴拉（Augusto Seabra）、英國演員加利‧奧文（Gary Oldman）和俄羅斯女演員茵娜‧楚莉高娃（Inna Churikova）。

獲獎名單

▌金棕櫚獎

《鋼琴別戀》（珍‧甘比茵，澳洲／紐西蘭）

《霸王別姬》（陳凱歌，中國／香港）

▌評審團大獎

《戲夢人生》（侯孝賢，台灣）

《頂硬上》（堅‧盧治，英國）

▌評審團特別獎

《咫尺天涯》（雲‧溫達斯，德國）

▌最佳導演獎

《赤裸裸》（米克‧李，英國）

▊ 最佳男主角獎

大衛・杜利斯（《赤裸裸》，英國）

▊ 最佳女主角獎

荷莉・亨特（《鋼琴別戀》，澳洲／紐西蘭）

▊ 最高技術委員會大獎

《馬薩巴》（巴塔巴斯，法國）

▊ 金攝影機獎

《青木瓜之味》（陳英雄，法國／越南）

▊ 最佳短片獎

《咖啡與香煙》（占・渣木殊，美國）

▊ 國際影評人獎

《霸王別姬》（陳凱歌，中國／香港）

原刊香港《君子雜誌》（Esquire）1993 **年** 7 **月**

霸王稱雄　戲夢竟成真（1993）

　　法國的康城（坎城）影展愈來愈熱鬧。但這是從做遊客生意的角度來看；從片商的立場出發，買片賣片的生意人似乎愈來愈少。街道上的遊人，以及擁擠在電影宮門前爭睹明星風采的人群，絕大部分不是電影專業人士。尤其影展後期碰上幾天假期，遊客更多，海邊的棕櫚大道途為之塞。

　　打從 1978 年起，我就經常來康城影展趕熱鬧。眼看新的電影宮取代了舊的電影宮，出席影展的各國記者和影評人大增，以至新設的放映場地和設施不敷應用。一些熱門影片往往向隅者眾，必須提早半小時入場才不至於被摒諸門外。估計各地傳播媒介的記者總數不少於 1 萬人，影展規模之大亦可想而知。

　　歐洲三大（也是世界三大）競賽性國際影展當中，康城並非歷史最久的一個。但由於法國政府的全力支持，加上龐大的影片市場配合，早已成為藝術和商業並重的電影節，地位凌駕威尼斯和柏林。康城本是法國南部旅遊名勝，影展期間更是花枝招展，衣香鬢影。

　　以往歐美各大影片公司都會別出心裁地搞一些宣傳噱頭，例如騎馬出巡、飛機標語、海灘裸女等等，不一而足。一些希望飛上枝頭做鳳凰的美女，往往不惜寬衣示眾，但求星探一

顧。然而，今年康城相當平淡，連這種鏡頭都不多見。

　　影展的平淡不僅在於花絮鏡頭，即使最為人矚目的比賽部分，也是新秀導演的作品居多，大師作品難得一見。今年參展影片共 28 部，其中 23 部參加比賽，5 部作觀摩展出。參展國家以英、美、法的陣容最強，各有 5 部作品參賽或展出。意大利 3 部，澳洲 2 部，其餘新西蘭、香港、台灣、海地、南非、俄羅斯聯邦、德國、日本各 1 部。值得注意的是：今年參賽的影片有不少來自第三世界國家，而且奪標的呼聲頗高。

　　最令海內外華人矚目的，當然是中國大陸導演陳凱歌的《霸王別姬》，和台灣導演侯孝賢《戲夢人生》，同時角逐金棕櫚大獎。陳凱歌繼《孩子王》和《邊走邊唱》後，第 3 度在康城參展。《霸王別姬》的拍攝手法雖然傳統，但大受觀眾和影評人歡迎，這次果然與新西蘭電影《鋼琴別戀》分享金棕櫚，並獨得國際影評人大獎。

　　《霸王別姬》由香港湯臣影業公司出品港星張國榮及大陸演員張豐毅等主演。製片人徐楓原希望本片能代表台灣參加康城影展，但台北當局以片中有大陸演員，一度舉棋不定，終在侯孝賢決定以《戲夢人生》參展後，「放棄」《霸王別姬》。由於不同因素，本片迄今未能在台灣和中國大陸上映。

　　侯孝賢雖在法國南特影展連續 2 年取得大獎（《風櫃來的人》和《冬冬的假期》），並獲威尼斯影展金獅獎（《悲情城市》），但這次是他首次逐鹿康城，獲評審團獎。過去由於台灣

跟法國沒有邦交，康城比較厚待大陸電影。然而侯孝賢早已蜚聲國際。若不爭取他參展，只會讓其他影展搶去風頭。

從今年影展所見，中國大陸、香港、台灣的電影的確愈來愈受國際矚目。陳凱歌雖然是大陸導演，但《霸王別姬》是以香港影片的身分參賽。其實，香港最早參加康城影展，當年唐書璇的《董夫人》、胡金銓的《俠女》、許鞍華的《投奔怒海》都頗受注目。曾幾何時，在藝術創作方面，香港電影已經被中國大陸和台灣電影趕過了頭。

兩岸電影已嘗到威尼斯和柏林影展大獎（今年柏林影展大獎由大陸與台灣分享）的滋味，香港導演在這方面仍然交白卷。從這角度看來，香港電影是沾了陳凱歌的光。

不過，身為中國人，眼看大陸港、台的華人影片終於吐氣揚眉，總是令人振奮的。當年在康城和巴黎影展，看到日本導演黑澤明備受觀眾喝采，而自己「慘」被外國人視為日本人的委屈和尷尬，總算得到回報。日本松竹影片公司的代表黑須先生對我說：「今年日本電影的生意非常差，中國和台灣電影卻是欣欣向榮。」

除了《霸王別姬》和澳洲、新西蘭合作的《鋼琴別戀》（珍‧甘比茵導演）之外，影展中受好評的，是英國片《赤裸裸》（米克‧李）以及開幕的法國影片《我喜愛的季節》（安德烈‧第善禮）。獎座揭曉前，當地兩本電影刊物（《法國電影》和《銀幕雜誌》）的影評人評分表指出，奪標呼聲最高的是《鋼琴別戀》、

《霸王別姬》，和侯孝賢的《戲夢人生》。

康城影展的比賽結果，主要視乎評審團的成員和他們的品味。今年的評審團主席是法國著名導演路易・馬盧（近作《愛情重傷》），其餘成員來自意大利、澳洲、伊朗、葡萄牙，以及美、法、英、俄等國。

這樣的組合，對於亞洲或第三世界電影非常不利；評審委員中只得伊朗的阿巴斯・基阿魯斯達米算是亞洲導演。倒不是說西方人一定對東方電影有偏見，而是他們對亞洲文化藝術和人情的認知程度有限。而影評人和電影工作者對藝術影片的取捨，往往有頗大的距離。

比賽結果宣布之前，我曾如此想：如果陳凱歌的《霸王別姬》或侯孝賢的《戲夢人生》奪得大獎，是相當冷門的結果，並且證明了西方電影藝術的日漸式微。

今年康城的參賽影片水準參差，一些並不怎樣出色的商業娛樂片（像英國的《分遺產》和法國的《兒皇帝路易十四》），亦在競賽之列。大師作品並不特別令人興奮，黑澤明的《裊裊夕陽情》只作觀摩展出，日本「天皇導演」只能懷緬過去光輝的日子；雲・溫達斯的《咫尺天涯》是《柏林蒼穹下》的續篇，喜歡他作品的會甘之如飴，否則恐怕會看得昏昏欲睡。電影節的本質就在於提供不同品味和題材的影片，而評審以各自的主觀判斷確立一個客觀的結果。其他令人失望的參賽作品，包括曾奪康城大獎的史提芬・蘇德堡的《青蔥歲月》和阿倫・卡華

利亞的《解放我》。

影展中，《霸王別姬》的製片人徐楓率領導演陳凱歌、演員張國榮、鞏俐、張豐毅等出席記者會，並由法國著名影評人皮爾‧利思昂主持研討會。利思昂是康城影展選片委員中最熱心推介華人電影的，《董夫人》、《俠女》、《投奔怒海》等等都由他推薦給影展大會。徐楓在會上發言表示當年隨《俠女》出席康城，已經決心要再次參展，為中國影壇爭光，並希望 2 年後再來。徐楓這次攜《霸王別姬》參展，在宣傳方面所費不菲，曾設宴招待二百餘嘉賓。

中國第五代導演田壯壯的新作《藍風箏》，因政治敏感而被當局查禁，這次竟能在「導演雙週」中放映，並且大受觀眾歡迎。看來中國大陸電影受到國際注目之後，中國導演在創作上所遇到的框框和掣肘應可逐漸減少。

侯孝賢的《戲夢人生》在電影節閉幕前兩天才放映。一如他以前的作品，沒有星光熠熠的演員陣容，聲勢上遠遠不及陳凱歌的《霸王別姬》；再加上拍攝手法異常冷靜抽離，不諳台灣歷史的觀眾難起共鳴。從放映時觀眾的反應以及記者會的熱烈程度看來，《霸王別姬》顯然更得人心。以我所見，《戲夢人生》放映時頗多觀眾離場，但我不認為侯孝賢應該遷就觀眾的口味而改變自己的風格。電影一向都有商業、藝術之分，而康城同樣可以看到商業或藝術的分別。

看到《霸王別姬》大受歡迎，當然高興，但看到侯孝賢的

《戲夢人生》頗受冷落，不免覺得可惜。記者會時有人向該片出
品人邱復生提問：「你拍戲的目的是甚麼，是否要賺更多的錢？
為甚麼要在侯孝賢身上浪費金錢？」（大意）邱先生答得非得
體：「我跟侯孝賢都是那個年代的人，我很喜歡《童年往事》這
種影片，我覺得我應該為他提供更好的拍片條件，我希望有更
多人來『浪費』金錢。」沒錯，有這樣的製片人，這樣的導演
和演員，往後我們還會見到「霸王」再克康城，而「戲夢」也
可成真。

原刊《亞洲週刊》，1993 年 6 月 6 日

法國雷諾汽車是今年的大會禮賓車（1993）。
(Photo: By Freddie Wong)

電影宮前看熱鬧的人群（1993）。(Photo: By Freddie Wong)

（左起）張豐毅，陳凱歌，張國榮（1993）。 （左起）陳凱歌，張國榮，鞏俐，張潛，
（Photo: By Freddie Wong） 徐楓（1993）。（Photo: By Freddie Wong）

（左起）皮爾・利思昂，舒琪（1993）。
（Photo: By Freddie Wong）

第 47 屆
康城電影節
1994

47e FESTIVAL INTERNATIONAL DU FILM
CANNES 1994 12-23 MAI

à FEDERICO FELLINI

Affiche éditée par le Groupement Interprofessionnel des Publicitaires du Spectacle · Maquette Michel Landi · Imprimée par KARCHER

▲ 1994 年第 47 屆宣傳海報　　　▶ 1994 第 47 屆康城電影節金棕櫚獎電影
《危險人物》(*Pulp Fiction*)

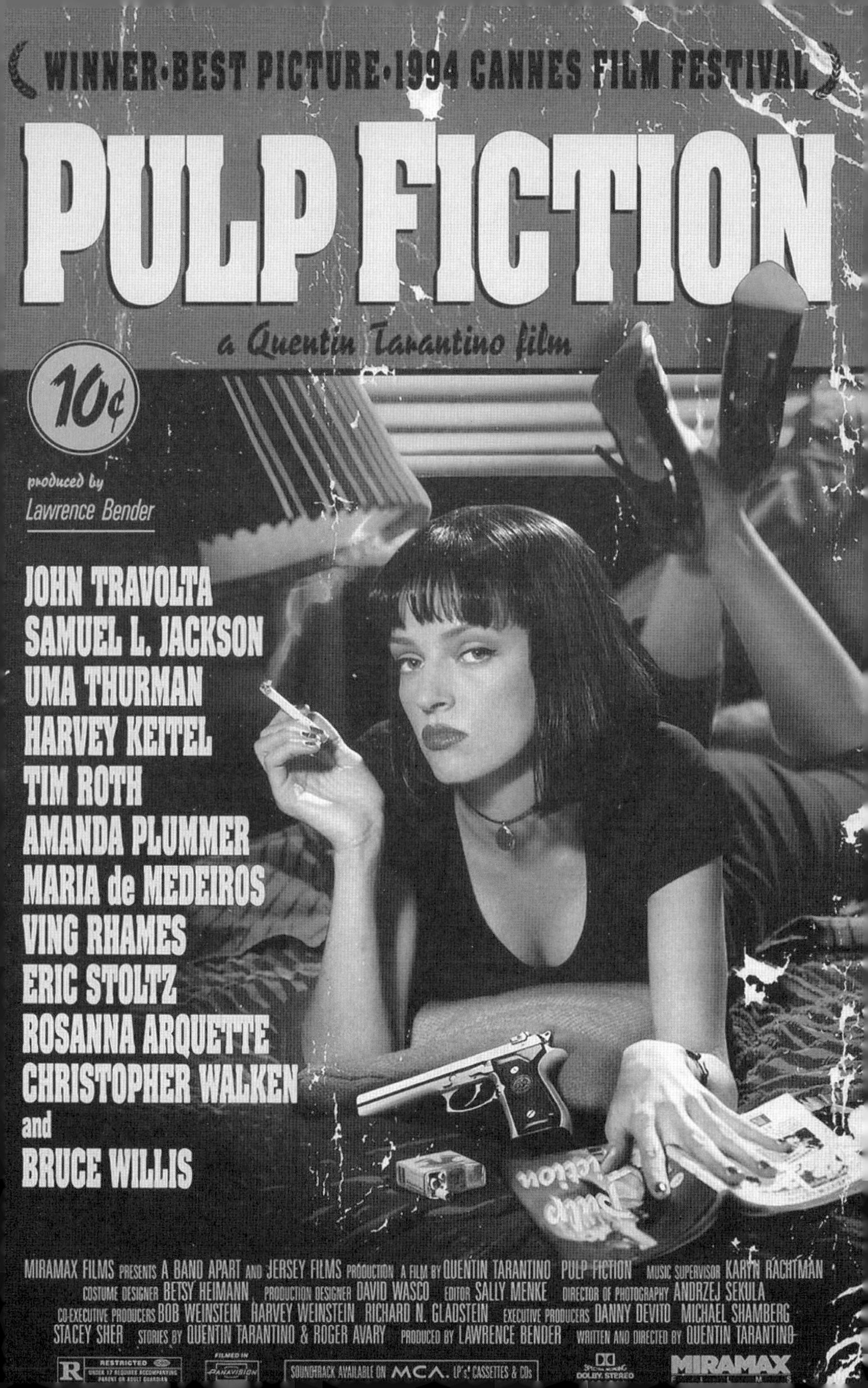
WINNER • BEST PICTURE • 1994 CANNES FILM FESTIVAL
PULP FICTION
a Quentin Tarantino film
10¢
produced by
Lawrence Bender
JOHN TRAVOLTA
SAMUEL L. JACKSON
UMA THURMAN
HARVEY KEITEL
TIM ROTH
AMANDA PLUMMER
MARIA de MEDEIROS
VING RHAMES
ERIC STOLTZ
ROSANNA ARQUETTE
CHRISTOPHER WALKEN
and
BRUCE WILLIS
MIRAMAX FILMS PRESENTS A BAND APART AND JERSEY FILMS PRODUCTION A FILM BY QUENTIN TARANTINO PULP FICTION MUSIC SUPERVISOR KARYN RACHTMAN
COSTUME DESIGNER BETSY HEIMANN PRODUCTION DESIGNER DAVID WASCO EDITOR SALLY MENKE DIRECTOR OF PHOTOGRAPHY ANDRZEJ SEKULA
CO-EXECUTIVE PRODUCERS BOB WEINSTEIN HARVEY WEINSTEIN RICHARD N. GLADSTEIN EXECUTIVE PRODUCERS DANNY DEVITO MICHAEL SHAMBERG
STACEY SHER STORIES BY QUENTIN TARANTINO & ROGER AVARY PRODUCED BY LAWRENCE BENDER WRITTEN AND DIRECTED BY QUENTIN TARANTINO
R RESTRICTED
FILMED IN PANAVISION
SOUNDTRACK AVAILABLE ON MCA. LP's, CASSETTES & CDs
DOLBY STEREO
MIRAMAX FILMS

第 47 屆康城影展傳真
——夢在康城

參展作品

　　舉世矚目的康城電影節的競賽部分，又在 5 月 13 日晚上展開序幕——由高安兄弟導演的美國片《影子大亨》（*The Hudsucker Proxy*）被選為開幕影片。在這「官方選擇」（Selection Officielle）項目上放映的各國影片共 24 部，除開幕影片《連續性母親》（*Serial Mother*）不參加競賽外，其餘 23 部作品都參與角逐康城影展的最高榮譽——金棕櫚大獎。此外，屬於此一單元的特別節目還有法國導演尚・拉碧（Jean Labib）拍攝的紀錄片《伊扶・蒙丹其人其事》（*Montand Le Film*），2 齣挑逗性短片——卜・拉弗遜（Bob Rafelson）導演的《濕》（*Wet*）和蘇珊・薛度蔓（Susan Seidelman）的《荷蘭大師》（*The Dutch Master*），以及作為神秘電影（Film Surprise）的南韓電影《蒸發》。

　　過往康城電影節的競賽部分，總有為數不少的各國電影大師參與。去年和今年的大師作品不多，今年只得波蘭的奇斯洛夫斯基（參展作品《藍白紅之紅》）和俄羅斯的米高哥夫（參展作品《毒太陽》）算得上是大師級導演，其餘的高安兄弟、基阿

魯斯達米（參展作品《橄欖樹下的情人》）、張藝謀（參展作品
《活著》）、康察洛夫斯基（參展作品《我的寶貝莉雅芭》）、蘭
尼‧摩烈提（參展作品《私人日記》）、楊德昌（參展作品《獨
立時代》）、吉西比‧多納杜尼（參展作品《幽國車站》）、阿
倫‧魯道夫（參展作品《柏嘉太太和墮落圈》）、柏齊斯‧舒浩
（參展作品《瑪歌皇后》）等等，只能算是備受矚目的中堅派或
新秀導演，而尚未晉級為國際公認的大師導演。

　　或許由於荷里活各大影片公司的缺席，第三世界國家得以
乘虛而入。中國大陸的張藝謀和台灣的楊德昌早已享有國際聲
譽（最低限度在國際影展中打出知名度），伊朗的基阿魯斯達米
（Abbas Kiarostami）亦備受世人注目（去年曾擔任康城電影節評
審），參與比賽乃理所當然。值得注意的是尚有 2 齣亞洲影片參
加比賽，其一是印度導演莎芝‧卡崙（Shaji N. Karun）的《命運》
（*Destiny*），其二是柬埔寨導演潘禮德（Rithy Panh）的《稻田上
的人們》（*Les Gens De La Rizière*）。前者是印度 15 年來第一次
有作品在康城比賽，後者則是柬埔寨電影人首次參加比賽。

　　至於其他參賽人士，相對來說是不見經傳或只是薄有名
聲的歐美導演，包括「演而優則導」的法國紅星米修‧布朗
（Michel Blanc）執導的《累得要命》（*Grosse Fatigue*），追隨寫
實大師艾曼諾‧奧米（Ermanno Olmi）的意大利導演馬里奧‧
布蘭達（Mario Brenta）拍攝的《群山中的班拿堡》（*Barnabo
Delle Montagne*），加拿大導演阿湯‧伊高揚（Atom Egoyan）的

《性感俱樂部》（*Exotica*），英國導演米克・費格斯（Mike Figgis）的《布朗寧版本》（*The Browning Version*），意大利年輕作家奧利尼奧・格林米迪（Aurelio Grimaldi）自編自導的《妓女》（*Le Buttane*），羅馬尼亞導演路西安・品蒂尼（Lucian Pintile）的《忘我之夏》（*Un Eté Inoubliable*），墨西哥導演亞杜諾・利斯坦（Arturo Ripstein）的《午夜皇后》（*La Reine De La Nuit*），法國導演艾力・羅桑（Eric Rochant）的《愛國者》（*Les Patriotes*），極為景仰香港導演吳宇森的美國新秀導演昆汀・塔倫天奴（Quentin Tarantino）的《危險人物》（*Pulp Fiction*），「攝而優則導」的比利時電影攝影師查理・雲達姆（Charlie Van Damme）的《玩小提琴的男人》（*Le Joueur De Violon*），美國導演約翰・瓦達斯（John Waters）的《連續性母親》等等。

評審團成員

未進一步介紹今屆的參賽影片之前，理應介紹一下今年康城電影節的評審團成員。評審團主席和副主席分別是香港觀眾熟悉的美國著名導演兼演員奇連・伊士活和法國女明星嘉扶蓮・丹露，其餘評審包括意大利導演普彼・艾法提（Pupi Avati）、古巴作家卡巴拉・英梵特（Guillermo Cabrera Infante）、原藉日本之英國作家石黑一雄（Kazuo Ishiguro）、俄羅斯演員兼導演凱但諾夫斯基（Alexandre Kaidanovsky）、法國女影評人瑪莉房素娃・賴克拉（Marie Françoise Leclerc）、南韓導

演申相玉（Sang Ok Shin）、美國電影作曲家拉洛・史傑法連（Lalo Schifrin）、法國製片人阿倫・提善（Alain Terzian）等，合共 10 人。過往在康城影展看片，很少在下午的放映看到評審團跟觀眾一起觀看。今年或許奇連・伊士活和嘉扶蓮・丹露目標太大，曾多次看到他們在電影宮的盧米埃爾電影院（Salle Lumière）看片，並且贏得許多觀眾的注目和鼓掌歡呼。

《活著》

　　由於去年中國大陸導演陳凱歌以《霸王別姬》贏得康城的金棕櫚獎，而台灣導演侯孝賢又以《戲夢人生》奪得評審團大獎，身為中國人，我們對於張藝謀的《活著》和楊德昌的《獨立時代》自是期望甚高。《霸王別姬》現在巴黎上映中，叫好叫座。《活著》由法國 ARP 公司發行，早已排期於 5 月 18 日在全國上映。在巴黎可以看到余華的原著小說被翻成法文版本，而《活著》的原聲帶鐳射唱片亦可以在唱片店買得到，至於 *Pariscope*（《巴黎文娛一周指南》）亦以《活著》的海報作封面，以鞏俐為主的一幀劇照可說無處不在。

　　《活著》的記者招待會由一直以來不斷在康城推介中、港、台電影的康城選片大員皮爾・利思昂（Pierre Rissient）作主持，由僑居法國的香港電影人張潛作翻譯，影片的監製、台灣製片人邱復生、男女演員葛優和鞏俐都有出席，唯獨是導演張藝謀沒有出現。座上許多影評人和記者都針對張藝謀未有出席而「窮

追猛打」是否有政治審查的情況出現，眾人圍著政治問題兜圈子，提出的問題都未見深度。提問者一直針對影片的政治訊息，並認定張藝謀被中國官方留難，未能獲得出國護照。答問時，邱復生、葛優和鞏俐都表現得相當低調，似乎不欲刺激中國官方（據聞上海電影局副局長亦在座）。

至於楊德昌的記者招待會則頗為冷落，法國影評人麥士・鐵斯亞（Max Tessier）在招待會開始前便私下著我多提問題。楊德昌的影片充滿濃烈的現代感覺，現代的台灣社會，現代的男女愛情，現代的電影技法，但影片缺乏了討好外國觀眾（尤其是歐美觀眾）的元素，例如中國的風土人情和歷史感覺。外國觀眾會認為楊德昌在模仿、抄襲歐美電影中的現代感和疏離感。

張藝謀的《活著》跟陳凱歌的《霸王別姬》、田壯壯的《藍風箏》一樣，都有著一些外國觀眾（尤其是歐美的知識分子觀眾）愛看的元素。雖然有些影評人認為《活著》的整體成績不及《霸王別姬》、《藍風箏》，甚至及不上張的前作，但我不認為《活著》是張藝謀的失敗之作。片中加插的皮影戲片段，我個人就非常喜歡（聽說余華的原作沒有皮影戲的描述）。若果說此片太過悲傷煽情，處理得過分傷感，我會同意他比米高哥夫的《毒太陽》煽情、露骨、直接，但絕對可以接受。根本中國近代史就是一頁又一頁數之不盡的血淚史，影片中所呈現的悲劇，簡直就是冰山中的一小寸冰塊。如果生於安樂的外國年輕影評人認為這部影片過分煽情，太過 melodramatic，那就由得他們

吧！畢竟，觀眾感受與人生經驗有莫大關係。許多人的主觀方能形成某種程度的客觀。《活著》終於跟《毒太陽》分享評審團大獎，我認為亦算實至名歸。

《影子大亨》

被選為開幕禮影片的《影子大亨》，雖然有添‧羅賓士和保羅‧紐曼壓陣，但成績令人失望。高安兄弟優為之的另類震慄片——《血迷宮》、《風雲再起時》、《才子夢驚魂》——暫時撇開，描寫資本主義社會商場如戰場的《影子大亨》無疑是認真的製作，但可惜人物刻劃流於表面，劇本幼稚，反諷和笑料收不到預期的效果。據聞此故事乃高安兄弟 8 年前所構思，一直找不到製片人投資，看來劇本本身的確有點問題，劇本構思似乎尚未完全成熟。

《危險人物》

在眾多參賽影片當中，個人比較喜歡奇斯洛夫斯基的《藍白紅之紅》、米高哥夫的《毒太陽》、張藝謀的《活著》、蘭尼‧摩烈提的《私人日記》、基阿魯斯達米的《橄欖樹下的情人》、柏齊斯‧舒浩的《瑪歌皇后》、楊德昌的《獨立時代》、阿湯‧伊高揚的《性感俱樂部》、阿倫‧魯道夫的《柏嘉太太與墮落圈》。並私下認為，今屆金棕櫚大獎應該不出以下幾齣影片：《藍白紅之紅》、《私人日記》，並認定《活著》、《橄欖樹下的情

人》及前述 3 部影片一定有獎，問題是得哪一個獎。誰料賽果卻相當冷門，奇斯洛夫斯基和基阿魯斯達米完全交白卷，而金棕櫚大獎竟由 30 才出頭的美國新進導演塔倫天奴奪得，其令人目定口呆之處跟數年前大衛・連治（David Lynch）以《野性的心》獲獎同樣叫人驚訝。

　　塔倫天奴的處男作《落水狗》無疑是一齣不落俗套的警匪片，敘事方式力求破格。塔倫天奴公開承認香港導演吳宇森是他的偶像，他的電影極受吳宇森電影影響。去年香港藝術中心放映《落水狗》和法國電影大師梅維爾特輯的時候，就曾經想請吳宇森（承認受梅維爾影響）回港主持座談會，後因他忙於宣傳他的第一部荷李活製作而作罷。這次塔倫天奴接受法國電影雜誌 *Studio* 訪問時，又再提及他受到吳宇森的影響，並表示正為他編寫劇本和監製下一部影片。塔倫天奴今次以《危險人物》獲得康城電影節的最高榮譽，相信間接亦會提高吳宇森的知名度和他在國際影壇上的地位。

《毒太陽》

　　俄羅斯影片方面，康察洛夫斯基（Andrei Konchalovsky）和米高哥夫（Nikita Mikhalkov）其實早已是康城影展常客，兩人份屬兄弟。前者於 80 年代初為了逃避政治審查和逼害而跑到美國，並且拍了不少荷里活電影，包括《瑪莉亞的情人》。《我的寶貝莉雅芭》是他重回祖國後拍攝的最新作品。康察洛夫斯基

比較喜歡拍攝史詩式影片（1979 年以《西伯利亞人》參展康城）
或投資龐大的影片。米高哥夫則比較溫文爾雅，喜歡拍攝愛情
小品。《毒太陽》是他較具史詩氣魄的作品，但仍然深具陰柔之
美，含蓄細膩，令人再三回味。題材方面，《毒》片頗為接近
《藍風箏》、《活著》之類的政治傷痕電影，描寫前蘇聯獨裁統治
下的愛情和政治逼害，但米高哥夫的婉約動人，有如屠格涅夫
執筆寫《齊瓦哥醫生》的景況。《毒太陽》敗在《危險人物》手
上，其情況就有如競逐諾貝爾文學獎，川端康成竟然輸給橫溝
正史，雖然各有讀者和成就，但藝術的最高層次，始終可以分
出高下。

狂野喜好

其實康城電影節的競賽部分一向比較商業化，雖然過往一
直推廣藝術性高的影片，但許多時卻被較多商業成份的美國片
壓倒。從歷屆獲得金棕櫚獎的得獎影片名單，我們可以很清楚
地看到這種商業／藝術各領風騷的現象。這跟組成評審團的成
員，以及康城大會的總體意向有關。有時我們看到純藝術取向
的影片得獎，例如意大利的《木屐樹》、南斯拉夫的《爸爸離家
上班去》、丹麥／瑞典的《情天未老》；有時是以商業娛樂作取
向的美國片奪標，例如較早期的《風流軍醫俏護士》、《的士司
機》和《現代啟示錄》，以及近期的《野性的心》和《才子夢驚
魂》等等。今屆《危險人物》奪得金棕櫚獎，恰好說明此一現

象。這樣說並非低貶上述得獎的美國影片,但康城評審團對於狂野、血腥、暴力的喜好,卻完全有跡可尋(上面提到的美國影片,不乏血腥和震慄場面)。

最佳導演

獲得最佳導演獎的蘭尼・摩烈提是意大利近年罕見的自導自演的優秀人才,以拍攝超 8 毫米影片起家(作品曾放大成 16 毫米影片在意大利發行)。前作《導演夢》(*Golden Dreams*)已經才華畢露,曾獲 1981 年的威尼斯電影節金獅獎。《私人日記》是自傳式影片,摩烈提用攝影機去寫日記,揮灑自如,趣事連篇,是創意高的小本製作。最有趣的是第三段:他因為皮膚痕癢而去就醫的過程,每位醫生都有不同的理論,除了不停買藥服藥外,皮膚痕癢如故,令人啼笑皆非。電影藝術繼續令人驚喜,蘭尼・摩烈提的電影亦貢獻良多。

《橄欖樹下的情人》

伊朗導演基阿魯斯達米是另一位以小本製作而闖出名堂的電影導演。《橄欖樹下的情人》中的情侶可能不及其前作《踏破鐵鞋無覓處》和《家家家課》的小孩那麼有趣,但完全在於那種新鮮感和原創性。台灣導演侯孝賢去年底在香港接受傳媒訪問的時候,就曾經批評香港電影「看一部就等如看十部,全部都是那個模式(大意)」;基阿魯斯達米以極為有限的資源,能

夠一部又一部地「搞出新意思」，的確是一位天才。藝術家和巨匠的分別，往往就在於那一丁點兒天真和純樸。

最佳男女主角

　　至於法國觀眾特別矚目的古裝宮幃片《瑪歌皇后》，乃改編大仲馬原著，而導演柏齊斯·舒浩在舞台劇方面早有名氣。影片在編、導、演、攝、美術等各方面都有不俗的成績，但只能奪得最佳女主角獎。飾演皇太后的維娜·莉絲（Virna Lisi）年青時走性感路線，今次以較少戲份而壓倒女主角伊莎貝·雅珍妮奪獎，的確有點令人意外。不過，這個獎項的法文直譯（Meilleure Interprétation Féminine）是最佳女性演出，因此免卻女主角和女配角的名分之爭。

　　最佳男主角獎我本來看好《布朗寧版本》的英國男星阿爾拔·芬尼，結果卻被《活著》的葛優奪魁，雖然有點意外，但亦感到高興和欣慰。中國男演員在國際影展上得獎，前有張藝謀（《老井》在東京影展奪標），後有葛優，的確令人鼓舞。事實上，葛優在《霸王別姬》中飾演袁四爺，演技出色，有目共睹。

第 47 屆康城電影節得獎名單

▎金棕櫚大獎

《危險人物》（昆汀·塔倫天奴，美國）

▌評審團大獎

《活著》（張藝謀，中國／香港）

《毒太陽》（米高哥夫，俄羅斯）

▌最佳導演獎

《私人日記）（蘭尼・摩烈提，意大利）

▌最佳劇本獎

《累得要命》（米修・布朗，法國）

▌最佳男主角獎

葛優（代表作：《活著》）

▌最佳女主角獎

維娜・莉絲（代表作：《瑪歌皇后》）

▌高等技術委員會大獎

《累得要命》（PITOFF 的特別視覺效果）

▌金攝影機獎

《為死者所作的小安排》（芭絲高・費蘭，法國）

原刊香港《君子雜誌》（Esquine），1994 年 7 月號

第 47 屆康城電影節
——東西電影較勁

　　5 月 11 日，我乘坐法航直航班機前往巴黎戴高樂機場，再轉機前往尼斯，然後改乘出租汽車前赴康城的聖伊扶酒店。一如往昔，在機艙遇到不少港、台的電影界人士，下機時我跟台灣導演楊德昌打了個照面，在巴黎轉機時又遇到《電影雙周刊》的作者徐寬，幾乎處處碰到熟人。鞏俐也是同一時間抵達尼斯機場。

　　上機前，在一份英文報章的週日特刊，看到一篇有關中國大陸導演張藝謀新作《活著》的報道。對於楊德昌的《獨立時代》和《活著》同時在康城電影節競逐金棕櫚獎，自是期望甚高。記得楊德昌的英文名字，十多年前就已掛在康城選片大員皮爾・利思昂嘴邊，如今才正式問鼎康城影展，總有姍姍來遲的感覺。

　　康城電影節一向是美國商業片跟歐洲藝術片角逐的場所。從歷屆獲得金棕櫚獎的得主名單，我們可以很清楚地看到這種情況。有時是純藝術取向的影片得獎，例如意大利的《木屐樹》、丹麥／瑞典的《情天未老》；有時是以商業娛樂作取向的

美國片奪標，例如較早期的《風流軍醫俏護士》，以及近期的《才子夢驚魂》等等。去年中國／香港影片《霸王別姬》奪得金棕櫚獎，則説明了歐、美以外第三勢力的興起。

今年康城影展舉行之前，早已聽聞荷里活主流電影公司多數缺席，這是由於美法兩國的貿易戰擴展成文化戰。因此，第三世界國家乘虛而入，也是順理成章的事。影展當局為了向美國勢力獻媚，有意無意地選映美國影片——《金錢帝國》（*The Hudsucker Proxy*）和《瘋狂殺手俏媽咪》（*Serial Mom*），分別作為開幕和閉幕電影。事實上，今年參與競賽的英語片（包括美、英、澳、加等地）特別少，令不懂法語的觀眾看得比較辛苦（筆者按：非英語片一般會打上法文字幕，另加英、德、西班牙語作即時傳譯，觀眾可自行選擇頻道）。

5 月 23 日頒獎當晚，當評審團主席——美國著名影星兼導演奇連・伊士活宣布，金棕櫚獎得主為美國導演昆汀・塔倫天奴（Quentin Tarantino）的犯罪片《危險人物》（*Pulp Fiction*）時，許多人都感到愕然，部分嘉賓隨即報以噓聲，年剛三十的塔倫天奴亦不甘示弱，以不雅手勢回報。翌日，法國許多報界評論是冷門結果，當年大衛・連治的《野性的心》奪標時，更被猛烈抨擊。看來奇連・伊士活做好做歹，讓美國導演再次得獎，藉以吸引荷里活電影大亨重臨康城，也算是用心良苦。

塔倫天奴曾公開表示，他最崇拜的導演之一是香港導演吳宇森，並承認其處男作《落水狗》中眾劫匪的打扮是來自《英

雄本色》的「喙哥」。在法國電影雜誌《Studio》的一篇報道中，塔倫天奴又再提及他受到吳宇森的影響，正為吳宇森編寫劇本和替他監製一部影片。香港導演雖然未能揚威康城，塔倫天奴的得獎，似乎也為香港電影添了點光采。

其實，香港電影是兩岸三地當中，最早在康城影展露面的，例如唐書璇的《董夫人》，胡金銓的《俠女》，許鞍華的《投奔怒海》和《胡越的故事》，以及王家衛的《阿飛正傳》等等，但近年卻讓中國大陸和台灣電影趕過了頭；香港電影在藝術創作方面的低落，的確令人痛心疾首。今年參加競賽的各國影片，並非全屬佳作，但至少令人看到何謂真正的創作（包括以商業作取向的《危險人物》），而近年的香港電影多屬跟風、抄襲之作，要獲得康城影展垂青，真是談何容易！

香港電影雖然又在今年的康城影展交白卷，但海峽兩岸的電影則繼續為華人爭光。大會官方節目其中一個單元「導演雙週」，則選了台灣導演李安的《飲食男女》和大陸導演黃建新的《背靠背，面對面》，作為開幕和閉幕影片。此外，我們還在另一個單元「某一種觀點」看到大陸導演尹利的《杏花三月天》，也在影片市場看到台灣導演黃明川的《寶島大夢》。

《活著》挾《霸王別姬》在法國公映獲得好評的餘威，獲法國發行商安排立刻在巴黎上映。巴黎街頭的書店可以看到小説《活著》（作者為余華）被翻譯成法文版本，巴黎的唱片店也可以看到《活著》的原聲雷射唱碟，*Pariscope*（《巴黎文娛一週指

南》）以《活著》的海報作封面；以鞏俐為主的劇照可說是無處不在。《活著》雖然與俄羅斯導演尼基塔‧米高可夫的《毒太陽》（Burnt by the Sun）分享了評審團大獎。但此間的評論對《活著》不算熱衷，例如《世界報》在報道得獎結果時就評為「相當傳統的情節劇」，並替米高可夫未能贏得金棕櫚獎感到不值。

至於楊德昌的《獨立時代》，由於劇情、人物和拍攝手法都非常現代（背景是今日台灣的社會和經濟架構），缺少《悲情城市》、《霸王別姬》、《活著》等片的大時代感和歷史感，難以取悅外國觀眾。從記者招待會的冷落情況所見，落選勢在必然。楊德昌如能擷取懷舊題材，再注入現代感，要在康城捲土重來，應非難事。

去年曾以《喜宴》奪得柏林影展金熊獎的李安，今年只能以《飲食男女》在「導演雙週」展出，看來並非康城影展故意冷待，皆因影片商業味道過重。李安的作品如《推手》、《喜宴》和《飲食男女》的「商業計算」都非常精確，但只能視作精美的甜點，而難以晉身為主菜。不過，《飲》片在推廣中國廚藝方面，可說勞苦功高。許多外國觀眾都看得如痴如醉，致康城的中國餐館似乎突然熱鬧起來。

電影作為藝術和科技的結合，無可否認兼備工業生產和商業營運的特質。因此，電影誕生一世紀以來（明年是100週年紀念），電影強國幾乎就是俄羅斯跟七大工業國的代名詞。歐、美、日等經濟大國一直在電影藝術方面有優異的表現，無疑與

經濟強勢和國力有關。近年華語電影在國際影展頻頻獲獎,並且不斷拓展歐美和外國市場,顯然與兩岸三地的經濟高速發展有關。

值得注意的是,除了海峽兩岸的影片參賽參展,其他亞洲地區參展的影片也比以往多。如:阿巴斯・基阿魯斯達米的《橄欖樹下的情人》(*Through the Olive Trees*)(伊朗)、沙紀・卡崙的《我自己》(印度)、潘禮德的《米鄉之民》(柬埔寨)、南韓導演申相玉的《蒸發》,以及印度片《強盜皇后》、《中斷的旅程》(導演山迪・雷是印度電影大師薩耶哲・雷的兒子)。這說明了亞洲電影(尤其是華語電影)在國際影壇上所佔的位置日益重要。

與此同時,日本電影在康城影展的地位,卻淪落至可悲的地步。整個影展所能看到的日本影片,只有美籍日本女導演八田加代拍攝的美、日合製影片《照片新郎》,還有松竹株式會社拍攝的《亂步》,這部片是為了紀念松竹創業 100 週年和日本推理小說作家江戶川亂步誕生 100 週年。松竹公司雖然為此在康城舉行了全球首映和酒會,亦難掩在經濟衰退影響之下,日本電影在生產和創作方面的一片蒼白。

此消彼長,日本電影衰退之際,正好是中國電影崛起的大好時機。海峽兩岸的電影接二連三在國際重要影展揚威,許多獲獎影片(例如:《悲情城市》、《霸王別姬》、《藍風箏》、《活著》等)亦相繼打開世界市場。中國主管電影文化和意識形態的官

方機構，是否應該重新為中國電影在國際影壇上從新定位？中國管理電影工業和電影發行的有關單位，是否應該重新釐定一套電影工商運作的守則，去配合最新的國際形勢？

電影業是最具賺錢能力的現代工業之一，也是促進國際文化交流和友好的最有效工具。電子傳媒和衛星電視的出現，早已令電影的社會改革和教育群眾的功能減少。希望中國主管電影工業的決策者，不要再把以商業、娛樂、藝術作為大前提的電影視為洪水猛獸。在市場經濟掛帥的今日，電影工業也應該受到同樣的對待。電影工作者的職業自由和創作自由，亦應該受到一定的尊重。明年是電影誕生 100 週年紀念，希望中國官方的舉措在康城電影節有突破性的表現。

原刊《亞洲週刊》，1994 年 6 月 12 日（略經修訂）

第 48 屆
康城電影節
1995

48ᵉ FESTIVAL INTERNATIONAL DU FILM
CANNES 1995   17 AU 28 MAI

▲ 1995 年第 48 屆宣傳海報

▶ 1995 第 48 屆康城電影節金棕櫚獎電影
《沒有天空的都市》（ *Underground* ）

NNER BEST FILM CANNES 199
"A LANDMARK EVENT"
SCREEN INTERNATIONAL
"BREATHTAKING"
LONDON FILM FESTIVAL
"EXHILARATING"
VARIETY
"BRILLIANT"
HOLLYWOOD REPORTER
UNDER
A FILM BY EMIR KUSTURICA
GROUND

第48屆康城電影節
——華語片鎩羽

　　第 48 屆康城電影節，適逢電影藝術誕生 100 週年，在初夏的太陽下開幕，在璀璨的斜陽下閉幕。嚴格來說，影展並沒有太多的特別節目慶祝電影誕生一百週年。著名導演的回顧影展，是每年都有的。今年是向美國導演大師尊‧福致敬。尊‧福生前自我介紹時喜歡說：「我是尊‧福，我拍西部片。」回顧影展中放映尊‧福的經典影片 23 部，包括《青山翠谷》、《怒火之花》、《蓬門今始君者》、《搜索者》、《雙虎屠龍》等等。

　　今年比較特別的節目是在放映比賽影片之前，加映一些題為前奏曲的短片，每齣都有一個主題，例如「牛奶」、「跳舞」、「時間流逝」、「驢皮」等等。擷取電影史上的經典場面，讓新舊影痴欣賞或重溫經典影片的精彩片段。這些加映的短片絕少重複，看來大會為此作了不少準備。

　　開幕影片是耗資 1600 萬美元的法國片《童夢失魂夜》（The City of Lost Children），由尚皮爾‧真納（Jean-Pierre Jeunet）和馬克‧卡洛（Marc Caro）聯合導演。但其實前者才是真正導演，後者只是藝術指導。本片跟他們的前一部作品《妙不可言》一

樣，充滿黑色幽默。此外，本片更大量使用荷里活式特技，效果極佳，可惜在比賽中鎩羽而歸。

今年的 25 部「官方選擇」影片當中。英語片共佔 11 部，但結果英美片只奪到最佳男女演員獎（《愛與痛的邊緣》（*Carrington*）的男主角鍾納頓・派斯和《神經大帝》（*The Madness of King George*）的女主角海倫・美蘭）和評審團特別獎（基斯杜化・咸頓導演的《愛與痛的邊緣》）。

今年參與競爭的亞洲片只有日本片《寫樂》（篠田正浩導演）、台灣片《好男好女》（侯孝賢）和中國片《搖呀搖，搖到外婆橋》（張藝謀）等 3 部。篠田正浩過去頗多佳作——《心中天網島》、《卑彌呼》、《槍聖權三》等等，但似乎從未在康城參加比賽。《寫樂》描寫江戶時代一位歌舞伎演員出身的木刻版畫家東洲齋寫樂的創作道路和愛情生活，成績不俗。奈何日本片的熱潮已經過去，《寫樂》並未引起哄動。

侯孝賢的《好男好女》依然是他一貫的冷靜和疏離的風格，片中的電視畫面出現小津安二郎 1948 年經典作品《晚春》的片段，正好說明他紋風不動的長鏡頭其實頗受小津影響。小津生前是日本松竹公司旗下的大導演，如今《好》片由松竹公司（和台灣的楊登魁）投資，看來絕非偶然。侯孝賢在記者招待會上表示：「《好男好女》跟《悲情城市》和《戲夢人生》加起來，就是台灣近代史三部曲。」至於影片為甚麼叫做《好男好女》，侯說：「我覺得每一個時代都有好人，都有壞人。」

　　《好》片是採用「戲中戲」的形式，去描述蔣碧玉的事蹟。蔣在中日戰爭期間，和一些台灣友人輾轉從日治的台灣逃到中國大陸，準備參加游擊抗日，但卻被當作漢奸禁錮。台灣演員伊能靜和高捷，執行製片連碧東等都出席了記者招待會，但場面比較冷落，跟張藝謀和鞏俐的記者招待會相比，顯然遜色得多。曾經派駐香港的松竹經理池島章對我說：「松竹公司深知《好男好女》不容易打開市場，但由於影片成本不高，就算曲高和寡，也不致於太悲觀。」小津生前雖然在外國沒有甚麼知名度，但在日本本土則頗受歡迎。希望侯孝賢的作品在華人地區獲得更大認同。

　　至於張藝謀的《搖啊搖‧搖到外婆橋》，據悉亦由法國公司投資，上海電影製片廠只是「協拍」性質。無可否認，張藝謀拍片的題材一向都能夠迎合外國觀眾。他在記者招待會上表示，為了讓更多的中國觀眾接受這部影片，故意把幫會仇殺的暴力場面減至最低限度。

　　但明眼人一看就知道，一個上海黑幫的故事，加上鞏俐連場的歌舞和1930年代上海的燈紅酒綠，對緬懷上海租界時代的外國觀眾，是多麼具有吸引力。但偏偏這樣的題材，竟無法贏得外國觀眾的讚賞。為新聞界試映的一場，許多觀眾散場時報以噓聲。這是張藝謀參加康城比賽以來，從未出現過的事情。影片披著華麗的外衣，但卻掩飾不了內容的空洞，太多的商業元素和市場計算，喪失了作品應有的個性。比賽結果，《搖》片

獲得高等技術委員會大獎。

　　張藝謀偕鞏俐出席了記者招待會，兩人合照時顯得有點尷尬。席上有記者還問政治敏感問題，主持討論會的法國影評人皮爾・利思昂立即擋駕說，明知張藝謀等人在中國現行制度下拍片往往身不由己，對於政治問題緊追不放只會令當事人難堪。利思昂隨即打斷記者的發言，該記者抗議大會自我審查，憤而離場。張藝謀跟鞏俐之間的情變，不知是否影響《搖啊搖》一片的拍攝和創作過程。

　　今年獲得金棕櫚大獎的影片是南斯拉夫導演古斯杜尼卡（Emir Kusturica）的《沒有天空的都市》（*Underground*），而獲得評審團大獎的則是希臘導演安哲羅普洛斯（Theodoros Angelopoulos）的《尤利西斯的凝望》（*Ulysses' Gaze*）。事有湊巧，兩位導演都來自巴爾幹半島，而兩部影片都反映了巴爾幹半島數十年來動盪不安的政局和莫名其妙的殺戮。此外，兩部影片都長達 3 小時，是精心雕琢的史詩式巨製。

　　古斯杜尼卡 10 年前以《爸爸離家上班去》（*When Father Was Away on Business*），第一次在康城奪得金棕櫚大獎。這次第二度奪魁，創下了康城影展有史以來的記錄。由於近日波斯尼亞、塞爾維亞、克羅地亞等前南斯拉夫地區戰爭升級，政局極度不安，出生於薩拉熱窩的古斯杜尼卡雖然 2 度奪標，但他從美國女星莎朗・史東手上接過金棕櫚獎時，神色凝重，臉上沒有太多的笑容。出席頒獎禮的嘉賓向古斯杜尼卡致以熱烈掌

聲，看來《沒有天空的都市》比去年得獎的美國片《危險人物》
更為實至名歸。

　　今年在康城「某種觀點」中展出的香港／中國影片還有吳
思遠監製的《人約黃昏》，該片改編自徐訏的小說《鬼戀》，由
中國畫家陳逸飛執導，主要演員有香港的梁家輝和中國名模張
錦秋。影片在上海實地拍攝，攝影指導蕭風成功地重塑了 1930
年代舊上海的風貌。梁家輝跟觀眾見面時獲得熱烈的掌聲，但
他拒絕了法國和外國傳媒的訪問，則似乎低估了康城傳媒的傳
播力量。

　　獲得金攝影機獎（新人獎）的是伊朗影片《白汽球》（*The
White Balloon*）。該片導演謝化・潘納希（Jafar Panahi）曾經是
基阿魯斯達米的副導演，而劇本亦出自基氏的手筆。影片就像
基氏的作品一樣，對兒童的心理層面和內心世界，描寫得特別
清晰透澈。伊朗電影可以肯定是亞洲影壇的一支生力軍。

原刊《亞洲週刊》，1995 年 6 月 11 日

康城傳真五篇（1995）

之一：在康城　看非洲天氣與日本寫樂

　　對於我這個曾在法國唸電影的影癡而言，康城影展是每年一次的頭等盛事。

　　今年，電影節在燦爛的陽光和慣常的衣香鬢影下開幕，我們因為晚了半小時而看不到早上 11 時放映的開幕影片《童夢失魂夜》（新聞界首映）。這部法國片看來跟導演「怪雞二人組」的前作《妙不可言》（Delicatessen）一樣，充滿古靈精怪的黑色幽默。香港方面的版權據知已被安樂公司購下。

　　康城影展的評審每年換人。去年的評審團有主席奇連，伊士活和其他「明星級」評審如嘉芙蓮・丹露。今年的評審團主席仍是明星級「人馬」——法國著名藝術女星兼導演珍・摩露，去年她是頒獎當晚的司儀。其他評審包括俄羅斯電影編劇家瑪莉亞・薩維莉娃、曾獲諾貝爾文學獎的南非女作家妮汀・歌迪瑪、意大利電影導演真安尼・阿米尼奧、法國演員兼導演尚克羅特・貝奧利、墨西哥影評人兼電影史家加西亞・利亞拉、布堅納法索導演加士東・卡布里、法國電影攝影指導菲臘・羅斯洛，以及美國電影導演約翰・華達斯等 8 人。

　　目前看過的兩部競賽影片——非洲馬里導演蘇里曼・施素的《天氣》和日本導演篠田正浩的《寫樂》，放映前都分別加映一齣被題為前奏曲（Prelude）的短片，其一是《牛奶》，其二是《跳舞》，擷取了電影史上與「牛奶」和「跳舞」有關的精彩片段，包括艾森斯坦、希治閣、杜魯福、尊・侯士頓、法蘭・卡潑拉等大師作品。對於影癡而言，絕對是味道雋永的頭盤。

　　蘇里曼・施素（Souleymane Cisse）的《天氣》，描述南非的黑白種族問題。施素曾經兩度出席康城影展，第一次是《風》，第二次是《靈光》，後者還奪得 1987 年的評審團獎。西方社會的白人導演拍過不少涉及黑人白人種族歧視的影片，而多位英國導演如李察・艾登保祿和堅・盧治都探討過南非的種族問題。如今由馬里的黑人導演拍攝南非的黑白種族衝突，無疑較為罕見。

　　影片描述南非黑人少女蘭迪的成長過程，相對於白人導演拍攝的南非問題影片，並沒有提供新的觀點和角度，施素就像白人導演一樣，在指責白人之餘亦安排善良的白人角色出現（片末白種女孩長大後的角色）。影片的上半部顯然比下半部好看，片初拍攝非洲蒼茫大地的高空鏡頭就充滿魅力，但小女孩蘭迪成長後，戲就變得呆板乏味。

　　篠田正浩新作《寫樂》，是日本近年參展康城的作品中，成績最理想的。篠田正浩曾任小津安二郎助導，前作《心中天網島》、《卑彌呼》和《槍聖權三》均是出色的古裝片。《寫樂》由

皆川博子改編自己的作品,攝影鈴木達夫和配樂武滿徹都是日本影壇一時俊彥。

日本江戶時代的木刻版畫畫壇,歌磨的浮世繪和北齋的漫畫早負盛名。然而,篠田正浩似乎要為一個名叫東洲齋寫樂的畫家翻案。耕書堂的老闆為了振興歌舞伎表演藝術,先後禮聘歌磨和北齋為歌舞伎演員造像,前者已開始糜爛的生活,後者只能畫畫女體,只有幼時跟母親在沙上學畫的演員成功地捕捉到歌舞伎演員的神態。影片描寫東洲齋寫樂與名妓之間的感情相當細膩感人。尤其難得的,就是鈴木達夫的攝影,充分表現了當時木刻版畫的畫風和色彩。

《信報》,1995 年 5 月 20 日

之二:《童夢失魂夜》仍然怪雞

昨天晚上補看了康城影展開幕影片《童夢失魂夜》(*La Cité Des Enfants Perdus*),導演由尚皮爾‧真納和馬克‧卡洛掛名,但前者是正式導演,後者是藝術指導。由於影片對映像風格和特別視覺效果有極高要求,故此馬克‧卡洛亦算是導演之一。

《童》片像他們的前作《妙不可言》一樣,是一個極度扭曲、詭異的世界,充滿黑色幽默,通過別創一格的攝影和美術呈現了好像英國片《妙想天開》奇幻景觀。《童》片更進一步的是大量使用荷里活式特技,製作費高達一千六百萬美元。片中四個樣貌一模一樣的角色在同一場面同時出現,其真實程度令人嘆

為觀止。另外一些利用電腦科技的「變容」特技，這邊廂一個大男人逐漸蛻變成小男孩，那邊廂一個小女孩逐漸老化成為老女人，都可說無懈可擊。《童》片在特技方面的突破，將令它在法國電影史上佔有重要的地位。

《童》片呈現的「怪雞」世界，未必人人可以接受。但無可否認，真納和卡洛兩人的確具有豐富的想像力。一個已無做夢能力的惡人，於是四出搜捕孤兒，希望通過他們的腦電波能令自己重拾美夢，但受驚的小孩做的只是噩夢……。《童》片並不僅是一部「怪雞」影片那麼簡單。

至於英國老牌導演尊·波曼（John Boorman）的《飛越仰光》（*Beyond Rangoon*），看來是毀譽參半。

《飛越仰光》是根據真人真事改編，尊·波曼通過一個丈夫和兒子被人謀殺的美國女醫生在仰光的遭遇，非常直接地揭露了緬甸軍政府的法西斯獨裁統治，並且歌頌了昂山素姬大無畏的抗爭行動。《飛》片被人詬病的相信是不能擺脫荷里活式歷險影片的形式，但編導向世人揭露緬甸極權主義者的醜惡嘴臉仍是誠意可嘉。

《信報》，1995 年 5 月 22 日

之三：三套英倫電影的驚喜與失望

今天續談本屆康城影展中競賽部分的三齣英語片——《天使與昆蟲》、《愛與痛的邊緣》和《土地與自由》。

　　《天使與昆蟲》是新進導演菲臘‧赫斯（Philip Haas）的第二齣作品，論成績，應有獲獎機會。原籍美國的赫斯，長期在英國搞舞台劇，而這次拍的也是英國維多利亞女皇時代的故事。一個從阿瑪遜森林回英的生物學家因沉船意外而變得一無所有，後來邂逅貴族之女而終於成親。婚後竟發覺妻子一直與其兄有亂倫行為，妻子的前度男友就因為無法面對此事而自殺。故事本身並無新意，但編導手法高明，令劇情絲絲入扣，而男主角馬克‧賴蘭斯（Mark Rylance）的演出木訥而樸實，使人留下深刻的印象。

《愛與痛的邊緣》男角較佳

　　另一齣英語片是基斯杜化‧咸頓（Christopher Hampton）導演的《愛與痛的邊緣》（*Carrington*）。咸頓是編劇出身，曾於1988 年以《孽戀焚情》（*The Dangerous Liaison*）獲奧斯卡最佳編劇金像獎。卡靈頓其實是本世紀初英國一位女畫家的姓氏，芳名杜拉。她愛上了一位比自己大 15 歲、體弱而且有同性戀傾向的作家列頓。她本來的男友醋意和性慾都一樣強，一直想佔有她，但始終沒有得逞。她以為靈、慾可以分開，但畢竟，沒有性的愛是難以令人滿足的。卡靈頓與多個男人發生關係，但列頓逝世後，她在失落之餘亦吞槍自殺。編導對於男女（甚至兩男）之間的愛情和慾欲的微妙和複雜，有相當細膩深入的描寫。愛瑪‧湯遜演杜拉‧卡靈頓，反而不及演列頓的 Jonathan Pryce 投入。

至於堅・盧治的新作《土地與自由》(*Land And Freedom*)則有點令人失望。在康城看堅・盧治的新片,這次最缺少驚喜。1936年西班牙的內戰,反佛朗哥獨裁政權即等於反法西斯墨索里尼,反納粹希特拉,是全歐洲愛好和平的人民的意願。一個英國利物浦的失業者,跑到西班牙參加反法西斯鬥爭。

堅・盧治仍以人為本

此片瀰漫著一種歐洲大團結的主導思想,因此以歐洲人為主的影展觀眾似乎特別欣賞。當年海明威的小說《戰地鐘聲》(*For Whom The Bell Tolls*)被美國導演森姆・伍德(Sam Wood)拍成荷里活式歷險片,觀眾之中相信沒有多少個會對西班牙內戰有更深一層的認識。當年的共產主義、法西斯主義等字眼,如今已經成為落伍迂腐的名詞。在今時今日再為西班牙內戰作恰當的注釋,看來亦是徒勞無功的事。近年對政治題材特別感到興趣的堅・盧治,仍然以人作為出發點。這是他的作品可取的地方。

《信報》,1995 年 5 月 24 日

之四:侯孝賢的不動鏡頭勝過張藝謀的華麗包裝

侯孝賢的《好男好女》和張藝謀的《搖啊搖,搖到外婆橋》終於相繼登場。或許由於鞏俐的關係,張藝謀的電影始終較為矚目。以招待新聞界的兩場放映所見,侯的作品似乎得到較多的掌聲。

打從《風櫃來的人》和《冬冬的假期》開始，就可以看到侯孝賢的技法，很受日本大師小津安二郎的影響。《好》片裡面的電視畫面出現小津 1948 年的經典作品《晚春》，就等於侯孝賢間接追認這個事實。但相對於小津，侯絕少用大明星，《好》片的高捷和伊能靜，已算是有名氣的演員和歌星。小津生前是日本松竹公司旗下的大導演，如今《好》由松竹（和台灣的楊登魁）投資，看來亦非偶然。

侯孝賢在《好》片用的，仍然是不動的長鏡頭和較為疏離的技巧，來述說一個需要觀眾思考重組的簡單故事。一個年輕的女演員要在一齣影片中演出蔣碧玉的故事，可她的男友在 3 年前被槍殺，而她不斷收到自己失去的日記的傳真和匿名電話。影片一方面敘述這個女演員的故事，一方面又用「戲中戲」的形式描寫蔣碧玉的事蹟。蔣在中日戰爭期間，和一些台灣友人逃到中國大陸，準備參加抗日戰爭，但卻被當作漢奸拘禁。侯孝賢再次反映了 50 年代韓戰爆發後，國民政府在台灣逮捕和殺害懷疑是共產黨分子的白色恐怖行動。侯孝賢的技法較諸《戲夢人生》又有進一步的突破，看似紋風不動的中遠景「框著」演員，但幾乎每個鏡頭都充滿著戲劇張力。侯的技法師承小津，但大部分時間放棄以剪輯或蒙太奇效果來製造劇力，比小津的做法更具挑戰性。

相較之下，張藝謀的《搖啊搖》，只能算是一部包裝華麗的商業片。美艷的鞏俐、美麗的布景和攝影、當年大上海的堂堂

氣派和歌台舞榭，並未造就出一齣真正成功的商業片。影片改編自李曉的小說《門規》，描述 30 年代上海的黑幫和歌女事蹟。由於資金大部分來自法國，相信在創作上有一定的掣肘。

一個名叫水生的少年，由在黑幫中辦事的叔叔推薦，服侍幫主的情婦小金寶。情婦與二幫主有染，後者動了殺機，但結果事敗被殺。編導通過鄉下少年的眼睛，反映了當年上海紙醉金迷的繁華面貌，以至黑幫的仇殺行為。故事本身其實並無新鮮感，張藝謀的最大成就，只是讓西方觀眾看到當年十里洋場的上海是如何西化。

影片沒有渲染暴力血腥場面，但相對而言，亦淡化了黑社會的暴力世界。

鞏俐的演出風騷有餘而內斂不足，但仍然散發出明星的魅力。

《信報》，1995 年 5 月 25 日

之五：反映戰爭的深沉之作

康城影展大獎的金棕櫚獎的得主漸見端倪。目前最受新聞界好評的有《童夢失魂夜》、《天使與昆蟲》、《愛與痛的邊緣》、《土地與自由》、《好男好女》和《尤利西斯的凝望》等片。

《尤》片是希臘大師導演安祖洛普魯斯的新作。他曾在法國高等電影學院攻讀電影，前作《流浪藝人》、《狩獵者》、《霧中風景》等等，喜歡採用「一鏡一場」(plan-séquence) 的拍攝方

式，以極其精確的場面調度加上複雜的影機運動，一鏡直落地拍攝一場戲，其精彩之處往往令觀眾咋舌。

安祖洛普魯斯這部新作片長三小時，「一鏡一場」的技法仍然令人目瞪口呆。但技術的突破始終不及作品內涵的重要，而《尤》片絕對是一齣言之有物的藝術佳作。迄今為止，競賽影片之中最具冠軍相的便是這部反映巴爾幹半島戰禍的作品。夏飛‧基圖（Harvey Keitel）飾演的電影導演，為了追尋希臘電影先驅者在世紀初拍攝的三卷未曾沖印的影片，遍訪巴爾幹半島各國的電影資料館，在動盪的前南斯拉夫、保加利亞、羅馬尼亞等地明查暗訪，雖然終於達到目的，但悲慘的世情令他嘗盡辛酸苦澀。安氏這部新作是近年反映戰禍的影片之中最深沉的一部，在濃霧中的屠殺場面（觀眾只憑想像）感人至深。夏飛‧基圖在火車上跟女主角在月台上（而火車正在緩緩開動）的一大段對白戲，將會是電影史上的經典場面之一。

相形之下，曾經拍過《繡鞋情》、《超凡喜劇》、《絕望歲月》的年過八十的葡萄牙大師曼勞‧迪奧利維拉，表現就大為遜色。今次的《修道院》雖然有尊‧馬可維治和嘉芙蓮‧丹露助陣，但故事本身太多文學上的引經據典，角色人物亦平板乏味，最要命的是亂用史特拉汶斯基等前衛作曲家的音樂，突兀刺耳，跟《尤利西斯的凝望》的精彩配樂相比，就更為失色。

不過，今屆影展的最大失望，相信還是比利時女導演瑪莉安‧漢素的《蒼茫人海間》，以及英國導演泰倫斯‧戴維斯的

《霓虹寶典》。漢素是比利時近年有表現的電影導演，香港藝術
中心曾經為她搞過小型的回顧展。今次她到香港拍了部分外景
的新作，跟《霓虹寶典》一樣，是一齣看了二十分鐘，你就知
道可以義無反顧地在戲院裡睡覺的乏味之作。

《信報》，1995 年 5 月 27 日

之六：康城獎項重投歐洲之囊　南斯拉夫《沒有天空的都市》奪大獎

本屆康城影展的獎項重回歐洲電影人之手。金棕櫚大獎、
最佳導演、最佳男主角等大獎，由希臘、南斯拉夫、英國、法
國等作品所奪得。美國及中國電影，今年卻沒那麼幸運了。

第 48 屆康城電影節的頒獎典禮在燦爛的陽光下進行，電視
現場直播由七時一刻開始，至八時半所有獎項已經名花有主，
而外面的陽光依然耀眼。進場嘉賓固然是星光熠熠而風頭最勁
的是閉幕影片《鳳舞狂沙》（*The Quick And The Dead*）的女
主角莎朗·史東。台上的司儀是法國女星卡露·寶姬（Carole
Bouquet），她被一些頒獎嘉賓埋怨項目調動，令他們唸好的台
詞無用武之地。

頒獎典禮像過往一樣，簡單而隆重，沒有荷里活式歌舞表
演穿插，也不會向頒獎嘉賓詢問甚麼是剪接，怎樣才算是好劇
本諸如此類的無聊問題。評審團主席珍·摩露似乎甚得人心，
她在台上表示比賽結果是由各位評審經 3 小時討論後決定。

　　金棕櫚大獎得主是前南斯拉夫導演古斯杜力卡，10 年前以《爸爸離家上班去》第一次奪得金棕櫚大獎，當古斯杜力卡從艷光四射的莎朗‧史東手上接過金棕櫚獎的時候，臉上毫無笑容，兼且神色凝重；看來得獎的喜悅，並未能補償「國破山河在」的悲痛。《沒有天空的都市》（Underground）推述南斯拉夫半個世紀以來動盪不安的政局和戰亂，片長 3 小時 12 分，是古斯杜力卡迄今為止最具野心的作品。

　　無獨有偶，另一部奪得本屆康城評審團大獎的史詩式電影《尤利西斯的凝望》同樣是描述巴爾幹半島的動亂和莫名其妙的屠殺行為。兩片同樣是片長達 3 小時的嘔心瀝血的巨製；而在頒獎禮上同樣獲得嘉賓觀眾的熱烈掌聲，跟去年昆汀‧塔倫天奴以《危險人物》獲獎時，被人報以噓聲的情況不可同日而語。不過，安哲羅普洛斯對未能摘下大獎，似乎頗為失望，但他仍然大方地跟古斯杜力卡相擁拍照。

　　奪得最佳導演獎的是年僅 27 歲的法國導演馬修‧卡索維茲。《憎恨》是他的第二部劇情長片，描畫郊區三個膚色不同的青少年的生活。最佳男女演員獎都被英國演員囊括，至於海倫‧美蘭則是第二次在康城得獎，上次是 1984 年，以柏‧奧干娜（Pat O'Connor）導演的《死角》（CAL）獲獎。

　　張藝謀的《搖啊搖》奪得高等技術委員會大獎，主要是表揚影片在攝影方面的貢獻。這個獎跟胡金銓 20 年前以《俠女》揚威康城的獎項同一名目。上台領獎的是攝影師呂樂，據說是

張藝謀的同學，在法國居住多年，能操流利法語，張藝謀在座上不禁高興得眉開眼笑。

　　至於侯孝賢的《好男好女》其實成績不錯，但可能敘事手法過於晦澀，無法獲得評審的垂青，只好空手而回。而伊朗影片《白汽球》奪得金攝影機獎（新人獎），則進一步肯定了謝化·潘納希的才華。

《信報》，1995 年 5 月 30 日

第 49 屆
康城電影節
1996

▲ 1996 年第 49 屆宣傳海報　　▶ 1996 第 49 屆康城電影節金棕櫚獎電影

《秘密與謊言》(*Secrets And Lies*)

WINNER

PALME D'OR
BEST ACTRESS
CANNES FILM FESTIVAL

A NEW FILM BY **MIKE LEIGH**

SECRETS & LIES

CIBY 2000 IN ASSOCIATION WITH CHANNEL FOUR FILMS PRESENT A CIBY 2000/THIN MAN PRODUCTION SECRETS & LIES A FILM BY MIKE LEIGH

TIMOTHY SPALL BRENDA BLETHYN PHYLLIS LOGAN MARIANNE JEAN BAPTISTE CLAIRE RUSHBROOK

RON COOK LESLEY MANVILLE ELIZABETH BERRINGTON MICHELE AUSTIN LEE ROSS EMMA AMOS HANNAH DAVIS MUSIC BY GEORGE RICHARDS

PRODUCTION DESIGNER ALISON CHITTY MUSIC BY ANDREW DICKSON EDITED BY JON GREGORY A C E PHOTOGRAPHED BY DICK POPE B S C PRODUCED BY SIMON CHANNING-WILLIAMS

WRITTEN AND DIRECTED BY MIKE LEIGH

CIBY 2000 OCTOBER

第 49 屆康城實況（上）：《風月》被喝倒采

今年的康城電影節，似乎沒有去年那麼擠擁，那誠然是好事。至少，到目前為止，看戲時還未出現不得其門而入的情況。去年因為是電影藝術誕生一百周年，到康城趁熱鬧的觀眾和業內人士特別多。明年是康城影展五十周年紀念，相信必定再次掀起熱潮。影展當局特別在影展期間舉行新聞發布會，向外宣布明年將會頒發金棕櫚大獎之大獎，以表揚過去五十年有過重大貢獻的電影藝術家；此外又會舉辦大規模的回顧展。影展主席吉爾・乍各（Gilles Jacob）和老牌影星美芝・摩根（Michele Morgan）出席了記者會。

新秀表現出色

開幕影片《荒謬奇緣》（*Ridicule*）聽說成績不俗，我因為開幕後兩天才到康城，所以錯過了。今年的法國片頗多佳作，除柏歷斯・利干特的《荒謬奇緣》外，新秀導演積葵・奧迪雅（Jacques Audiard）的《無名英雄》（*Un Hero Très Discret*，參加競賽）、戴安・貝特朗（Diane Bertrand）的《地球上的一個周

末》（*Un Samedi Sur La Terre*）和奧利維亞‧阿薩耶斯（Olivier Assayas）的《女飛賊再現江湖》（*Irma Vep*）都相當可觀。

《無名英雄》由《怒火青春》（*La Haine*）震動法國影壇的新進導演馬修‧卡沙維治（Mathieu Kassovitz）主演，故事描述二次大戰期間，一個與母親相依為命的法國青年阿爾拔，通過許多的謊言和運氣，竟然成為抵抗納粹的英雄，榮譽、地位甚至愛情都接踵而來。奧迪雅是編劇出身，處男作《看那些人跌下》（*Regarde Les Hommes Tomber*）曾獲法國凱撒獎（最佳新導演），本片是他執導的第二部作品，人物和故事都深深地吸引著觀眾，卡沙維治的演出極富說服力。

在「某種觀點」（Un Certain Regard）中展出的《地球上的一個周末》是戴安‧貝特朗的第二齣作品。本片是典型的宿命悲劇，糾纏不清的三角戀情竟然在不同年代但在同一地點釀成悲劇。影片有趣的地方是劇情有如砌圖遊戲一般逐漸顯現，到最後讓觀眾看到事情的前因後果和來龍去脈。

張曼玉引來掌聲

相對於奧迪雅和貝特朗，曾經是「電影筆記」（Cahiers Du Cinéma）著名影評人的阿薩耶斯算是老手，而且曾經被「電影筆記」預測為下一個世紀最偉大的電影導演之一。《女飛賊再現江湖》可以看出是典型「影癡導演」的作品，阿薩耶斯更在1984 年出版過一本「香港電影」的專書。女主角張曼玉現身說

法，演出一個到法國參與一部電影的香港女星 Maggie。影片的
導演雷納（由杜魯福的愛將尚皮爾・里奧飾演）要重拍路易・
費雅特（Louis Feuillade）的默片《殭屍》（Les Vampires），找來
香港的女星張曼玉演出一個穿著黑色緊身衣的女賊（可以說是
黑玫瑰等女賊形象的始作俑者），在拍攝中途突然對影片失去信
心而神秘失蹤。本片以極低成本拍攝（用超 16 毫米膠片），運
鏡異常靈活流暢，充滿導演本身對電影的熱愛和對電影人的嘲
諷和批評。

　　影片的原名「Irma Vep」其實是 Vampire 的字母於以重組。
張曼玉出席的一場放映，觀眾掌聲雖然不算熱烈，但其實比諸
陳凱歌的《風月》和侯孝賢的《南國再見，南國》，反應算是
不俗。

《風月》反應極端

　　陳凱歌今年以《風月》再度問鼎康城金棕櫚大獎，賽果
揭曉前已被認為機會甚微。影片成績如何，讀者們已經可以在
香港看到。今年徐楓領著陳凱歌、鞏俐、張國榮、杜可風等出
席了記者招待會，但聽說影片放映後有的觀眾叫好、有的則發
出噓聲。至於侯孝賢的《南國》，我看的一場觀眾沒有甚麼掌
聲也沒有任何噓聲。或許觀眾對影片的題旨不能完全理解，
因此不敢作任何表示。侯孝賢在記者會上說是「捕捉一些感
覺」（大意），問題是西方觀眾（甚至中、港、台觀眾）未必可

以對片中的人物遭遇產生共鳴。侯孝賢今次採用了很多移動鏡頭（Travelling Shots），例如火車上、公共汽車上，甚至追拍摩托車等等，視覺上由於一動一靜的對比，頗有點「奇觀」的感覺。侯孝賢的作品迄今仍無意面向廣大的觀眾，喜歡的自然會喜歡，不喜歡的會繼續不喜歡。要一位已經自成一格的電影導演去迎合大眾的口味，既無必要，亦無可能。

英國電影甚獲好評

今年參展「官方選擇」的英國片共有三部，其中丹尼·貝爾 Danny Boyle）的《迷幻列車》（*Trainspotting*）並不參與競賽。米克·李（Mike Leigh）的《秘密與謊言》（*Secrets And Lies*）以及史提芬·費雅斯（Stephen Freas）的《情迷快餐車》（*The Van*），迄今仍未找到機會補看。前者是影展開幕以來最受好評的影片之一，獲獎呼聲甚高。後者則似乎毀譽參半，看來是「陪太子讀書」居多。

《迷幻列車》雖然不是一面倒的好評，但亦是今年影展的焦點之一。影片反映了青少年吸毒和失去人生目標的嚴重社會問題，編導以跳皮好玩的技巧去描述男主角吸毒、戒毒再吸毒的過程，充滿辛辣的諷刺和黑色幽默。丹尼·貝爾繼承了林賽·安德遜（Lindsay Anderson）那種英國式的離經叛道，是英國影壇自堅·盧治（Ken Loach）和米克·李以來的最大發現。

《星島日報》，1996 年 5 月 23 日

第 49 屆康城實況（下）：《秘密與謊言》不同凡響

今年的康城影展並非「名牌」的天下，塔維安尾兄弟的《感情作用》、貝托魯奇的《盜美人》、羅拔·艾特曼的《肯薩斯的最後一夜》、米高·契敏奴的《追日者》，以至安德烈·第善禮的《小偷》等等，雖然未至令人大失所望，但明顯地並非特別精彩的作品。反而是一些較為冷門的藝術導演，例如芬蘭的雅基·郭利斯馬基，流亡巴黎的智利導演拉勞·烈茲，丹麥的拉茲，馮·特艾爾（Lars Von Trier），有更出色的表現。

郭利斯馬基或許不算是冷門的導演，香港藝術中心就曾經為他搞過回顧展，近作《波希米亞人生》早已膾炙人口。今年他以《流雲》參展，影片描述開電車的丈夫和當餐廳部長的太太同時面對失業的困境，最後太太糾集舊日同僚自己經營餐館。論題材，有點粵語片的味道；論技巧，簡樸精煉的電影語言，直追羅拔·布烈遜，但多了點幽默和「怪雞」，是雋永的小品。

拉勞·烈茲過往筆走偏鋒，製作成本偏低，有點曲高和寡。今回他找到馬斯杜安尼父女上陣，《三生一死》依舊在敘事

方式上面大做文章。一個跑到街上買香煙的丈夫遇到一個年紀比他更大的中年漢子，說前者的太太，是他 20 年前的太太，只因自己被困另一空置的房子，一晃眼便二十年。然後馬斯杜安尼又演出多個角色（包括淪為乞丐的教授），然後觀眾發覺這幾個好像毫不相關的角色，竟然又互相交叉重疊，好像同一個人生活在不同的世界。這是拉勞‧列茲最富幽默感和最成功的作品。

　　至於馮‧特艾爾的《愛情中不能承受的痛》，則是野心更大的作品。一對新婚不久的夫婦，經過咫尺天涯的考驗後，男的因工業意外以致下身癱瘓，不能與太太共效魚水之歡，於是「勸喻」太太在其他男人身上尋找性慰藉。女的因為深愛丈夫，結果言聽計從，最後無法自拔。影片強烈譴責教會和宗教規條的食古不化，結局相當感人。馮‧特艾爾全片以非常風格化的手搖攝影（有時甚至對焦不準）拍攝，效果奇佳。

　　或許是 1960、1970 年代社會風氣敗壞，性濫交現象非常普遍，於是世界各地都有被遺棄的孤兒，亦因此有許多被收養的孤兒在成年後都希望尋找親生父母。無獨有偶，今年康城影展有多部影片都以此為題材。《盜美人》中的美人莉芙‧泰勒從美國跑到意大利，最大的願望其實是要弄清楚誰是真正的父親。閉幕電影《邊個同佢有親》(*Flirting With Disaster*) 描述男主角為了追尋親生父母而弄出許多笑話，成績只屬普通。

　　影展閉幕前兩天才在 Star 電影院補看了米克‧李的《秘密

與謊言》，果然是不同凡響。米克·李 3 年前在康城影展以《赤裸裸》（Naked）獲得最佳導演獎，早已受到各方矚目。本片描述一個黑人女子賀婷絲追查自己的親生父母，發現自己的母親是白人女子仙迪亞（白蓮達·布萊芙飾）。母親接到女兒的電話本已感到震驚，見面時發覺自己當年放棄撫養的嬰兒竟然是黑種人，更是惶惑不安。母親與另一女兒樂珊的關係已經不大融洽，賀婷絲的出現幾乎令她精神崩潰。一個天方夜譚式的「老套」故事，竟被米克·李點鐵成金。本片的編導和演出精彩得令人無話可說。母女相認後在咖啡室悲喜交集的對話米克·李以一個長達十多分鐘的鏡頭「一鏡直落」拍攝，白蓮達·布萊芙的絲絲入扣令人歎為觀止。另一場戲，母親在樂珊的生日派對上向眾人宣布賀婷絲是自己的親生女兒，演出之精彩也是一絕。難得的是導演對所有角色的關懷和同情，相信已是人道主義精神的頂峰。總而言之，渾身是戲！

　　高安兄弟的《雪花高離奇命案》（Fargo）仍然是他們倆闖出名堂的黑色電影類型，風格近似早期作品《血迷宮》（Blood Simple）。一個在自己外父的車行服務的汽車銷售經理，為了更進一步的發展，竟然串同兩個歹徒綁架自己的妻子，然後企圖向外父勒索金錢，結果人算不如天算，弄出幾條人命。高安兄弟以黑色幽默適當地沖淡了許多暴力場面，處處顯露了二人在此一類型影片的卓越才華。

《星島日報》，1996 年 5 月 24 日

第 51 屆
康城電影節 **1998**

▲ 1998 年第 51 屆宣傳海報　　　▶ 1998 第 51 屆康城電影節金棕櫚獎電
　　　　　　　　　　　　　　　　《一生何求》（*Eternity and a Day*）

第 51 屆康城 Express

史高西斯出盡風頭

　　風和日麗，棕櫚樹下，陽光灑滿地，是康城電影節的標記。第 51 屆康城影展，同樣是在夕陽斜照，紅地毯相輝映的華麗氣氛之中展開序幕。

　　開幕儀式上，最出風頭的當然是今屆影展的評審團主席——美國著名導演馬田・史高西斯。1976 年，史高西斯以《的士司機》獲金棕櫚大獎，其後一直是康城影展的「常客」。

　　在擔任司儀的法國女星伊莎貝・雨蓓（Isabelle Hurpert）介紹下，史高西斯笑容可掬地首先進場，大會隨即播映他一些重要作品的片段，包括《的士司機》、《狂牛》、《賭場風雲》、《心外幽情》、《達賴的一生》（Kundun）等等，贏得全體觀眾的掌聲和起立致敬。

　　伊莎貝・雨蓓的英語翻法語即時傳譯原來相當了得，極具大將風度。她隨即介紹了另外兩位評審進場，一位是法國導演阿倫・歌爾勞（Alain Comeau），另一位是中國導演陳凱歌，其餘評審包括 3 位女演員：薛歌妮・韋花、雲露娜・維特和馬斯

杜安尼的女兒姬阿娜（Chiara Mastroianni）。評審當中，年紀最大的應該是史高西斯和歌爾勞（55 歲），而年紀最輕的是姬阿娜・馬斯杜安尼（25 歲）。10 位評審當中，另外一位電影導演是英國的米高・溫達博頓（Michael Winterbottom）。從評審團的成員組合看來，英語片勝算較高，並不足為奇。

除了史高西斯之外，風頭最勁的要算開幕電影《這個總統真太濫》（*Primary Colors*）的兩位主角——尊・特拉華達和愛瑪・湯遜。他們兩人由早到晚不停接受電視台訪問。奉勸一些有份在康城參加比賽的中、港、台演員，最好在逛街散心之餘，不要忘記跟康城的傳媒交道。畢竟，國際傳媒片言隻字的吹捧，其影響之深遠實在不容忽視。

《這》片由米克・尼高斯執導，在開幕當天已在法國作全國公開放映。影片由著名女編劇兼導演伊蓮・媚（Elaine May）根據「無名氏」的小說改編，美國總統克林頓和夫人希拉莉的角色呼之欲出，而愛瑪・湯遜的造型根本就是希拉莉的再生，輕描淡寫就已活靈活現。美國總統可以被電影人嘲笑至如此地步，民主自由豈不令人羨慕？

《星島日報》，1998 年 5 月 15 日

資深導演顯功架

無論康城影展有多商業化，它的競賽部分仍然是舉世矚目的盛事。對於台灣人（或者台灣的中國人？），今年的康城電影

節，意義更為重大，因為兩部台灣片——侯孝賢的《海上花》和蔡明亮的《洞》，同時競逐金棕櫚大獎。

　　侯孝賢和蔡明亮曾先後以《悲情城市》和《愛情萬歲》奪得威尼斯金獅獎，但要在康城影展掄元，看來並非易事。許多導演都曾經在威尼斯和柏林影展出盡風頭，例如已故的波蘭大師奇斯洛夫斯基，康城影展硬是不讓他「攞彩」，説來也是冥冥之中自有主宰。

　　對於我來説，今年的康城影展節目特別豐富，我説的當然不是開幕和閉幕的兩部美國片，而是其餘的競賽片，有許多我心儀的導演的作品，侯孝賢、蔡明亮之外，還有堅・盧治（Ken Loach）、泰利・基力咸（Terry Gillian）、蘭尼・摩列提（Nanni Moretti）、尊・波曼（John Boorman）、拉斯・馮特利亞（Lars Von Tier）、安哲羅普洛斯等等；至於不參與競賽的還有今村昌平、卡洛斯・梭拉（Carlos Saura）和年近 90 的曼奴・迪奧利維拉（Manoel De Olveira）。90 高齡仍然一年有一部新作面世，真是老而彌堅，佩服！佩服！

　　每年影展都有驚喜、有失望，但願新晉導演帶給我們更多的驚喜，而名牌導演不要令我們失望。

　　今年影展的回顧部分，主題是向製片人致敬（Hommage Aux Producteurs），這些製片人並不是羅倫蒂斯（Dino De Laurentis）或史提芬・史匹堡之流的大製片家，而是名字不算太響亮但又對電影藝術有所貢獻的獨立製片人，包括曾監製 500

部、導演 50 部 B 級片,也可説提拔過馬田・史高西斯和法蘭西斯・哥普拉的羅渣・高曼(Roger Corman)。至於來自台灣的女演員兼女製片人徐楓也榜上有名,影展閉幕前一日(23 日)將會放映她監製的 3 齣電影,即葉鴻偉的《五個女子與一根繩子》、陳凱歌的《霸王別姬》和嚴浩的《滾滾紅塵》。

《星島日報》,1998 年 5 月 16 日

沉甸甸的參賽影片

今天看了 3 齣競賽影片,全部都有一種沉甸甸的壓迫感,令人好不暢快。

《阿祖晒命》(*My Name & Joe*)是堅・盧治電影中常見的社會寫實題材,情節其實相當老套,但盧治技巧扎實,故事説得娓娓動聽。阿祖曾經是酒鬼,戒酒後滴酒不沾,與一群失業漢組織足球隊,生活得健健康康,結識了社會工作者莎拉,希望從此幸福地過活。但生活逼人,為了幫助朋友,連自己也幾乎走上絕路。失業、酗酒、吸毒、失戀,通通可以令人走投無路。最堅強的人,也可能從此一蹶不振。沉重是沉重,但編導不時穿插幽默諷刺,也算是怡情小品。記憶中,自從 1970 年的《頑童比利》(*KES*)以來,盧治的電影就經常充滿蘇格蘭口音,演員的對白並不容易領悟。看他的電影還要借助法文字幕去理解劇情,對於影片獲大獎有多少機會;坦白説,我並不樂觀。

泰利・基力咸的《賭城風情畫》(*Fear and Loathing in Las*

Vegas），令人好失望；《妙想天開》（*Brazil*）是我最喜歡的「怪雞」電影之一，但我等不及看愛倫・芭金出場，就已經半途離坐。不要告訴我，好戲在後頭。誰有興趣看尊尼・狄普在拉斯維加斯吸毒搞得一塌糊塗？為甚麼花這麼多錢去拍這樣一個爛劇本？又或者劇本本來好「正」，只不過被泰利・基力咸糟蹋了？

　　另一部怪沉重的競賽片是澳洲的 *Dance Me to My Song*（暫譯：《隨我的歌起舞》）。茱莉亞是半身不遂、肢體扭曲、靠機器發聲的傷殘人士（傷健人士？），對男女之愛仍然有所渴求。受僱照料茱莉亞的瑪德蓮缺乏愛心，甚至喜歡在茱莉亞面前跟男友翻雲覆雨。善心男子艾迪的出現，令茱莉亞和瑪德蓮成為情敵。一個殘廢的女子竟然可以搶走自己的心頭愛，瑪德蓮怎能吞下這口烏氣？演茱莉亞的 Heather Rose 竟然是原劇作者，並且親自現身說法。散場後，觀眾掌聲不絕，其情況就有如《第八日》的演員（弱智的演員有精彩的演出）的深受觀眾同情和讚賞。如果你沒有中途離場，這是一齣你無法忘記的電影。

《星島日報》，1998 年 5 月 17 日

這個影展太沉重

　　台灣導演蔡明亮的兩齣獲獎作品《愛情萬歲》和《河流》在香港尚未公映，他的新作《洞》已在康城影展登場亮相。蔡明亮和男女演員李康生、楊貴媚，以及製片人之一的焦雄屏出席了記者招待會，有外國記者將蔡明亮跟安東尼奧尼和法斯賓

達相比，《洞》片的沉重亦可以想見。

20 世紀還有 7 天便結束，台灣出現了名為「台灣熱」的疫症，一種過濾性病毒通過蟑螂散播，自來水系統亦受到污染。雨下個不停，樓下的女子（楊貴媚飾）屋內漏水，水喉匠到樓上的男子（李康生飾）那裡修理，在地板上鑿穿了一個洞，亦即是說，樓下的天花板開了一個洞。兩個互不相干但極度孤獨的個體，因為這個洞而終於連成一氣。感染了世紀未疫症的樓下女子，也因而倖免於難。

影片的基調是緩慢的寫實風格，但穿插了楊貴媚猛唱葛蘭舊歌（《野玫瑰之戀》、《我要你的愛》）的歌舞場面。如果不是這些節奏明快、充滿勁度的國語時代曲，影片的調子相信更為沉鬱、灰暗。蔡明亮的場面調度自成一格，只可惜未有將一個奇異的處境和人際關係作更深層的發揮，奪大獎的機會相信不高。

法國導演克羅特‧米勒的《滑雪班》（*La Classe De Neige*），是一齣從小孩角度出發的心理劇，有驚慄的元素，但不完全是驚慄片。小男孩的夢魘、疑神疑鬼、幻象、胡思亂想，編導玩得並不高明。法國人如果寄望這齣影片為法國爭光，凱旋而歸，大概只是一廂情願的想法。

直到目前為止，看到的各國影片，無論是競賽影片，或其他官方項目，都是沉重、灰暗居多，而且大部分都以特殊處境借題發揮。在「某種觀點」（Un Certain Regard）看到的荷蘭片

《妙在大門後》（*Little Tony*），是一個頗奇特的三角愛情故事，充滿黑色幽默，妻子為文盲丈夫找來年輕漂亮（相對而言）的女補習教師，三個人展開了愛情和控制權的明爭暗鬥。導演（Alex Van Warmerdam）自己演丈夫的角色，影片流露出憎厭女性的心態。

《星島日報》，1998 年 5.18

場內場外點滴

康城連日來的天朗氣清，終於被無情的風雨趕走。傍晚時分放映的競賽影片，無論是嘉賓或觀眾，依例都要穿上禮服赴會。在滂沱大雨之下，盛裝的貴賓即使有勞斯萊斯接送，也難免衣履盡濕，一副狼狽相。電影宮前鋪上紅地毯的梯級石階，並非全天候設計。不過，嘉賓、觀眾看戲的興緻並沒有因此而減退。

影展的印刷品可說泛濫成災，環保人士無法不搖頭嘆息。英、美、法的電影期刊在這裡一天一期地「埋身」肉搏，*Moving Pictures*、*Le Film Français*、*Screen International* 等等，還有許多特刊、專號，全部免費贈送，簡直是資訊爆炸。即使你精挑細選，大概也得帶起碼 10 公斤的印刷品回家。

記得十年八年前，手提電話剛剛在香港興起，戲院中經常有電話鈴聲響起，非常討厭。現在這種風氣已經吹到康城。2 年前我帶著「手機」到康城漫遊，許多「老外」為之側目。去

年沒有到康城，今年的情況已經變得極之嚴重。放映前大會特別提醒觀眾，不要在放映當中使用手提電話，但仍然有不少觀眾忘記關掉電話。不過，電話鈴聲雖不時響起，但沒有觀眾膽敢在戲院中「傾電話」，因為「未開聲」就已經被人家罵個狗血淋頭。

　　康城的競賽影片備受注目，但有時亦出現一些差強人意或不對自己胃口的作品，反而是其他官方項目，例如「導演雙週」（Quinzaine Des Réalisateurs）、「某種觀點」、「影評人一週」等等，經常有一些令人驚喜的佳作。「導演雙週」今年剛好是 30 周年紀念，可說是新晉導演的試金石。負責選片的皮爾昂利迪勞（Pierre-Henri Deleau）亦已幹了 30 年，他同時兼任比阿利茲（Biarritz）影展的主席。

　　「導演雙週」最值得自豪的，是發掘了許多目前已經是國際知名的大導演、中、港、台不少重量級導演，都曾經有作品在這個項目中展出，其中包括唐書璇、許鞍華、王家衛、陳凱歌、侯孝賢、李安……等等。能夠在「導演雙週」中展出，往往就是正式參與競逐金棕櫚大獎的前奏。

《星島日報》，1998 年 5 月 19 日

一片「悲慘」景象

　　今年在康城影展看到的影片，大部分都可以用「悲慘世界」4 個字去形容，法文 Les Misérables 庶幾近已。堅・盧治的《阿

祖晒命》、蔡明亮的《洞》，克羅特・米勒的《滑雪班》等等，你都咪話唔慘。比利時導演 Yvan Le Moine 的《紅矮人》（The Red Dwarf）一樣咁慘，法國女導演 Laettia Masson 的《賣愛的女人》（A Vendre）描述一個大好女子賣肉由法國賣到美國，伊朗片《蘋果》描寫兩年幼姊妹被失明母親自小禁錮在家裡，景況亦相當淒涼。

　　競賽影片、「導演雙週」、「某種觀點」都是那麼悲慘，跑也跑不掉！難道是自己觀影的心態有問題？抑或是潮流興抓住一個人在奇特處境的悲慘遭遇而大做文章，非如此不足以感動觀眾？

　　還好，終於看到一些幽默諷刺好笑的電影。蘭尼・摩列提競賽片《四月》（Aprile）並沒有令人失望。將蘭尼・摩列提比作活地・亞倫是有點牽強，因為法阿倫太過油腔滑調和商業計算，而摩列提的影癡意結，是任何熱愛電影藝術的影癡一定受用。《四月》由意大利大選到太太產子，到迷頭迷腦要拍音樂喜劇片和政情紀錄片，都充滿著摩列提作為知識分子的「實在」和質樸可愛。一齣有深度的文化的小品，預料未必拿到大獎，但應該可以獲其他次要獎項。

　　初看墨西哥導演阿杜洛・列浦斯坦（Arturo Ripstein）的新作《神祉》（Divine），幾乎想立即離座。嘩，闊袍大袖的古裝聖經片，有冇搞錯？這部在「某種觀點」中放映的原來是大逆不道的反宗教電影，對於呃神騙鬼的神棍嘲諷得非常徹底。宗

教儀式上有少女拿著小型電子遊戲機玩耍，另一角落則放映查爾登・希士頓主演的宗教片，荒謬味道開始瀰漫。在新耶路撒冷，一群相信世界末日快要來臨的信徒，正在等候新童貞瑪利亞和新救世主的出現。這部幽默抵死的反宗教電影，比不少競賽影片還要精彩。

　　今村昌平去年以《鰻魚》獲得金棕櫚大獎，今年則以新作《肝臟先生》作觀摩展出，並沒有參加比賽，年紀愈大，今村昌平的反戰意識就更為強烈。影片描述日本戰敗前，一個名為赤城風雨的西醫，如何在物資短缺的情況下，去控制在日本鄉鎮蔓延的肝炎病毒。

《星島日報》，1998 年 5 月 20 日

場地集中觀眾方便

　　康城影展的放映場地，有愈來愈集中的趨勢。大會的長遠策略是在電影宮（Palais du Festival）增加官方影片的放映場地，把無關重要的辦公室向外轉移。今年好像取消了美麗華酒店的放映廳（Salle Miramar），而在電影宮增設了大使廳（Salle des Ambassadeurs），有三百多座位，座位非常舒服，「行距」尤其寬敞。

　　對於影評人來說，影展的競賽影片、「某種觀點」以及其他官方節目，可以集中在電影宮的盧米埃大戲院（Grand Théatre Lumière）、德布西戲院（Théatre Claude Debussy）、安德烈巴贊

影院（Auditorium André Bazin）以及大使廳，的確非常方便。只有「導演雙週」的影片，仍然在希爾頓酒店（Noga Hilton，舊電影宮所在地）放映，有點外放和不受約束的味道。

《海上花》有攞獎相

影展舉行過半，許多人都開始猜測金棕櫚大獎得主。到目前為止，真正具有冠軍相的參賽影片，只得侯孝賢導演的《海上花》。侯孝賢獲日本松竹公司資助拍片，今次已是第 3 回。松竹公司在康城的負責人池島章，以前是香港松竹公司的經理，是我相識十多年的好朋友，許多年前已經移居意大利，我們幾乎是一年一度在康城話舊。我說《海上花》有冠軍相，跟這個並無關係。《海上花》是一貫的侯孝賢風格，但電影語言之凝鍊，是他創作生涯的一大突破。可以這樣說，侯孝賢在康城參賽多次，這是他最有可能染指金棕櫚大獎的一次。但能否如願，也要看其他參賽影片的資質和評判的口味。《海上花》究竟如何出眾，且待明天細說。

兩部電影觀後感

羅蘭·祖夫（Roland Joffe）曾以《戰火浮生》獲金棕櫚獎，新作《愛人再見》（*Goodbye Lover*）作不競賽展出（Hors Compétition），一部不俗的商業片，由高安兄弟編劇，影片人物和橋段令人想起《雪花高離奇命案》。散場時竟然沒有一個人拍掌，荷里活片的不思進取，舊瓶新酒，法國人說 déjà - vu，此之謂也。

即將屆 90 高齡的葡萄牙電影大師曼奴・迪奧利維拉，終於以新作《死之焦慮》（*Anxiety*）探討老人心境的問題。影片的前半部描寫一個老年學者為了令自己成為不朽的人物，企圖說服同樣享負盛名的兒子自殺，眷戀生命的兒子拒絕父親要求，竟被父親奪取性命。迪奧利維拉仍有這種視野和自嘲能力，實在絕不簡單。

《星島日報》，1998 年 5 月 21 日

《海上花》充滿張力

侯孝賢的《海上花》是由朱天文編劇，改編自張愛玲注釋的《海上花列傳》，演員包括梁朝偉、羽田美智子、劉嘉玲、李嘉欣和高捷等。我看的一場影評人優先場，中場離座的觀眾為數不少（一向都是這樣），但留到散場的觀眾則報以掌聲。

影片對清朝末年的青樓韻事，有細緻的描寫。

嫖妓一向是中國文人雅士、達官貴人的玩意，由於封建社會時興早婚，所謂父母之命、媒妁之言，自由戀愛是民國以後的事。男人嫖妓許多時是為了追求愛情，而不單純為了性慾。觀眾要是對這個最基本的現象毫無認識的話，就很難明白片中王老爺（梁朝偉飾）和小紅（羽田美智子飾）之間的感情糾葛是怎麼一回事。

侯孝賢一開初即以 3 場「一鏡一場」的高難度場面調度為影片定下了基調，而整齣影片幾乎都以一鏡直落的技巧貫串，

而以淡出、淡入作為過場。調子緩慢，畫面精緻，感情含蓄、細膩，充滿內在張力。整齣影片瀰漫著一種 decadent 的味道，或者可以說是世紀末風情。中、港、台導演每逢拍攝飲花酒、召藝妓的場面，必定是興高采烈、打情罵俏、花枝招展一番。像侯孝賢這樣眉頭深鎖、不苟言笑的「行樂」場面，也真是罕有。印象中，《悲情城市》也有類似的描寫，但《海上花》把這樣的氣氛和情懷更加盡情發揮。

《海上花》絕對是康城大會評審團慎重考慮的大獎候選作品之一。問題是獲得金棕櫚獎的影片通常都有一定的商業娛樂性，比較能入俗眼。侯孝賢如果落選，只能怪影片的題材和處理手法曲高和寡。

日間的記者招待會，由法國影評人麥士・鐵斯亞（Max Tessier）主持，侯孝賢、梁朝偉、羽田美智子、劉嘉玲、李嘉欣、高捷等都有出席。會上，劉嘉玲和李嘉欣都表示，侯孝賢找她們演這齣戲，可能是因為她們能說上海話，而梁朝偉和高捷都說，要以上海話來演戲，有一定的困難。午夜過後，松竹公司在 Gray D'albion 酒店開派對，除了一眾演員、導演出席之外，還有徐楓、陳凱歌這對「拍檔」，以及編劇朱天文等中、港、台、日嘉賓，好不熱鬧。如今康城、柏林、威尼斯三大影展的競賽部分，華語電影幾乎成為不可或缺的節目，比日本電影風頭更勁。

《星島日報》，1998 年 5 月 22 日

2 部熱門參賽片

在我所看過的競賽影片當中，除了堅‧盧治的《阿祖晒命》和侯孝賢的《海上花》，有染指金棕櫚大獎的實力之外，其餘較精彩和具有創意的，有尊‧波曼（John Boorman）的《爆竊大將軍》（*The General*）和拉斯‧馮特艾爾（Lars Von Trier）的《越笨越開心》（*The Idiots*）。

尊波曼一向是商業藝術並重的導演，曾經以《風流二世祖》（*Leo The Last*）奪得 1970 年康城影展的最佳導演獎；《急先鋒奪命槍》（*Point - Blank*）和《群英會》（*Excalibur*）至今仍是我最喜歡的電影之一。兩年前，以昂山素姬為主角的《飛越仰光》（*Rangoon*）參展康城，成績不俗，但可能因為太接近荷里活商業片而沒有得獎。

《爆竊大將軍》以愛爾蘭（尊‧波曼原籍愛爾蘭）一個自小以偷竊營生的小人物馬田為主角。影片描寫馬田少年入獄，出獄已是中年，與少時情人結婚生子，但仍然以爆竊為生，甚至結黨進行有組織的大案，把警方玩弄於股掌之間，於是贏得「大將軍」的稱號。

影片以黑白軟片拍攝，片初交代馬田在汽車中遭人槍殺，編導隨即倒敘馬田少年和出獄後的事迹。尊‧波曼以流暢的敘事手法和風格化的攝影，去敘述一個竊匪傳奇性的一生（包括一箭雙鵰地與兩姊妹生活在一起）。故事牽扯到愛爾蘭共和軍，但影片的政治意識並不強烈。一齣不過不失的商業片，算是雅

俗共賞。

　　丹麥導演馮特艾爾 2 年前以英語片《愛情中不能承受的痛》獲得康城影展的評審團特別獎。新作《越笨越開心》跟前作一樣，是相當沉重和 disturbing 的作品。

　　初看以為是另一部以傷殘、弱智人士為主角的煽情電影，誰料影片峰迴路轉，不斷有所發展和變奏，煽情之餘也有一定的哲理和新意。片初一個中年婦人嘉倫在高級餐廳進食，但看來好像經濟拮据，只能點沙律和礦泉水。進餐時被鄰座一個弱智青年騷擾，最後還被青年拖著一同坐的士離去。然後，嘉倫（和觀眾）發現青年和他的一伙朋友，只是在玩一種佯作白痴的遊戲，藉以宣泄生活中的不滿和壓抑。嘉倫跟他們相處得很開心，以扮白痴來逃避現實，其後還演變成性派對。胡天胡帝，笑話連篇。到最後，他們發覺，在正常生活中扮演白痴，原來是那麼困難。但承受著最大痛苦的，竟然是嘉倫。

《星島日報》，1998 年 5 月 23 日

安哲羅普洛斯實至名歸

　　影展開幕前，在法航班機上看到一篇訪問康城影展大會主席吉爾‧乍各（Gilles Jacob）的報道，裡面提到頗為有趣的現象；根據歷屆影展的統計數字，金棕櫚大獎的獲獎影片，通常都在影展開首或結尾放映。這時，我就開始擔心，我看不到今年康城的最佳影片了。因為，在我心目中，希臘導演安哲羅普

洛斯（Theo Angelopoulos）是大師中的大師。他的參賽影片《一生何求》（*Eternity and a Day*）在 23 日才放映，而這天是我兒子的生日，我必須趕回香港跟他一起度過。消息傳來，安哲羅普洛斯果然脫穎而出。這情況，就如我過去幾年無法在康城看到金棕櫚大獎得主如《危險人物》、《沒有天空的都市》一樣，皆因這些影片在閉幕前一天才放映。安哲羅普洛斯早就應該得獎，他在 3 年前以《尤利西斯的凝望》（*Ulysses' Gaze*）第 4 次參賽，敗於《沒有天空的都市》，僅僅拿得評審團大獎，他禁不住流露失望和不滿情緒。安氏一鏡一場的絕技，在該片發揮得淋漓盡致，令電影界的「行家」看得目定口呆。我在一次評選最佳電影的遊戲中，就選之為有史以來世界 10 大電影之一。可見安氏在我心目中的地位。

　　侯孝賢的《海上花》落敗，並不算大熱倒灶，只是，連一個次要獎項也拿不到，才有點令人意外。《海上花》是侯孝賢的頂峰之作，也是某些觀眾眼中「最難頂」之作。今屆評審團的導演成員，包括馬田·史高西斯、陳凱歌、阿倫·歌爾勞、米高·溫達博頓，當中只得陳凱歌有過拍攝這種曲高和寡作品的佳績。《海上花》被評審團冷落，絕非奇事。另一個我認為很有可能的重要因素，是康城大會為了確保自己影展的「老大哥」地位，是不會讓一些曾經在威尼斯、柏林得過大獎的作者（例如侯孝賢、張藝謀、李安、蔡明亮、奇斯洛夫斯基等），在康城奪去金棕櫚大獎。印象中，只有黑澤明在拿過金獅獎後（1951

年的《羅生門》），再於康城奪去金棕櫚獎（1980 年的《影武者》）。

尊・波曼第二次獲頒最佳導演獎（上回是 1970 年的《風流二世祖》），算是實至名歸。至於維多里奧・史托拉勞（Vittorio Storaro）憑西班牙導演卡路斯・梭拉的《探戈》獲高等技術委員會大獎，也算是錦上添花。看過梭拉導演、史托拉勞攝影的《舞林大會》（*Flamenco*, 1995）的觀眾，相信都會同意這兩位仁兄「有料到」。至於其他獎項，我只覺得是「分豬肉」的成分居多。

《星島日報》，1998 年 5 月 26 日

千禧年代

第 53 屆
康城電影節 2000

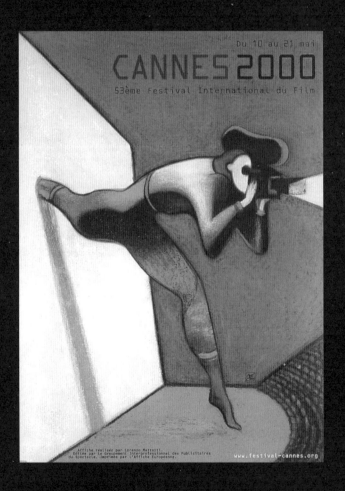

▲ 2000 年第 53 屆宣傳海報　　▶ 2000 第 53 屆康城電影節金棕櫚獎電影
《天黑黑》(*Dancer in the Dark*)

PALME D'OR CANNES 2000
BJÖRK - PRIX D'INTERPRÉTATION

DANCER IN THE DARK

UN FILM ÉCRIT ET RÉALISÉ PAR **LARS VON TRIER** MUSIQUE COMPOSÉE PAR **BJÖRK**

CATHERINE DENEUVE **DAVID MORSE** **PETER STORMARE** **JEAN-MARC BARR** **JOEL GREY**

第53屆康城日誌

之一：中港台影片參展

《花樣年華》

王家衛的新片是由法國公司出資拍攝，聽說康城的大會最高負責人吉爾・乍各（Gilles Jacob，本來是大會主席）看了40分鐘的片段，就決定邀請該片參加比賽。《花》片受到這樣的優待，相信是跟影片的法國資金有關。影片3月時仍在泰國趕工拍攝，而展出的拷貝要到本月18日才由香港付運，剛好趕及20日的放映。

《鬼子來了》

今次到康城看的第一部影片就是姜文的《鬼子來了》，改編自尤鳳偉的小說《生存》。

演而優則導的姜文，處男作《陽光燦爛的日子》已經證明了他的才氣。本片是他4年來執導的第二部電影，兩個多小時的黑白片，他自己說，拍了50多萬呎菲林，目前這個長度是他最滿意的。

在日本軍國主義者乘機侵佔釣魚台的今天，這樣一部反映戰爭毫不理性，強調中日兩國人民本來可以和平相處的電影，是非常值得鼓勵的事情。

編導狠狠批判日本皇軍在中日戰爭期間的暴行，其態度是顯而易見的。但是影片發展至最後，當吳大維飾演的國民黨軍官出場之後，影片的反日態度就變得愈來愈曖昧，姜文飾演的馬大三因砍殺日本戰俘而遇到的悲慘下場，我個人認為是醜化國民黨的一種做法，而不是合乎邏輯的戲劇發展。正如影評人 Max Tessier 在記者招待會上發表的意見，影片如果能夠稍為濃縮一下（甚至剪掉後面國軍接收日本戰俘的一大段戲），可能會更為完整。記得當年黑澤明的《影武者》在康城的版本也非常重複，公映時剪掉半個小時才真的覺得好看。

《一一》

楊德昌的《一一》也是片長 2 個多小時的電影，由日本的 Pony Canyon 投資拍攝。本片可能是楊德昌近年的最佳作品，是他最有機會在康城奪獎的野心之作。台灣著名編劇兼導演吳念真演的電腦公司總經理，偶遇 30 年前放棄的初戀情人，平凡的生活再起波瀾，再加上事業和家庭的各種問題，簡直疲於奔命。影片作多線發展，同時描畫吳的女兒、幼子、太太、妹夫等人在生活上的精神困擾和情緒波動。影片在無奈中有許多幽默和對生命的肯定，調子雖然緩慢，但筆觸細膩。

《星島日報》，2000 年 5 月 17 日

之二：嚴肅 VS 跳脫

看占士・艾華利（James Ivory）的新作《金色情挑》（*The*

Golden Bowl），頗有點時光飛逝的唏噓。第一次在康城看艾華利的改編亨利·詹姆斯（Henry James）的小說《歐洲人》（The European），已是 20 年前的事，而《翡冷翠之戀》亦已是十多年前的舊作。最令人慄然以驚的是：當年算是年輕小伙子的尼基·諾詩，以至在《神探智擒職業殺手》中演殺手的占士·霍斯（James Fox）在本片都已變成白髮蒼蒼的老頭。

《金色情挑》嚴謹工整

《金碗》是艾華利第三次改編亨利詹姆斯的小說（另外還有《波士頓人》，拍成電影《名都之戀》），拍法傳統而踏實，是他近年的佳作。對於維多利亞時代的英國上流社會生活，艾華利的確情有獨鍾。本片的演出嚴格來說不算出色，但角色人物的複雜互動關係，則絕對引人入勝。美國首富亞當（尼基·諾特）與其掌上明珠美姬（Kate Beckinsale）、美姬的好友夏綠蒂（奧瑪·花曼）、夏綠蒂的情人亞美尼哥（謝林美·諾咸），四人構成糾纏不清的多角關係。阿美尼哥為了財富和地位，寧願跟美姬結婚而捨棄夏綠蒂，而夏為了接近亞美尼哥和美姬而嫁給阿當，成為他們的繼母。阿當父女的親密又造就了阿美尼哥和夏綠蒂親近的機會，但美姬一直不知道他們兩人的情侶關係，直到有一天買了古董的金碗回家⋯⋯影片戲味濃郁，細節豐富，Tony Pierce Roberts 的攝影尤其玲瓏剔透。問題是：這會是評審們一致欣賞的藝術創作嗎？就好比畫工細膩的 19 世紀油畫，嚴謹之餘，稍欠神采和創意。

高安兄弟風趣抵死

高安兄弟的《兄弟，你在哪？》比《金色情挑》優勝的地方，是濃烈的地方色彩和時代感，再加上興之所至的幽默感和荒謬感。3 個修築鐵路的監犯，齊齊上路擺脫「鑿石仔」的苦工生涯。如果不是看過宣傳資料，我根本認不出那個滿面鬍鬚的「翻生」奇勒‧基寶，竟然就是佐治‧古尼。另外兩個「監躉」是尊‧托多奴（John Turturro）和添‧布力‧尼路遜（Tim Blake Nelson），後者有時還搶盡兩個大明星的鏡頭，真不簡單。

老實説，高安兄弟這齣新作沒有必要在康城比賽，主流商業片要金棕櫚獎來幹甚麼？我甚至在本片中看到港產商業片的影子。高安兄弟説故事的確有幾度板斧，3 人遇上 3K 黨的片段充滿娛樂動感。以民歌包裝的諷刺喜劇，有不少似曾相識的人物和場面設計，要是我來當評審：對不起，冇獎畀過你！

《星島日報》，2000 年 5 月 18 日

之三：大師風采再現

早就聽説大島渚坐輪椅復出拍《御法度》，主角是北野武和已故松田優作的兒子松田龍平。大島渚是 1960 年代日本新浪潮電影的年青闖將，憑《青春殘酷物語》、《絞死刑》等片嶄露頭角，現在已是 60 多歲的老人。1970 年代中期，大島渚最受人談論的當然是性愛鏡頭大膽露骨的《感官世界》。《御法度》是改編自司馬遼太郎原著的「時代劇」；印象中，大島渚從來沒有

拍過古裝武士片。「新選組」的題材，日本導演拍過不少，但同性戀的「新選組」，在日本電影中算是創舉。

同性戀武士片

本片最引人注目的演員，一個是現在已貴為國際級大導演的北野武（當年演《戰場上的聖誕快樂》只是玩票性質），一個是年僅 18 歲的松田龍平。松田優作是我最喜歡的日本演員之一，演過《細雪》、《其後》，還有烈尼‧史葛的《黑雨》；很難想像《黑雨》中極為強悍的殺手，有這麼一個陰柔的兒子。大島渚找他演眾人迷戀的美男角色，的確獨具慧眼。松田龍平身裁高佻，但櫻唇鳳眼，不用細意打扮，已是渾身上下散發女性魅力。

在大島渚和北野武出席的記者會上，有西方記者詢問日文有沒有同性戀這個名詞。可見西方觀眾，對東方文化認識之淺薄。中國文化有數千年歷史，有關同性戀的記載，亦有數千年歷史，但正如本片在康城的外文名字——Tabou（禁忌），同性戀自古有之，只不過不宣之於口而已。

大島渚久休復出，導技不但沒有生疏，反而覺得愈來愈精鍊，言簡意賅之處直逼布烈遜和伊力‧盧馬。大島渚自言畢生都在打破禁忌，觀乎本片和其他作品，亦絕非口出狂言。

俄羅斯風情畫

俄羅斯導演 Pavel Lunguine 的《婚宴》（La Noce），是另外一部值得一談的參賽電影。多年前曾經看過他的 Taxi-Blues，是

半紀錄性劇情片，呈現 1980 年代末期俄羅斯的某些生活面貌。

本片透過一對年輕愛侶結婚宴客的主要場景，以辛辣諷刺的筆觸，描繪俄羅斯社會的眾生相。影片大部分時間以手搖機拍攝，活潑幽默，有時傷感，有時令人捧腹。自蘇聯和東歐集團解體至今，俄羅斯經濟仍未好轉，但要結婚的人，即使如何貧困，始終要擺酒請客。社會主義尚未過渡自由經濟，特權階級仍然存在。在國家領導人眼中，這大概又是另外一部反映社會陰暗面的電影。

《星島日報》，2000 年 5 月 19 日

之四：《臥虎藏龍》動作出色，楊紫瓊贏盡喝采

影展已經進入第 9 天，大部分比賽影片都已登場亮相。根據兩份法國雜誌 *Ecran Total* 和 *Le Film Français* 的評分（代表著 20 多位法國影評人的觀點），楊德昌的《一一》暫時名列榜首。不過，影評人的口味，不等同於評審（包括導演、演員、作家）的愛惡。楊德昌能否脫穎而出？到明天，便有分曉。

南韓戲曲片

參賽的另一部亞洲片——南韓導演林權澤的《春香傳》，儼然是中國戲曲片的翻版，李夢龍娶春香為妻後上京考試，新到任的地方官垂涎春香美色，但春香寧死不屈，結果李夢龍金榜題名，回鄉剷除貪官污吏，與春香團圓。影片其實不是那麼吸引，這種題材對我來說更是老掉大牙，我之所以看到終場，是

影片中所有的人名、地名以至吟詩作對、皇上奏摺等等全部都是我看得懂的漢字。我只是想看看,當年高麗(朝鮮)文字沿用中文去到甚麼程度。依我看,本片是陪太子讀書的居多。林權澤想金棕櫚榜上題名,不是那麼容易。

發仔《臥》片戲份少

台灣導演李安拍攝的武俠片《臥虎藏龍》,獲選為「Offical Selection」(官方選擇),但不參加比賽。來影展之前,傳聞說大隊人馬殺到康城,惟有周潤發置身事外。看過影片之後,我覺得發仔對影片不滿的謠言非空穴來風。掛頭牌的雖是發仔,但主要戲分(尤其是武打場面)都集中在楊紫瓊和章子怡身上,發仔的戲可能比張震還少。猶記當年《胡越的故事》在「導演雙週」展出,發仔亦有來康城湊熱鬧。照說今次有作品入選官方選擇,沒有理由不到康城亮相。

老外拍爛手掌

我看的一場記者首映場,老外觀眾竟然拍了 2 次手掌。最大功臣顯然是動作指導袁和平,武俠小說裡面的飛簷走壁、登萍渡水,都被他拍得活靈活現,精彩紛陳。文戲方面,李安的表現就不是那麼理想。發仔和楊紫瓊的普通話唸白並不討好,我認為李安應該讓他們兩人說廣府話,然後另外再配一個國語版以照顧中國大陸和台灣市場。

另類歌舞片

丹麥導演拉斯・馮特艾爾的新作《天黑黑》是另一齣藝高

人膽大的野心之作，你能夠想像湯・漢斯演的《綠里奇蹟》穿插歌舞場面嗎？《雪堡雨傘》的導演積葵・丹美（Jacques Demy）也曾以工廠為背景拍音樂片，但馮特艾爾的歌舞場面看來是為了將激情和悲情淡化，而不是一般歌舞片以開心娛人為目的。大量手搖機攝影，半紀錄片的風格（甚是連 jump-cut 也用上了），但整體效果顯然不及前作《愛情中不能承受的痛》。

《星島日報》，20000 年 5 月 20 日

之五：Bjork 影后熱門，役所新作最長氣

今屆參賽的法國電影，似乎贏面不高，阿拉耶斯的《情感的命定》、Arnaud Desplechin 的《*Esther Kahn*》、米高・漢尼基（Michael Haneke）的《巴黎怨曲》（*Code Unknown*），都沒有冠軍相。後者有兩、三場精彩的場面調度，茱麗葉・庇洛仙的演出亦可圈可點，但整齣影片以淡出的全黑畫面分隔成許多段落，令觀眾難以投入。

亞洲片最有機攞獎

今年的歐美電影，整體成績似乎不及亞洲電影。有資格染指金棕櫚大獎的歐美電影，我認為只得拉斯・馮特艾爾的《天黑黑》，而主角冰島女歌手 Bjork 有機會奪最佳女演員獎。至於亞洲電影，最低限度已經有楊德昌的《一一》，和青山真治的《浩劫餘生》（*Eureka*），有足夠實力問鼎金棕櫚獎。王家衛的《花樣年華》是參賽片的壓軸戲，是龍是鳳，今天下午便有分曉。

至於大島渚的《御法度》，是最佳導演的熱門人選。

《我》片觀眾受落

青山真治的新片《浩劫餘生》，是參賽電影中最「長氣」的一部，片長超過 3 個半小時，而且是以黑白菲林拍攝。非常意外地，這位年輕導演的作品，居然沒有令我打瞌睡，反而愈看愈覺精神。在康城競賽的影片，監製、導演、演員踏進紅地氈會場的所謂 Offical Screening，通常是在傍晚或晚上。但青山真治、役所廣司和其他演員卻是在早上 9 時的一場記者招待場（Press Screening）「行紅地氈」，散場後觀眾報以熱烈的掌聲。

刻畫人物心魔

影片以犯罪片的格局開揚，役所廣司飾演的巴士司機在駕車途中遇到槍手騎劫，槍手冷血殺死多名乘客後，被警探開槍轟斃。澤井和車上兩個少年兄妹逃過大難，但因為目睹兇案的發生，受驚過度，心情無法回復。澤井為了平復心靈創傷，離家兩年，回來後妻子下堂求去，家人亦不接受澤井的生活態度。澤井發覺兩兄妹的家庭亦產生異變，母親離棄父親，父親車禍喪生，澤井於是搬到兩兄妹的家中寄居，同一時間，該地出現專殺女子的連環殺手，澤井頗受嫌疑。

節奏慢而不悶

本片在青山真治的操控之下，節奏雖然緩慢，但卻絕不沉悶。影片主要刻畫這 3 個「劫後餘生」的普通市民，如何克服心理障礙，如何再次積極面對人生。社會上，無論是政府或家

人，往往忽略了這些人潛藏內心的殺人傾向。影片無論在技巧和內容以至創意方面，都符合金棕櫚獎的得主的條件。

《星島日報》，2000 年 5 月 21 日

本屆康城影展主要獎項得主

| 金棕櫚大獎　　　　《天黑黑》

| 影展大獎　　　　　《鬼子來了》

| 最佳導演　　　　　楊德昌《一一》

| 評審團大獎　　　　《Blackboards》（伊朗）

《Songs From the Second Floor》

| 最佳男演員　　　　梁朝偉《花樣年華》

| 最佳女演員　　　　Björk《天黑黑》

第 57 屆 2004
康城電影節

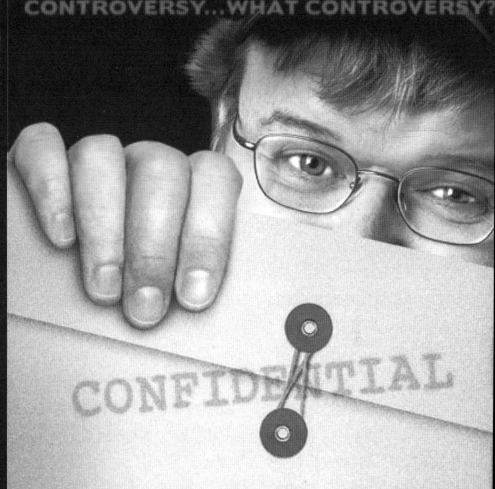

CONTROVERSY...WHAT CONTROVERSY?

CONFIDENTIAL

MICHAEL MOORE

FAHRENHEIT 9/11

DOG EAT DOG FILMS PRESENTS A FILM BY MICHAEL MOORE "FAHRENHEIT 9/11" EXECUTIVE PRODUCERS CARL DEAL EDITOR FRANCISCO A. CAMERA MIKE DESJARLAIS MUSIC JEFF GIBBS
LINE PRODUCER MONICA HAMPTON EDITORS KURT ENGFEHR CHRISTOPHER SEWARD A.C.E. WOODY RICHMAN CO-PRODUCERS JEFF GIBBS KURT ENGFEHR SUPERVISING PRODUCER TIA LESSIN
EXECUTIVE PRODUCERS AGNES MENTRE HARVEY WEINSTEIN BOB WEINSTEIN PRODUCERS JIM CZARNECKI KATHLEEN GLYNN WRITTEN AND PRODUCED AND DIRECTED BY MICHAEL MOORE

IFC Films   LGF

(WINNER / BEST PICTURE / 2004 CANNES FILM FESTIVAL)

第 57 屆康城電影節
——政治掛帥　香港揚威

　　今年影展開幕前，最受談論的話題，當然是王家衛的《2046》終於趕得上在康城亮相了。再下來便是米高·摩亞（Michael Moore）的《華氏九·一一》（Fahrenheit 9/11），非常罕有地以紀錄片的身分參賽。去年米高以《美國黐 GUN 檔案》（Bowling For Columbine）獲得 55 週年特別獎，遇上美國布殊總統悍然入侵伊拉克，自是人氣急升。亞洲電影強勢出擊，王家衛的香港片，加上 2 齣日本片，2 齣南韓片，1 齣泰國片，同時角逐金棕櫚大獎，也相當令人矚目。

　　亞洲電影當中，香港業界的來勢洶洶，也是史無前例的。入選「官方選擇」（official selection）項目的，還包括杜琪事的《大事件》，張藝謀的《十面埋伏》（老闆之一是香港安樂公司的江志強），而 2 齣影片只作觀摩。此外，張曼玉主演的法國片《錯過又如何》（Clean）有份參與競賽。9 名評審團成員中，1 位是來自香港的導演徐克。一時間，大堆香港影人得以在康城著名的紅地氈上拾級而上，除了康城常客和前述幾位外，劉德華、陳慧琳、劉嘉玲、張家輝，加上兩岸的章子怡，鞏俐，張

震，日本的金城武、木村拓哉，都為港片而來，的確盛況空前。

可是，在香港貿易發展局舉辦的「香港之夜」酒會上，卻看不到這種盛況。導致這種情況的出現，我認為除了各方缺乏溝通之外，也存在「我唔睇佢台戲，佢又唔睇我台戲」的矛盾和猜忌。香港電影業界要真正團結合作，看來仍是長路漫漫而崎嶇。

《2046》雖然「食白果」，但王家衛的鋒頭絕不遜於金棕櫚得主米高·摩亞。記憶中，大概沒有任何大師可以令康城影展等足 3 年。即使參賽影片名單已經公佈，許多出席影展的影評人和業內人士，對影片是否趕得起，都抱著懷疑的態度。以我出席康城影展二十多年的經驗，也從未遇到過傳媒招待場要取消的前科。事實上，康城大會對王家衛已是從寵愛有加：這種事情如果發生在其他影展，參賽資格可能早被取消。

4 年前我為余力為的《天上人間》在康城安排比賽時宜，當時要為影展提供兩個法文字幕拷貝（一個是後備拷貝 security print）和一個英文字幕拷貝（供影片市場放映），都要在影展開幕前寄到。影展當局對王家衛特別照顧，已是彰彰在目。由於《2046》的拷貝遲到，官式首映（official screening）當天早上的傳媒招待場被逼推遲至晚上舉行，放映場地亦由千多座位的盧米埃爾放映廳（Salle Lumière）改為只得數百座位的德布西放映廳（Salle Debussy），對於要天天發稿的日報影評人來說，固然大起恐慌，因為恐怕人多不能進場，亦有人極表不滿，因為夜

深仍要趕稿,美國《綜藝》雜誌(*Variety*)的資深影評人陶・麥卡菲(Todd McCarthy)在每天出版的特刊上撰文,反映部分影評人和業界的不快。而不少人更懷疑王家衛故意出此下策,以提高《2046》在康城參賽的「墟冚」程度。不過,王家衛已在後來的記者招待會否認這種說法,認為純屬揣測。

《2046》鎩羽而歸,反應最激的似乎是梁朝偉。他質疑獲得最佳男演員獎的 14 歲日本童星有何演技可言?他其實亦質疑了今屆評審團的專業資格,9 位成員中起碼包括 2 位拿過金棕櫚大獎的國際級大導演,昆頓・塔倫天奴(Quentin Tarantino)和謝利・薩茲堡(Jerry Schatzberg)和 1 位香港資深導演兼製片人徐克,以及包括艾曼妞・琵雅(Emmanuelle Béart)和嘉芙蓮・端納(Kathleen Turner)在內的 4 位國際知名演員,9 位評審中有 7 位是與電影演出有直接關係的業界人士。你要質疑柳樂優彌的演出,質疑評審不識貨,不如就找是枝裕和的最新作品《誰知赤子心》看看。

平心而論,梁朝偉在《2046》的演出,跟柳樂優彌在《誰知赤子心》的演出一樣,只是導演手上的工具,但柳樂優彌的戲份比偉仔多,而是枝裕和的影片亦相對地平實感人和富有社會性。柳樂演「生性」的男孩,在母親離家後,負起照顧弟妹的責任。自父親走後,這已不是母親離家的第一次,但這次時間實在太長,終於悲劇收場。柳樂即使表情木訥(另一說法是表情自然),但身體語言方面(就算未受過專業訓練),表現

於鏡頭前面的從容和真實，亦殊不簡單。柳樂的角色，給人印象殊深，我是頗為認同康城評審今次的選擇。畢竟，演員的得獎，往往就是對導演的嘉許。要是偉仔知道從來沒有演員在康城梅開二度。對於柳樂獲獎，相信不致耿耿於懷。

在這裡，我不便猜測張曼玉在《2046》有過甚麼演出，反正有過甚麼演出都被剪掉了（最慘的是剪剩一至兩秒鐘的鏡頭，不知是走漏眼，還是故意令人難堪）。坦白說，從男性觀眾的角度看，我認為張曼玉在《花樣年華》的演出，比偉仔更 memorable（印象難忘）和更值得「攞獎」，今次張曼玉憑前夫奧利維埃‧阿薩耶斯的《錯過又如何》(Clean) 榮膺康城影后，也確是遲來的補償。張曼玉在片中戲份極重，幾乎由頭演到尾，就連尼克‧諾斯（Nick Nolte）都淪為大配角。值得留意的是康城的評審團獎通常頒給影片或導演，而今次獲頒此獎的除《夏夜情迷》(Tropical Malady) 的泰國導演意阿彼察邦（Apichatpong Weerasethakul）外，另一得獎者是在《師奶殺手》(The Lady killers) 中演房東的黑人女演員艾瑪，荷爾（Irma P. Hall）。我有理由相信，艾瑪曾經是最佳女演員的熱門人選，有部分評審可能提議由張曼玉和艾瑪分享女演員獎。經激辯後作出妥協，結果艾瑪獲評審獎作為補償和特別嘉許。

《2046》未能獲獎，未知是否跟影片拷貝遲到有關？不過，也不應以成敗論英雄。

兩屆金棕櫚大獎得主的古斯杜力卡（Emin Kusturica）以《生

命是個奇蹟》（*Life Is A Miracle*）參賽，不也吃了「白果」嗎？
該片其實拍得不俗，製作認真，可惜跟前作《沒有天空的都
市》（*Underground*）相比，未有突破。戰勝別人，先戰勝自己。
說《2046》是《花樣年華》的下集，有點牽強。我們也不必視
《2046》為《花樣年華》的下集，周慕雲的角色，由克己復禮，
壓抑性慾，到風流倜儻，自我放縱，並無必然的關係。第二個
蘇麗珍的出現，的確有點突兀，既然大家都知道 2046 這個數
字，是 1997（香港回歸）加 50（鄧小平說 50 年不變），我們冀
望《2046》對眼下香港社會的政治生態有一丁點兒的反映，也
是人之常情．或許就是這種絕對的政治冷感和欠缺社會觸覺，
相對於《華氏九‧一一》泰山壓頂般的反布殊的呼喚、反戰的
呼聲，對人權、自由、和平的追求，而未能獲得評審的垂青。
至於杜琪峯的《大事件》，片首的警匪大駁火，以長達 7 分鐘的
「一鏡直落」的長時間鏡頭（long-take）拍攝，頗令人咋舌。只
是電影科技發展到今天，數碼特技早已泛濫的年代，更奇觀、
更驚人的鏡頭，也不容易贏得觀眾的掌聲。相對於《2046》的
政治冷感，《大事件》比較聰明（或者比較天真？）的是對香港
警方，對特區政府「講大話」的質疑。影片在某程度上亦反映
了在影視媒介和資訊發達的年代，形象和公關手腕，往往決定
了事件的成敗。越大件事就要越搞好公關和形象，誠信已經不
是公職人員守則，豈不令人痛心疾首！
　　張藝謀的《十面埋伏》在「官方選擇」項目作觀摩展出，

事前亦備受注目。張藝謀自出道以來，就是柏林、威尼斯、康城等三大影展的寵兒，上回因《一個都不能少》跟康城大會出現齟齬，今次乘《臥虎藏龍》的餘威，加上劉德華、章子怡、金城武等中、港、台巨星助陣，自是威風八面。問題是前作《英雄》為秦始皇翻案，令一個本來沒有太多爭議性的、負面多於正面的梟雄，變成正面多於負面的大英雄，間接為武力統一中國的合理性鳴鑼開道。許多對中國歷史和中國政治現狀稍有認識的外國影評人，例如 Max Tessier、Hubert Niogert 等，對張大導刻意在片中傳達的這種不惜武力解決的「大一統思想」都不以為然。也因此，許多影評人對《十面埋伏》並不寄厚望。

作為一齣荷里活式包裝的商業娛樂片，《十面埋伏》確的合格有餘：作為一齣港式武俠動作片，更不乏神來之筆。但亦僅此而已。也好，張大導今次一本正經地拍攝浪漫愛情武俠鉅構，沒有了《英雄》那足以誤盡蒼生的歪理，故事架構單直接，偶有轉折，加上連場惡鬥，最精彩的還是片初章子怡飾演的盲眼歌女起舞擊鼓，立即贏得老外的掌聲。本片對飛刀絕技和超卓箭術的具體呈現，確實令人大開頭界。然而，動作場面雖有所突破（武術指導程小東），愛情方面欠缺感人筆觸，影片因而無法突破類型電影的窠臼，著實令人感到惋惜。試看評審主席塔倫天奴的新作《標殺令2》（在康城作特別首映），除了動作場面火爆刺激之外，片中描述的人倫關係和愛恨糾纏可謂入木三分，具見塔倫天奴的功力和創作野心。

米高‧摩亞（Michael Moore）的《華氏九‧一一》（*Farenheit 9/11*）獲得金棕櫚大獎，其實也是時勢造英雄。假使美國沒有選出小布殊做總統，假如「九一一」恐怖襲擊沒有發生，假設布殊總統沒有悍然入侵伊拉克，米高‧摩亞就不可能剪到這樣精彩的鏡頭，例如小布殊在小學課室聽聞幕僚報告「九一一」惡耗時的反應，以及他在宣佈出兵伊拉克時在錄影機前擠眉弄眼的醜態……等等。作為一齣反戰、反美、反布殊的紀錄片，它在人道主義和人文精神的訴求上，其實不及去年在香港國際電影節上大獲好評的紀錄片《喀布爾小丑》（*Clown in Kabul*）來得單純和激盪人心。《華氏九‧一一》是懷有政治目的的，就是要轟布殊總統下台。當然，這個政治目的，你和我大概都不會反對，遇上塔倫天奴這樣不拘一格的評審主席，《華氏九‧一一》以紀錄片身分掄元，殊不令人意外。值得注意的是，《華》片同時獲得國際影評人聯盟獎（FIPRESCI Award），亦可見人心所向。

《華氏九‧一一》獲獎後，法國《解放報》（*Libération*）的頭版標題是：「棕櫚大道對準布殊的導彈」（Missile de Croisette sur Bush），《巴黎人日報》（*La Parisien Dimanche*）的頭版標題是：「康城：挑戰布殊的金棕櫚大獎」（Cannes: la Palme d'Or qui défie Bush），而《費加羅日報》（*Le Figaro*）的標題是：「米高‧摩亞催生政治性的金棕櫚大獎」（Michael Moore Inaugure la palme politique）。無可否認，《華氏九‧一一》獲獎是政治凌駕

藝術。問題是：為甚麼兩組康城評審不約而同地作出相同的抉擇呢？這現象直接反映了美國布殊總統上任以來不得人心，已經到了人人得而罵之的地步。《華》片引起舉世觀眾的共鳴，絕對可以理解。

　　《華氏九‧一一》在康城獲得殊榮，間接亦反映了今年參賽的影片良莠不齊，水準頗為參差。數十年來一直是全球電影節和影片市場的龍頭大哥，按道理，是不可能排出這樣的陣容作為競賽影片的。我對紀錄片及動畫片並無偏見，但像《史力加 2》(*Shrek 2*) 這樣毫無特色、毫無新意的荷里活式卡通片，居然亦在競賽之列，著實令人摸不著頭腦，押井守的日本動畫 *Innocence* 亦不算出色，連篇累牘的對白令人懨懨欲睡。至於獲得評審團大獎的南韓片《原罪犯》(*Old Boy*)，我在去年十一月舉行的意大利米蘭影展已經看過。換句話說，康城影展參賽影片必須是世界首映（主要地的公映或首映除外）這一牢不可破的規定，已是名存實亡。

　　最離奇的是一齣以釀製葡萄酒的紀錄片 *Monvidino*，竟然由觀摩片升格為競賽影片，連我這個業餘的紅酒品評者和愛好者，也對那冗長的篇幅感到吃不消，至於侯孝賢的《咖啡時光》未能入選，也不得不令人疑泰爾利‧費模 (Thierry Frémaux) 的人脈關係和選片口味，聽說大會主席吉爾‧乍各 (Gilles Jacob) 今年完全退居幕後，讓泰爾利自由發揮，但競賽影片整體成績強差人意，長此下去，康城的龍頭大哥地位，隨時拱手讓賢。

　　今年康城的 big names，有份參賽的幾乎都空手而回，但其實他們的作品都保持一貫的水準。像古斯杜力卡（Emir Kustrica）的《生命是個奇蹟》（*Life is a Miracle*），和路達・沙利斯（Walter Salles）的《革命前夕的摩托車日記》（*Diarios De Motocicleta*），高安兄弟（Coen Brothers）的《師奶殺手》（*The Lady killers*），以至高達只作觀摩放映的《高達神曲》（*Notre Musique*），以及艾慕杜華的開幕電影《聖・教・慾》（*Bad Education*）等等，都有不俗的成績。

　　最令人失望的大師級作品肯定是基亞魯斯達米的《五》（*Five*）。還好該片只作觀摩放映，否則泰爾利的成績表上可能又增多一個「雞蛋」。《五》片只得 5 個紋風不動的長鏡頭（Long-Take），好整以暇地看著海邊的雀鳥、海邊偶爾走過的行人……等等，很難說它有甚麼實驗性、戲劇性，也跟詩性寫實主義沾不上邊，也看不出有甚麼特別的訊息和創新之處。像這樣的作品，任何電影系學生大概都拍過，甚至不比基亞魯斯達米差，基氏對荷里活式商品的齒冷委實過了頭，但類似的個人作品，在抗衡商業掛帥的劣片方面，似亦於事無補。基氏展出的另一作品《10重拾》（*Ten on Ten*）則頗具特色，基氏一面開車，一面對著鏡頭侃侃而談他拍 *Ten* 的心得和對電影藝術的理念，分為十個片段。最令人印象深刻的是他引述意大利電影大師艾曼諾・奧米（Ermanno Olmi）的說話：「第一代電影人把他們的生活體驗拍成電影，第二代電影人看第一代的電影加上自己的生

活體驗拍成電影，第三代看第一、二代的電影然後拍成電影，現在這代人只看各式各樣的價目表（Catalogue）然後拍成電影（大意）。」言下之意，是對過份倚重電影科技、尤其是數碼技術的電影商品不以為然。

今年康城評審團的取向，明顯地鼓勵主流電影工業以外的紀錄片工作者、獨立電影製作人，以至新進導演和演員。《華氏九‧一一》獲得高度評價，固然是這種理念的落實，其餘獲獎影片和影人，例如南韓導演朴贊郁的《原罪犯》，泰國導演阿彼察邦的《夏夜情迷》，日本14歲小演員柳樂優彌，東尼‧格烈夫的《放逐》（Exils），全部都跟這個理念吻合。在主流電影工業，尤其是荷里活商品幾乎壟斷世界市場的形勢下，也惟有這種義無反顧的支持和鼓勵，才可以寄望各國電影有百花齊放的一日。

主要獎項名單

▎金棕櫚大獎
《華氏九‧一一》

▎評審團大獎
《原罪犯》

▎最佳女演員獎
張曼玉（Clean）

▌最佳男演員獎

柳樂優彌（*Nobody Knows*《誰知赤子心》）

▌最佳導演獎

東尼、格烈夫（*Exils*）

▌最佳編劇獎

Agnes Jaoui & Jean-Pierre Bacri（*Comme Une Image*）

▌評審團獎

《夏夜情迷》及 Irma P. Hall（《師奶殺手》）

▌金攝影機

《後街天使》（*Or*）（導演：凱倫・葉達雅，Keren Yedaya）

▌國際影評人聯盟獎

《華氏九・一一》

原刊《電影雙週刊》第 656、657 期，

2004 年 6 月 2 日 /16 日出版

第 58 屆
康城電影節 2005

FESTIVAL DE CANNES

11 MAI · 22 MAI 2005

▲ 2005 年第 58 屆宣傳海報　　　▶ 2005 第 58 屆康城電影節電影
《孩子》(*L'Enfant*)

L'enfant

un film écrit et réalisé par
JEAN-PIERRE et LUC DARDENNE

第 58 屆康城電影節
——大師回朝　傑作不多

　　去年和今年的康城電影節，在挑選競賽影片的大方向上，出現了前所未見的強烈對比。去年偏重破格出位、紀錄片、動畫片皆得以參加比賽，而一眾大師諸如邁克·李（Mike Leigh）、溫·韋達斯（Wim Wenders）、侯孝賢的新作卻被拒諸門外。結果《華氏9/11》以紀錄片身份奪標，但未能入圍康城的《地下觀音》（*Vera Drake*）三個月後卻為邁克·李贏得威尼斯金獅大獎。於是泰爾利·費模（Thierry Fremaux）的選片品味和眼光備受質疑，導致今年的選片方向來一個一百八十度轉變，大部份參賽導演都是「名牌」或大師，實行「有殺錯，冇放過」！

　　主辦國法國並未能排出強陣應戰，開幕電影《挪威鼠》（*Lemming*）和另一參賽影片《作畫或做愛》（*Peindre ou Faire L'amour*）都是新秀作品，唯一大師級作品是原籍德國的米高·漢尼卡的《隱藏》（*Hidden*）。漢尼卡在大熱姿態下只摘下最佳導演獎，領獎時滿臉不高興，顯然對賽果感到失望。其實漢尼卡早前已奪得國際影評人聯盟獎（Fipresci Prize）和天主教

人道獎，大概他早已預計金棕櫚獎應是囊中之物，因而倍感失望吧！

如果說「心酸」，你慘得過侯孝賢！《最好的時光》差不多最後那天才放映，事前也被傳為大熱門。根據《法國電影》（Le Film Francais）的評分表，15 位影評人中有 5 位給予《隱藏》最高評價，而《最》片則獲得 4 位最高評價（但 15 人中有 4 位趕不及評分）。結果侯孝賢「食白果」，漢尼卡獲最佳導演獎。正所謂「有幸有不幸」，影展評獎從來都是取決於評委的口味和討論過程，除非評委一致投票選出同一作品，否則奪魁影片只是評委間由爭持至妥協的結果，並不表示誰是真正的真命天子。

倒是銀髮飄飄的占・渣木殊（Jim Jarmusch）在台上顯得極有風度，他出道以來已是康城影展常客，今次以甚得觀眾歡心的《碎花》（Broken Flowers）獲得評審團大獎（Grand Prix），除了謙虛地表示跟韋達斯、哥連堡，馮・特艾爾……等大師同場比賽是榮幸之外，更特別提到侯孝賢和杜琪峯，說：「侯孝賢，我是你的學生……」侯孝賢看到占・渣木殊那一臉誠懇的表白，相信必然感到窩心。

漢尼卡的前作《五狼時刻》（Time of The Wolf）其實不得我心，今次的《隱藏》已算狀態回勇。一個電視清談節目主持人陸續收到奇怪郵件——對正家門拍攝的錄影帶，他跟妻子開始感到被不明人士監視的恐懼，在困擾之餘憶起童年往事，原來他對異族小孩有過點宿怨。階級對立、文化隔閡、種族恩怨等

社會問題逐漸浮現，結尾的自殺場面更令觀眾措手不及而引起震驚。漢尼卡勾起了法國殖民主義者當年打壓阿爾及利亞人的醜惡往事，然而編導對有色人種的憤怒、復仇心態不無譴責意味。對於天主教組織頒本片以人道獎。我個人有保留。只可惜另一法國佳作《聖誕快樂》（*Merry Christmas*）並未參與競賽，否則人道獎非它莫屬。詳情容後細表。

占‧渣木殊今次獲獎的《碎花》向荷里活主流製作靠攏，主要演員都非泛泛之輩，標‧梅利、莎朗‧史東、謝茜嘉‧蘭芝、桃黛‧史韻頓、茱莉‧黛珮都各有 Fans。標‧梅利演一個事業有成的鑽石王老五，沒有一個女友能留住他的心。一天突然接到舊情人沒有具名的信，說她替他生的十九歲兒子快將到訪。在鄰居黑人偵探迷的慫恿和主動安排下，他懷著忐忑的心情上路，逐一探訪舊愛。毫無疑問，本片是占，渣木殊最精煉成熟也是具娛樂性的作品，片中莎朗‧史東和那羅莉姐（Lolita）似的女兒就令人印象殊深。

好笑的是，年紀「有番咁上下」的電影導演或明星，都有如舊時粵語片導演般大玩私生子的橋段，「呢個係你個仔？！」今年除了占，渣木殊，另一個便是溫‧韋達斯。無獨有偶，兩個人都擅拍公路電影，而韋達斯的《別來敲門》（*Don't Come Knocking*）更似是《德州巴黎》（*Paris Texas*）的變奏。森‧薛柏（Sam Shepard）演遲暮的牛仔片明星，在荒山野嶺拍片途中策騎而去。保險公司四出搜索其蹤影，否則影片拍不下去就要賠

償。森回到昔日老家，不見多年的母親說他的舊愛養著他的兒子，經過多番轉折，終於父子相認。飾演舊愛的謝茜嘉‧蘭芝演技一流，可惜導演編排的戲份不多，否則輪不到以色列肥胖女星漢娜‧拉絲露（Hanna Laslo）上台領獎。類似的倫理文藝片缺少了感人的結局或精彩的收筆，未免功虧一簣。

侯孝賢的《最好的時光》亦同樣遭遇。三個不同年代的故事，都由舒淇和張震擔綱演出。1966 年高雄的《戀愛夢》，圍繞著桌球室的浪漫情懷。年輕戀情份外飄逸迷人。1911 年六稻城的《自由夢》，以國民革命和梁啟超逃亡海外作背景，以默片形式（加插解說字幕）娓娓道來，格外古典精緻。2005 年台北的《青春夢》，青春原來滿是苦澀和遺憾。三段之中，前兩段最好看，末段的人物和情景範圍最是常見（加上手機作為現代人的實用玩具），未能進一步呼應前兩段的淡淡哀愁，實在有點可惜。

國內導演王小帥的《青紅》奪得評審團獎，相信與影片的收筆相對地隱含震撼力有關。文革初期從上海到貴陽上山下鄉的青年，到 1983 年改革開放初期已是女兒都已亭亭玉立的中年，一方面盼望回歸上海，另一方面希望女兒能考入大學、改善生活，因而對女兒管教甚嚴，女兒因一時不慎而抱憾終生。撇開時代背景，本片人物和劇情都稍欠新意，猶幸結尾一家人乘車離開貴陽的一場戲處理得宜，令影片有感人的餘韻。

以《鎗火》和《PTU》在海外廣獲好評的香港導演杜琪峯，

最近兩年的新作都在國際數一數二的影展參展，去年《大事件》和《柔道龍虎榜》先後在康城和威尼斯作非競賽的官方展出（有別於市場放映），今年更在康城首次參加正式比賽。只可惜《黑社會》在藝術上不算成功，而即使沒有拿得甚麼獎項「康城參賽影片」，在歐美市場而言，本身已是賣點。相信杜琪峯這次康城之行，收穫會是相當豐厚的。同樣是群戲，同樣是以夜城為主，《黑社會》對角色的描寫和場面調度就沒有《鎗火》和《PTU》來得從容有度和精煉。放在眾多參賽影片當中，本片的攝影和音響效果明顯地較為粗糙。西方觀眾無論是達官貴人或販夫走卒，對於香港電影中述及的所謂「黑社會」（Triad），都懷有高度好奇心理。杜琪峯選取這一題材，其實是「捉到鹿」，但「唔識脫角」。影片開拍之初，未知是針對本地觀眾？抑或 Target 外圍觀眾？又或企圖兼收並蓄？以目前的成績看來，似乎兩不討好，而本地觀眾對本片可能較為受落，皆因演員陣容不弱，亦不乏戲劇衝擊和暴力場面。

　　戴丹兄弟以《半熟爸爸》再次勇奪金棕櫚大獎，說明低成本的獨立電影，只要製作用心、言之有物，一樣有機會獲得觀眾和業內人士的讚賞。前年香港國際電影節為戴丹兄弟舉辦了一個小型回顧展，放映了他們的 5 部劇情片，其中就包括在康城獲得殊榮的《露茜姐》（Rosetta）和《他人之子》（The Son）。戴丹兄弟未轉拍劇情片之前，曾製作過六十餘部紀錄片，難得的是轉拍劇情長片後，其鏡頭下的演員的演出卻真實

得有如紀錄片，而徐徐沁出的劇力震動人心。

　　未婚生子是常見的題材，但《半熟爸爸》卻兼具獨特性和普遍性。20歲的布諾跟幾個少年幹著鼠竊狗偷的勾當，而18歲的桑雅則為他誕下男嬰。兩個「大唔透」的父母照顧初生嬰兒，觀眾看著就已心驚肉跳。誰知那個「唔生性」的布諾，竟把男嬰當偷竊回來的「老鼠貨」般賣掉，天真地以為桑雅會同意。身為母親的桑雅雖然心智未夠成熟，但畢竟是親身骨肉，於是「要生要死」地要討回孩子。布諾雖然以銀兩贖回兒子，但中間人是黑社會，麻煩遂接踵而來。

　　戴丹兄弟那種緊跟著主角臉容和身體語言的拍攝手法，很快便令觀眾全情投入。社會現實和人倫關係，戴丹兄弟有著過人的體會和觀察。領養小孩甚至販賣小孩，無可否認有其普遍性。法國著名導演貝特朗·塔凡里埃（Bertrand Tavernier）去年就拍了一齣劇情片《聖潔羅拉》（*Holy Lola*），講述一對法國夫婦跑到柬埔寨企圖領養孤兒，對法國方面來說是收養，對柬埔寨方面來說是販賣兒童，因為太多貪污和賄款牽涉其中。但塔凡里埃那種白種人的優越感和激情過於泛濫，不似戴丹兄弟那不慍不火的令觀眾作出反思。

　　獲得最佳女演員獎的以色列影片《自由區》其實絕對不是好戲，片中漢娜·拉絲露的演出，跟早前憑《秘密與謊言》獲獎的Brenda Blethyn，以及去年憑《地下觀音》（*Vera Drake*）獲威尼斯電影節最佳女演員獎的Imelda Staunton比較，簡直小兒

科矣。大家都是奇貌不揚的中年婦人，但漢娜的演技，唉！怎可能這樣輕易得獎！我真的替舒淇感到不值。《自由區》的導演Amos Gitai 的活動能力很強，他在歐洲尤其是法國很吃得開。不知是以色列「蜀中無大將」，還是以色列猶太勢力在電影界的實力的確龐大。橫看豎看，我都不覺得 Amos Gitai 的作品有任何過人之處。

獲得最佳男演員獎的《艾斯達的三個葬禮》是今年康城的意外收穫之一。演而優則導，湯美‧李‧鍾斯又來自導自演？是不是太遲？不，有心唔怕遲！奇連‧伊士活今次後繼有人，只是湯美‧李‧鍾斯真的有點老。但老而彌堅，滿臉縐紋也不怕大特寫入鏡；終於一償所願，登上康城影帝寶座。湯美初次執導，頗有大將之風。但最大功臣是英籍攝影指導基斯‧孟捷思（Chris Menges，早期常跟堅‧盧治合作）。本片的視覺風格為現代西部片提供嶄新角度。Guillermo Arriaga 獲獎的劇本並不是簡單的復仇故事，友情、義氣和追求公義，才是編導著眼的地方。對於從墨西哥邊境偷渡到美國境內的非法移民，編導寄以絕大同情。美國影壇又多了一位能演能導的「老薑」，可喜可賀！

今年的競賽影片，我個人認為是平庸之作的有：小林政廣的《狂擊》（Bashing），吉士‧雲遜的《最後的日子》（Last Days），拉斯‧馮特艾爾的《地獄莊園》（Manderlay），洪尚秀的《電影故事》（Tale of Cinema），瑪花‧費恩斯的閉幕電影《顏

色恐懼症》(*Chromophobia*)，和前面提到的《自由區》。也許有人喜歡看，但對不起，那不是我的一杯茶。

至於艾湯・伊高揚的《赤裸真相》(*Where The Truth Lies*)、大衛・哥連堡的《暴力史》(*A History of Violence*) 和羅拔・洛迪格斯 (Robert Rodriguez) 的《罪惡城》(*Sin City*)，雖非傑作，卻都具有可觀之處。性感、感性，暴力、動作，在類型電影當中合格有餘，將來應會在港發行，也就不多作介紹。

反而在非競賽的「官方選擇」(Official Selection) 當中，活地・阿倫的《迷失決勝分》(*Match Point*)，以及法國新進導演基斯汀・卡里翁 (Christian Carion) 的《聖誕快樂》(*Merry Christmas*)，給人意外驚喜。尤其是後者，展出過後引起轟動，上門斟介的發行商絡繹不絕，可說「豬籠入水」，預料賺到盤滿砵滿。

同樣是以上世紀初歐戰為背景，尚皮亞・桑里的《美麗緣美了》是荷里活投資的超大製作，但缺乏感人筆觸，而《聖誕快樂》是卡里翁集合歐洲多國資金的小型製作 (在戰爭片而言)，但劇力牽動人心，其反戰意識以及世界大同的人道主義思想，更是呼之欲出，因此絕對值得頒予天主教人道獎。

話說歐戰爆發不久，法國、蘇格蘭、德國士兵在戰場打生打死，到了聖誕夜，德軍方面有歌唱家在陣前引吭高歌「平安夜」，蘇格蘭士兵以風笛奏「O Come All Ye Faithful」作善意回應，法國軍官高興得以香檳酒款待德國將領，德、蘇、法士兵

軍官齊齊從戰壕爬出來，在無人地帶（No Man's Land）互相問候，喝酒談天。蘇格蘭隨軍教士甚至為士兵們主持子夜彌撒。天亮後，德軍知道支援部隊將會向法軍陣地發炮，德國軍官竟向法國軍官提議，請他們的士兵到德軍陣地暫避。這一切都好像天方夜談，但編導娓娓道來，角色和劇情細節編排有驚人魅力，令你不但相信真有其事，甚至大受感動（聽說有人看到熱淚盈眶）。看過這部影片的觀眾，許多都認為是今年康城影展的一大發現。

至於活地・阿倫首次在英國攝製的《迷失決勝分》，基本上是以浪漫愛情為主調的犯罪片。編導強調運氣對人的重要，能否飛黃騰達要靠運氣，能否逍遙法外也要靠運氣。影片的男主角是網球好手，所謂「決勝分」當然是決勝負的一刻，遇到網球觸網，球再彈起，是彈去對方場地抑或彈回己方，勝負關鍵全由運氣操縱。活地・阿倫自從放棄幕前演出後，影片真的較有睇頭。不過，本片的兩位男角，始終不及女角出色，演美國女演員的史嘉麗・約翰遜，以及演英國淑女的艾美莉摩迪瑪（Emily Mortimer，近作《爸爸愛的回信》），都搶去不少鋒頭。

導演雙週（Director's Fortnight）今年在康城，在「某種觀點」和在「導演雙週」，都看了許多好片，有時驚喜程度不下於競賽影片。現在只談「導演雙週」展出的部份作品。

法國新進女導演碧姬・盧安（Brigitte Rouan）的《大裝修》（*Travaux*）是人情味喜劇，女律師專為無證人士搞居留，到家中

要裝修時，請來的全是外勞，弄得全屋飛沙走石、一塌糊塗，結果當然喜劇收場。編導肯定外來移民的貢獻，可見法國人對外族的寬容及融和。

另一法國新進導演艾曼努・卡拉利（Emmanuel Carrere），乃著名影評人兼作家，今次親自改編自己的小說《鬍子驚魂》（*La Moustache*），未段全部在香港拍攝實景。留著「二撇雞」超過 10 年的丈夫，有天突然「身痕」，要刮掉鬍子，看看太太、同事及其他人有甚麼反應。太太竟說他從來都沒有鬍子，其他人都若無其事，不覺得他有何異樣。這下子慘了，莫非是自己的幻覺？難道是自己神經有問題？結果要跑到香港的郊區尋找自我。

今年有 2 位來自日本的康城常客，一位是柳町光男，一位小栗康平，兩人都有十年八載未有開戲。小栗的《被埋葬的樹林》，我錯過了，一般反應和評論都不俗。柳町的《開麥拉荒卡繆》（*Who's Camus Anyway ?*），頗有夫子自道的況味。電影系教授本是電影導演，多年未有拍戲。電影系學生不乏影痴，「開口埋口」高達、維斯康提，還有 5 天便要開拍學生習作，拍的竟是殺人滅口的場面，令人想起柳町的前作《火祭》。教授戀上女學生，誰料伊人早有丈夫。犯罪片的基調，加上《死在威尼斯》的變奏，青春少艾的燥動，本片是柳町光男回復水準之力作。

《肯恩》（*Keane*）是美國新銳導演 Lodge Kerrigan 的第 3 部

作品。為人父親的肯恩偕 6 歲女兒外出，女兒不知是被人拐帶，抑或自己走失？已經 6 個月了，依然杳無音訊，但父親無法接受這個現實，兼且一直自責。不知是否剛於法國的機場看到一些小童失蹤的告示和照片，看本片時特別同情這個父親的遭遇。做人父親不容易，似是今年康城影展的熱門話題。

　　拍過《女摔角手的血與淚》和《殘酷的割禮》的英國女導演金‧朗芝諾圖（Kim Longinotto），今年又有新作。一如既往，這部在喀麥隆拍攝的紀錄片《法庭姐妹》（*Sisters In Law*），也是致力於爭取婦女權益。一位女律師，一位女法官，為社會受到欺壓的婦女取回公道。一部以非洲黑人為題材的紀錄片，令人看得津津有味，朗芝諾圖（與 Florence Ayisi 合導）不愧是紀錄片高手。

原刊《電影雙週刊》第 682、683 **期，**

2005 **年** 6 **月** 2 **日** /16 **日出版**

第 59 屆
康城電影節 2006

FESTIVAL DE CANNES
17 MAI - 28 MAI 2006

Cillian
MURPHY

Liam
CUNNINGHAM

Padraic
DELANEY

Directed by Ken Loach Screenplay by Paul Laverty

THE WIND THAT SHAKES THE BARLEY

從香港到康城
——三十年再說從前

　　或者因為年邁的父親罹患癌症，需要接受肺部腫瘤切除手術，今年的康城電影節，特別令我感觸良多。首次以影評人身份出席康城影展，是 28 年前。那時我在巴黎攻讀電影，1978年 5 月某天，坐上了一列開往法國南部的火車，把功課和考試拋諸腦後，來到繁花似錦的康城，見識了星光閃熠、煙花繁華的影展之都，有說不出的興奮和震撼。

　　今年起程前往康城公幹之前，因為要打點父親住院、開刀和出院的事情，特別感到勞累和憂心，電影就成為忘記現實煩惱的靈丹妙藥。回想過去康城影展將近 30 年的變化，雖然是漸進式的，也可以看到 30 年前和 30 年後的分野。對於香港電影業界而言，今年康城最具意義的重大事情是：香港導演王家衛出任評審委員，但王家衛是第一位香港電影人、也是第一位華人能夠出任這個重要職銜。事實上，在兩岸三地當中，香港電影業界是最早在康城以至全世界打「世界波」的，但這個優勢在 1997 回歸以後，逐漸喪失。這是令人引以為憂的。

　　香港電影能夠在康城，以至全世界闖出名堂，除了本身

的實力和特色之外，不得不提的關鍵人物是康城的選片委員皮爾‧利思昂（Pierre Rissient）。上世紀 60、70 年代，中國電影處於自我封閉狀態，香港電影例如邵氏、電懋等公司的出品，極其量只是參加亞洲電影節 [1]。那時，鄰國日本一早就經常參與「國際賽事」，黑澤明的《羅生門》早在 1951 年便奪得威尼斯電影節金獅大獎，而稻垣浩的《手車伕之戀》亦在 1958 年影展摘下同一獎項。至於衣笠貞之助的《地獄門》，乃於 1954 年奪得康城大獎 [2]。反觀台、港電影，仍然只限於在亞洲地區「稱王稱霸」。

香港電影是到了 1970 年，才首次進軍康城。那年利思昂推薦唐書璇 [3] 導演的《董夫人》參加康城的「導演雙週」項目，備受好評，影片因而得以在法國等地公映。這部影片在當時香港的電影評論界和文化藝術圈子曾轟動一時，唐書璇亦被視為香港電影的奇葩。1975 年，利思昂又推薦了胡金銓的《俠女》到康城參加競賽，而胡導演亦憑此片獲得康城高等技術委員會大獎，[4] 成為首位在康城獲得重要獎項得以蜚聲國際的香港華人導演。

嗣後，利思昂曾多次發掘和推薦香港的導演和作品到康城影展參賽或展出，其中包括許鞍華的《胡越的故事》（1981 年康城「導演雙週」）、《投奔怒海》（1982 年康城 Official Selection「神秘電影」）、《客途秋恨》（1990 年康城「某種觀點」）、王家衛的《阿飛正傳》（1991 年康城「導演雙週」）等等。

作為康城影展的選片大員，利思昂當然不單鍾情於香港電影。事實上，三十多年來，以我所見，他在推介亞洲電影方面的確不遺餘力。已故的菲律賓導演連奴‧布洛加，就是在他的極力推薦之下得以成為國際知名的菲律賓大導演。

近年南韓電影得以捲起熾烈的韓風，除了本國人才輩出之外，無可否認，也是得力於利思昂的推介。數年前，南韓老牌導演林權澤以《春香傳》首次在康城角逐金棕櫚大獎，揭起南韓片在國際重要影展強力出擊的序幕。

作為電影節的選片要員，利思昂四出搜羅各地重要導演和作品，固然是他份內的事。但他因為頂著康城影展的「名牌」，工作起來當然倍感方便。去年出席法國南特三大洲影展，又遇到利思昂。他為南韓影展帶來一部尚未完成的馬來西亞影片，作為「神秘電影」放映。但又恐怕我們無法抽空觀看，於是半邀請、半強逼之下，把我們（包括印尼女星兼製片人 Christine Hakim、法國影評人兼導演 Hubert Niogret）帶到李察‧平雅（Richard Pena，紐約電影節藝術總監）的酒店房間，用他那只有 7 吋螢幕的 DVD 機作特別放映。利思昂對電影藝術的熱誠，對朋友們的熱心幫忙，可說數十年如一日，雖然脾氣愈來愈硬，作風愈來愈怪，但朋友之間那個不是這樣。

利思昂近年做了心臟「搭橋手術」，雙眼亦出了點毛病，但他仍然「飛來飛去」，一點沒有閒下的跡象。看著他有時蹣跚的步伐，不禁回想當年跟他初次在港認識的情景。那是一次晚

飯，座上有胡菊人、胡金銓、唐書璇、陸離和來自法國的利思昂，是一次難得的英雄會，我這年輕小伙子得以敬陪末座，也認識了利思昂。說起來，已是三十多年前的往事。

30年來，康城的變化不大，變的是香港。我經常下榻的那家酒店，已經不是酒店，店主把古色古香的住宅房間逐一賣給自己的親戚朋友當作度假屋，而每到電影節的日子，他們就放盤租給一些以前酒店的熟客。如果說巴黎是我的第二故鄉，那麼康城這幢不是酒店的花園洋房，就等於是我的鄉間別墅。最近幾年出租樓房給我的屋主，是戰後移居法國的埃及人，法語當然要得，英語也相當流利。今年影展結束後，他在我離去當天，特意驅車邀我到機場臨海的餐廳午膳，飯後還送我到尼斯機場。不巧遇上「詐彈」驚魂，到機場的汽車都被警察勸諭暫時離開。此事令人想到，真是冥冥中自有主宰。我真不敢想像，要是我跟往年一樣，自己乘的士前往機場，下車後拖著笨重的行李躲避炸彈驚魂的狼狽相。

30年來康城的變化的確很有限。最大的變動是十多二十年前新電影宮（Nouveau Palais）的落成，以及舊電影宮（Palais du Festival）搖身一變，變成現在的希爾頓酒店（Noga Hilton）。今年最令人傷感的是希爾頓酒店後面的中國餐廳大觀園竟然不見了。是已經結業抑或遷到別處？也來不及打聽。我並不特別懷念那裡的中國菜，但大觀園過往因位置適中，是許多香港片商和電影人吃飯的好去處。記憶中，有不少亞洲導演的慶功宴都

在那裡舉行，當年就去過大島渚的派對，後來還在巴黎為他作過訪問。

30 年來，康城還有甚麼顯著的變化呢？我真的說不上來。那些熟口熟面的即時傳譯員，愈來愈覺爐火純青。大會主席吉爾‧乍各雖說已經交棒給戴里埃‧費模（Thierry Frémaux），但你看吉爾先生他仍然在紅地毯上迎接來自世界各地的大明星、大導演，而頒獎禮上電視鏡頭對著他的時間多過對著戴里埃，你就知道真正的變化仍未出現。但其實這樣也有好處，像康城這樣的一個電影節，江湖地位和人脈，就是屹立江湖的最佳保證。

今年香港國際電影節剛屆「而立之年」，而明年的康城電影節則適逢六十甲子；論年資，康城是香港的兩倍，但論名氣和實力，香港實在差得太遠。香港跟康城互相比劃，本來就不是本文的議題。但特區政府官員當中，有人曾表示要跟康城「較勁」，這當然是好事，也因此才觸發我嘗試深入探討和提出自己看法的意欲。月旦香港國際電影節實非本意，如有得罪，還望各方包涵。

在全世界數以千計的電影節當中，真真正正能夠跟康城「較勁」的，其實只得威尼斯和柏林，其他影展，即使主辦者坐擁金礦、油井，也沒有可能威脅到康城的超然地位。到過康城影展的各界人士，儘管只得兩三天，都一定感受到康城的儀態萬千和雍容氣度。要「撼低」康城，先要問自己有沒有康城的實

力，然後才看看有沒有康城的「品牌」效應。康城的實力，從
何得知？全世界有過半的影片買賣合約，是在康城影展期間（或
舉行前後）簽字作實的。這只是商業方面的優勢。至於藝術和
文化方面的影響力，也是不爭的事實。荷里活娛樂商業佳作可
以大熱勝出，從此名留青史；冷門藝術作品一樣有機會問鼎金
棕櫚大獎，新進導演一炮而紅亦早有前科。

　　然而，即使您真正具有抗衡康城的實力，但品牌這回事，
絕對要經過長時間的建構和驗證。試看日本豐田車廠，在上世
紀 80 年代末期，研製和投產的凌志豪華房車，無論在汽車設
計科技和工藝水平各方面，跟德國的平治汽車可說不相伯仲，
汽車業界早有定論，但購買平治汽車的用家，仍然遠比凌志為
多。這是品牌和信心的問題。

　　香港電影節要向康城看齊，如果做得到，那固然是好事，
我們沒有理由反對。康城影展為法國旅遊業帶來的收益，簡直
是天文數字。每年法航和 TGV 火車的員工都蠢蠢欲動，要趁
著康城影展開幕那天，以罷工或怠工的形式和資方談判，要求
加薪，就是看中了這個人潮洶湧的旺季。香港電影節有許多強
項，例如有系統地研究香港和中國電影，主力介紹和推動亞洲
電影，早已蜚聲國際。但香港電影節有其先天性的缺陷，就是
資源不足，尤其是在接待嘉賓方面，即所謂 hospitality，絕對是
日本人口中的「失禮」，是大大的不足。這又要從 30 年前說起。

　　香港電影節在市政局「主其事」的年代，是以香港市民為

服務對象，每年為影迷帶來一定數量的藝術佳作，讓影痴們大
快朵頤，則於願足矣。那時即使請來國際級大導演，請客吃飯
也是由電影節的高級副經理[5]，或我們這些職位低微的節目策
劃自掏腰包，自己「搞掂」，後來才有少量的應酬費可以實報實
銷。至於官方的接待，就只得市政局的一兩位議員，在百忙中
偕同市政事務署[6]主理國際電影節的官員和節目策劃，招呼國際
友人吃頓午飯，就算功德圓滿。簡約得很。到過康城影展的業
界人士都知道，各式各樣的「俾面派對」簡直令人疲於奔命。
其中影展主席吉爾・乍各在卡爾登酒店招待參賽明星、導演和
有關人等的晚宴，更是名副其實的武林大會。

　　但吃飯事小，影展開幕事大，香港國際電影節「假假地」
都算係國際賽事，30 年來從未試過有香港總督或者特區首長擔
任主禮嘉賓。要求一「市」之「長」迎迓外國來賓，其實絕對
不算過份，也不是小題大做。當年市政局主政下的國際電影節
實在太過謙卑，或許認為自己的影展微不足道，或者請來的嘉
賓不多，那又何必勞師動眾，驚動港督他老人家。香港回歸以
後，香港電影的國際地位日益高漲（可惜香港電影工業滑坡），
香港電影節的開幕式仍然邀請不到特首主持開幕典禮，那就未
免令人沮喪。

　　以筆者 30 年來所出席過的大小影展所見，開幕式幾乎絕無
例外是由市長、副市長甚或文化部長擔任主禮嘉賓。由市長出
席該地主辦的國際電影節的開幕式，應該是份內的事。筆者記

得早年到康城採訪影展，其中一項重要節目，是出席市長招待各國傳媒的「草地上的午餐」。有一次去台北參加金馬獎和亞太影展，當時的李登輝總統都有出席頒獎禮，還頻頻被台上的許冠文和成龍捉弄，成為娛樂觀眾的臨時演員。我去過兩次在日本橫濱舉行的法國電影節，開幕式都是由橫濱市長和法國駐日本大使致歡迎辭。還有一年去河內擔任亞太影展評委，有一頓飯是越南文化部長出面宴請我們 6、7 位外國評審。再要舉例的話，本文恐怕會成為自我吹噓的文章。當年鞏俐擔任康城評審，鏡頭所見，法國文化部長 Jack Lang 在宴會上就坐在中國頭號美人身旁。既然這種接待規格，我們視為理所當然，那大家有沒有想過，假使蘇菲・馬素或妮歌・潔曼，真的出席香港國際電影節，應該由誰出面接待，才不致於失禮呢？

　　筆者抖出這些陳年舊事，主要是因為今年的國際電影節 30 周年，特區官員答允花 200 萬港元，希望請到國際知名影星和導演來港助興。先不說 200 萬港元其實是一個很小的數目，那年湯・告魯斯來港宣傳《職業特工隊續集》，3 天就花了發行公司 200 萬港元。再說，即使請得動這位國際一級巨星來港，但作為主人家的香港國際電影節，又由哪一位官員去接待呢？根據國際慣例，電影節畢竟是半官方活動，如果像回歸前由市政局官員去接待，會不會待慢客人呢？數年前，法國著名導演尚積葵・貝力斯（Jean-Jacques Beineix）的《死亡轉賬》（*Mortal Transfer*）被選為開幕電影，他在開幕酒會上問我，致歡迎辭的

那位官員是否文化部長？我費了很大的勁兒，才向他解釋清楚那是何方神聖。

我很希望，特區政府如果理解到國際電影節是國際賽事，就很應該重新定位，是否需要由特首出席開幕禮？此舉不但對外國貴賓表示應有的尊重，也藉此對本地的電影業界和電影工作者表示支持。最近兩年，特首出席了貿發局的影視娛樂博覽的開幕式，是否等於對國際電影節表示了支持呢？

我的答案是否定的。國際電影節是文化和藝術，國際影視展是影片市場，是商業掛帥，即使加上「影視娛樂博覽」的名銜，兩者是不能劃上等號的。我不能想像法國的文化部長或康城市長不出席康城電影節的重要慶典，而只選擇為康城影片市場（Marché du Film）的開幕式擔任主禮嘉賓。說句心裡話，我很羨慕法國人有這樣重視電影文化和電影藝術的政府和傳統。我很清楚記得，應該是 1997 回歸前後，香港國際電影節的主禮嘉賓，連續兩年，在致歡迎詞的時候，竟然把「拷貝」唸成「貝拷」。請大家注意，兩次致詞的都是市政局的同一代表。這不是無心之失，而是對電影完全外行，而且對電影不感興趣，亦無上進之心。

前面提過，香港電影節的弱項是接待嘉賓的環節。說得清楚明白一點，是「莫財」！去年我在出席南特影展的時候，與康城的利思昂，紐約影展的李察·平雅，南特影展的阿倫·乍拉度（Alain Jalladeau），以及《世界報》和其他法國的影評人，

飯後閒聊，說起招待嘉賓的事情，聽到許多趣事，雖然未經考
證，但極具參考價值。大家有沒有聽到過在摩洛哥的馬拉卡殊
（Marrakesh）電影節呢？主其事者曾經是 Unifrance[7] 的高層，後
來又多次「換馬」，都是法國影圈中人。聽說馬田‧史高西斯獲
邀出席影展，坐的是摩洛哥國王的專機，並且下榻於摩洛哥皇
宮。另外各人又說到這個那個大明星好難服侍，非常「臭檔」，
最好避之則吉云云，為存厚道，不便在此一一披露。最令電影
節籌辦人頭痛的是，許多大明星除了要求頭等機票，總統套房
和一大堆隨從（entourage）之外，還要求數目不菲的「零用錢」。
早前法國女星嘉芙蓮‧丹露芙出席曼谷國際電影節，主事者封
了 5 萬歐元的「紅包」給她，已是圈中半公開的秘密。

　　這樣說來，康城和威尼斯的國際巨星多於過江之鯽，那嘉
賓接待費豈不是等同埃及妖后的嫁妝？在這骨節眼上，品牌效
應便得以發揮作用。一齣影片能夠入選康城、柏林、威尼斯，
尤其是競賽項目，本身就是極佳的宣傳，因此影片製作或發行
公司，會很樂意派出導演、明星、製片人出席，並負責大部分
費用。影展方面，一般只招待導演和兩位明星的 3 晚酒店住房
費用。去年威尼斯影展主席馬爾科‧穆勒[8] 訪港時，就親口向我
證實這個情況，無論你是妮歌‧潔曼或湯‧告魯斯，影展當局
只需提供 3 至 4 晚 Hotel Des Bains 或 Westin Excelsior 客房，若
有額外訴求，由影片公司自行解決，影展不用另作安排。

　　沒有品牌效應的影展，要邀請超級巨星，當然會吃力得

多。沒法可想之餘，就唯有施展「銀彈」攻勢，像前述的馬拉卡殊事件和曼谷事件。如果連「銀彈」攻勢都發動不了，那就只好遭人白眼，暗自神傷矣。

馬爾科還對我說，瑞士的羅伽諾電影節最「疊水」，每年經費約 1 千萬歐元，比威尼斯還要多。這樣的預算，等於香港的 10 倍。而歐洲影展佔了地利，要邀請大部分來自歐洲和美國的嘉賓，機票開支相對地便宜得多。若要亞洲地區的影展多請幾個來自歐美的嘉賓，很容易便花去 hospitality budget 的一大部分。康城、威尼斯、柏林等影展，由於是名牌，大家都樂於免費提供參賽影片，連拷貝也多送一兩個[9]，運費當然是參展者自己負擔。若然是其他影展，尤其是那些沒有競賽單元、知名度較低的影展，不但要向製片人或發行商交付片租，還要負擔影片的運輸費用，邀請明星、導演時往往還要再花一筆，說是艱苦經營，絕不為過。鄰近的新加坡電影節，近年就陷入半死不活的淒涼景況。香港電影節邀請外賓的備用金額，約為整個影展預算的 3% 左右，也是少得可憐。於是，各國駐港總領事館和文化機構，就成為電影節「求援」的對象，遇到參展導演或製片人表示有興趣出席影展，電影節就要求有關領事館負擔機票和酒店住房費用。

拉拉扯扯說了這麼一大堆可能很難聽的話，不外乎想說明，香港國際電影節是一個辦得很好的電影節，但這個電影節很窮，在外國影人面前很失禮，很丟臉。特區政府不肯投放更

多資源，搞好這個一年一度的「國際賽事」，電影節的命運，難道就掌握在不可預測的贊助商手上？香港國際電影節現在是非牟利機構，可以接受各界人士的捐款。如果您認識一些「有錢冇埞使」的朋友，請把這個訊息傳開去。謝謝！

原刊《城市文藝》第 6、第 7 期

2006 年 7 月 / 8 月 15 日 出版

注釋：

1　香港的邵逸夫爵士是創辦人之一，以亞洲城市為參賽單位，到 1984 年（第 29 屆）演變成今天的亞太影展。

2　當年仍稱為大獎（Grand Prix du Festival International du Film）。康城大會於翌年（1955 年）才正式設立金棕櫚大獎（Palme D'or）。

3　畢業於美國南加州大學電影系，處女作《董夫人》屬於主流以外的獨立製作，由盧燕、喬宏、周翔主演。

4　Grand Prix de la Commission Superierure Technique du Cinema 表揚電影技術方面的卓越貢獻，並非每年頒發。2000 年王家衛的《花樣年華》曾在康城獲頒該獎項及最佳男演員獎）。

5　當年的李元賢先生，在對外聯絡和公關方面，可說貢獻良多，許多外國友人對他熱情的款待都難以忘懷。李先生目前是康文署電影節目辦事處和電影資料館的主管官員。

6　後來的文化署，香港回歸前後變成康樂文化署。

7　法國官方機構，全力向海外推廣法國電影。

8　Marco Mueller，是香港電影和中國電影的老朋友，精通華語，曾是第七屆香港國際電影節的節目顧問，歷任鹿特丹和羅伽諾等電影節主席。

9　法文或意大利文字幕拷貝之外，還多送一個英文字幕拷貝。

第 60 屆
康城電影節 2007

FESTIVAL DE CANNES
16 - 27 mai 2007

▲ 2007 年第 60 屆宣傳海報　　▶ 2007 第 60 屆康城電影節金棕櫚獎電影
　　　　　　　　　　　　　　　《4 月 3 周 2 天——墮胎日記》
　　　　　　　　　　　　　　　（4 Months, 3 Weeks and 2 Days）

★★★★ | "A MASTERWORK.
AN ODYSSEY YOU WON'T SOON FORGET."
-Michael Phillips, Chicago Tribune

"A SENSATION. RIVETING...THE MOVIE IS STUNNING."
-Lisa Schwarzbaum, Entertainment Weekly

PALME D'OR
FESTIVAL DE CANNES
2007

4 MONTHS
3 WEEKS AND
2 DAYS

A film by Cristian Mungiu

iFCFilms

第 60 屆康城電影節

　　康城電影節今年慶祝 60 大壽，影展當局沒有大事慶祝，一切如常。但吉爾・乍各（Gilles Jacob）卻「秘密練兵」，找來 35 位與康城影展有特殊關係的著名導演，拍了 33 齣短片（其中戴丹兄弟和高安兄弟只佔 2 個名額），每段 30 分鐘，《一人一電影》（*To Each His Own Cinema*），作為康城電影節 60 周年獻禮。難得的是，大部分導演都來了康城贈慶。有份參與懷舊的導演，包括安哲羅普洛斯、奧利維拉、郭利斯馬基、波蘭斯基、基阿魯斯達米等大師，當中還包括中、港、台的陳凱歌、張藝謀、王家衛、侯孝賢和蔡明亮等。這輯短片，在影展期間還以「加映短片」的形式，插在競賽影片前面播映，對影痴來說，的確是一大享受。來康城影展差不多 30 年，我突然醒覺，這個影展除了本身的官方「片頭」之外，絕少贊助商的廣告片。不像某些國際影展，同一（一大輯）廣告片看到你作嘔為止。

　　眾所周知，康城的開幕影片，若非荷里活大片，便是法蘭西製作，外人很難染指。今年，香港導演王家衛的西片《藍莓之夜》（*My Blueberry Nights*）獲選為開幕影片，同時亦參與競賽，是難得的禮遇和光榮。影片雖然終於落敗，對於王家衛而言，得以名留康城 60 周年史冊，已是人生快事。

　　不知原因為何，今年康城大會挑選的荷里活競賽片，除王家衛的作品外，其餘四部都是打打殺殺，甚至血流成河的犯罪片，作為評審，恐怕都會望而生厭。五齣美國大片，幾乎全軍盡墨，只得吉士・雲遜的《迷幻公園》算是稍有社會意識之作，獲大會頒授「60 周年特別大獎」。看來是各荷里活兇殺片相繼落敗之後，評審們在大會「指導思想」之下頒發的安慰獎。

　　大衛・芬查的《殺謎藏》（*Zodiac*）以上世紀 60 年代末哄動三藩市的連環謀殺犯為題材。兇手每次犯案後都寫信到幾家報館「報告」和張揚其罪行，視警方如無物。事實上，當地的執法機關亦碌碌無能，始終未能緝拿兇徒歸案。反而是報館的職員，為了拆解迷團，可說是鍥而不捨、廢寢忘餐地幫助警方追捕冷血兇手。影片根據報館插畫家的著作改編，真人真事，片長 2 小時 30 分，對白長篇累贅，但頗能引起觀眾追看結果的興趣。相對於芬查前作《七宗罪》（*The Seven*）震撼性的結局，本片的收筆略嫌軟弱乏力。

　　以《落水狗》（*Reservoir Dogs*）崛起美國影壇的塔倫天奴，依然不改《標殺令》等片的灑狗血本色，企圖在商業娛樂片中殺出一條血路，運氣好一點的話，說不定像《危險人物》（*Pulp Fiction*）一樣，在康城名利雙收。《玩命・飛車・殺人狂》（*Death Proof*）裝扮成 60、70 年代美國 B 級片的貨色，明明是簇新拷貝卻搞到周身刮花、色彩瘀舊的樣子，並不忘向當年的賽車 Cult Movie 如《粉身碎骨》（*Vanishing Point*）等致意。片末的鬥車場

面倒算緊張刺激，但除此之外，對於美國社會的病態暴力行為只是輕輕帶過，完全搔不著癢處。高安兄弟的《二百萬奪命奇案》（*No Country for Old Men*）有如現代西部片，既有大將風範，又有官能刺激，在康城有頗多影評人追捧，口碑不俗，可惜未獲評審垂青。至於占士·格雷（James Gray）的《黑夜話事人》（*We Own the Night*）因為在康城錯過了，未能置評。

相對於美國荷里活電影（甚至是英語電影）的失敗，俄羅斯和東歐無疑是大贏家。俄羅斯導演安德烈·薩瓦金采夫（Andrei Zviaguintsev）的《流放》（*The Banishment*）甫出台，就似乎預卜了俄羅斯和東歐電影將於今年的康城影展大放異彩。薩瓦金采夫3、4年前以處男作《爸不得愛你》（*The Return*）一舉奪得威尼斯金獅大獎，本片再次見證了薩氏的大師風範。一對有兒有女的夫妻，感情漸冷，招致第三者的介入。對與錯，不外乎感情的從新佈置和排列。愛與恨，是無奈，也是悲劇的源頭。薩氏不落俗套的敘事技巧，加上懾人的景致和流麗的映像，處處見到薩氏在電影美學上的突破。

匈牙利大師級導演貝拉·塔爾（Béla Tarr）終於排除萬難，以《倫敦來客》（*The Man from London*）問鼎金棕櫚大獎。《倫》片改編自比利時著名偵探小說作家席默農（Georges Simenon）的同名小說，貝拉·塔爾以他一貫的冷峻黑白映像，非常風格化地呈現了一個孤獨但不絕望的心靈。片首的兩個「長鏡頭」（long take）不但彰顯大師功力，亦為全片奠下詭秘而接近日

常生活的寫實基調。一個生活呆板的草根工人目睹命案發生，數萬英鎊的財富宛如囊中物，生命終於來到轉捩點。人生變好變壞，存乎一念。貝拉・塔爾的孤高和冷傲，不入俗眼，毫不為奇。

羅馬尼亞的克里斯亭・蒙吉爾以《4月3周2日──墮胎日記》（*4 Months, 3 Weeks and 2 Days*）勇奪金棕櫚大獎，俄羅斯的康斯坦汀・拉朗尼高亦憑《流放》獲得最佳男演員獎，都足以說明了這個地區新興電影力量的崛起。《4月3周2日──墮胎日記》其實早就口碑載道，是大熱勝出。我在頒獎禮當天早上才補看，結果並沒有感到失望。導演蒙吉爾只是如實地敘述一個大學女生墮胎的故事，完全沒有賣弄任何電影語言上的花巧。說來也算巧合，前年威尼斯金獅大獎得主《地下觀音》（*Vera Drake*）也是一個婦女非法墮胎的題材。《4》片的故事背景是壽西斯古獨裁政權倒台前的布加勒斯特，大學生嘉碧達懷孕四月才找人非法墮胎，同室密友奧蒂妮為她奔走，但在經濟拮据的情況下事情並不好辦，奧蒂妮甚至因此而被逼出賣肉體。一次真實而令人難忘的墮胎經歷，反映了羅馬尼亞當年物資匱乏、良知泯滅的社會現實。影片不但擷下金棕櫚獎，同時亦獲得國際影評人聯盟獎（FIPRESCI Award），以及一個名為國家教育獎（Prix de L'Education Nationale）的獎項。

至於另外一齣羅馬尼亞電影《無盡加州夢》（*California Dreamin' (Endless)*），則奪得「某種觀點獎」（Prix Un

Certain Regard)《無》片的導演克里斯亭‧尼米斯古（Cristian Nemescu）首次執導，可惜不久前車禍喪生，未能親臨康城領獎。影片敘述 1999 年科索沃戰事期間，一列由美國部隊負責押送軍事物資的北約列車，駛經羅馬尼亞一個小村鎮時，因為未具海關和官方批文，被車站站長扣押。鎮長為了巴結美軍指揮官，特地舉辦周年晚會，一方面美軍士兵與當地女子互相邂逅追求，另一方面美軍指揮官有任務在身，不得不與勾結當地警方勢力的站長周旋，結果事情弄大，一發不可收拾。首次執導便有這樣驕人的成績，可說具見編導才華。尼米斯古英年逝世，無疑是羅馬尼亞電影界的重大損失。

　　美國導演朱里恩‧史奈保的法語片《潛水鐘與蝴蝶》，以「黑馬」姿態贏得最佳導演獎。尚杜明尼‧鮑比（Jean-Dominique Bauby）的原作，早已翻成中譯本。變成「植物人」後的著名雜誌編輯鮑比，以眨眼的方法寫書，讓思維和想像力脫出有如監獄般的癱瘓軀殼，當年的確轟動一時，連法國著名導演尚積葵‧貝力斯（Jean-Jacques Beineix）都為他拍過紀錄短片 [1]。鮑比的遭遇已經是那麼令人沮喪，拍成電影不知是甚麼模樣？但無可否認，史奈保的表現沒有令人失望。人世間的「植物人」愈來愈多，鮑比的內心世界，相信可以代表一部分「植物人」的所思所感。鮑比的可貴之處，是克服了「等死」的消極心態，為子女、親友示範了堅強面對逆境的積極態度。比較令人意外的是法國演員馬迪爾‧阿瑪歷（Mathieu Amalric）的精彩演出，

未能為他奪得康城影帝榮銜。過去康城有過傷殘角色或智障人士奪得影帝的紀錄，說不定今年的評審故意避開這個引人注目的話題，因而另作選擇。

　　相對於《潛》片，奧地利導演烏力克·薩度（Ulrich Seidl）的《輸入輸出》（*Import Export*）就更灰色得令人不寒而慄。貧窮、頹敗、年老、死亡，是絕大多數人有生之年都要面對的重大課題。關鍵是你怎樣去面對？烏力克·薩度的前作《墮落人生》（*Dog Days*）已是灰色作品之頂峰，而本片亦不遑多讓。一個烏克蘭女護士奧嘉為追尋更美好的生活，結果成為奧地利醫院老人科的清潔女工，一個奧地利的護衛員保羅失業後跟繼父到了烏克蘭只是為了謀生。扭曲的性慾和人性，令觀眾更感絕望和不安，有如雪上加霜。在這方面，編導可說功力十足。

　　至於原籍土耳其的德國導演法提·艾金，今次則以《天國邊緣》獲得最佳編劇獎。土耳其與德國一直有特殊的關係，這情況在許多德國電影（尤其是已故的法斯賓達）中都有所反映。土耳其地處歐亞邊緣，近年一直想加入歐盟，但受到其他歐洲國家的反對，理由是土耳其本身是伊斯蘭國家。法提·艾金作為一個土耳其裔的德國導演，在溝通兩地文化的確不遺餘力。《天》片述說了土耳其人和德國人之間的友情關係，雖有動人之處，但人物的命運交錯，其實安排得相當刻意和造作。

　　今年在「非競賽單元」（Out of Competition）「某種觀點」（Un Certain Regard）看到的 2 齣好片，也令人有「死裡逃生」的感

覺；逃離「慘案」現場，並未有如釋重負的感覺。前者是《無畏之心》（*A Mighty Heart*），無疑是英國導演米高·溫達波頓（Michael Winterbottom）近年出色之作。影片以高度真實的紀錄片風格，重塑當年美國《華爾街日報》記者丹尼·佩爾（Daniel Pearl），在喀拉蚩被恐怖份子綁架的實況。編導根據其太太瑪莉安撰寫的回憶錄改編，除了精準地掌握當時美國情報機構和大使館人員的介入，巴勒斯坦政府和警方的全力緝兇，最重要的是呈現了瑪莉安由驚恐、悲憤到寬恕的心路歷程。「你做初一，我做十五」，這個世界就永無寧日。

　　今年康城影展另一齣重要的華語片是中國大陸導演李楊的《盲山》，在「某種觀點」展出。李楊的前作《盲井》備受好評，今次的《盲山》也為觀眾帶來一定程度的驚喜。影片讓外國觀眾看到中國社會不合理現象，當然令中國人臉上不好過。但中國大陸有這樣敢於挖掘和反映社會和人性陰暗面的電影導演，那是中國導演的光彩。在中國的貧困山區和農村，勞動力和傳宗接代的逼切需要，令本來善良的人性變得扭曲和橫蠻無理。好端端的一個城市少女，被人拐賣到山溝農村作媳婦。買賣人口的情況原來相當普遍，連鄉村幹部和警方都不管，或者管不到。片中的少女不甘讓人擺佈，雖然被「哎吔老公」施暴，甚至後來生下別人的娃娃，都多次要逃跑，主要是不甘被騙並遭到不公平的對待，以及那無可補償的親情。影片結尾女主角的一下激烈動作，令在場觀眾鼓掌叫好，影片隨即完結，而觀眾

報以更熱烈的掌聲。本片的剪接師雪美蓮（Mary Stephen）是法國電影大師伊力·盧瑪（Eric Rohmer）十多年來的「御用」剪接，本是香港公民，今次拔刀相助，果然不同凡響。

侯孝賢的《紅氣球之旅》，靈感來自當年膾炙人口的法國名片《紅氣球》，並向早年拍攝期間意外墮機身亡的導演阿爾拔·拉莫里斯（Albert Lamorisse）致意。不諳法語的侯孝賢，可以把一部幾乎是全法語對白的《紅》片拍得這麼真實而又貼近生活，把一個外國人的視點這樣不著痕跡地溶入當地的民俗文化。巴黎的繁榮背後，侯的作品仍是那麼草根而樸實，紅氣球的意象，加上火車、木偶戲的侯式情意結，令茱麗葉·庇洛仙的自然主義演出更深刻動人。影片未能參加競賽，令庇洛仙平白失去問鼎影后寶座的機會。

今年康城影展 Official Selection（官方選擇）展出的唯一華語片，是最後一刻才「上車」的香港片《鐵三角》。雖然只作觀摩展出，但挾著杜琪峰、徐克、林嶺東三人的名氣，再加上演員任達華、古天樂、孫紅雷的出席，也著實引起一陣哄動。「記招」上，任達華說香港有四大「惡人」導演，本片佔了 3 個名額。很難想像杜、徐、林三人如何合作分工，把同一故事調較理順，完整地呈現在觀眾眼前。箇中竅妙，原來是友情和包容。杜、徐、林三人「老友鬼鬼」，而影片《鐵三角》亦傳達同樣的訊息。影片的人物和情節沒有太大新意，但頗能達到水乳交融的境界。熟悉這 3 位導演作品的影迷，相信不難辨別三人

的風格和印記，而且會看得津津有味。

　　韓國女星全度妍以李滄東導演的《密陽》獲頒最佳女演員獎，是實至名歸。一個有喪夫之痛的年輕寡婦，帶著兒子到亡夫的故鄉密陽準備生根落戶，或者因為「口疏」，到處向人家說自己要投資房產，結果兒子遭綁架撕票。寡婦痛不欲生，這時好心的宗教人士要幫她面對逆境。她也希望得到新生。身心飽受折磨的她，或許以為藉著神的恩典或洗禮，已經饒恕殺子兇手，她要去監獄親口告訴兇手。當兇手平靜地道出他很釋然，因為內心知道神已經寬恕他。但寡婦最想不通的是：殺人犯比她更安樂，因為他已獲得神的原諒？李滄東明顯地質疑了某些宗教的偽善本質。殺了人，認了錯，就可以得永生？難怪這世界上有這麼多殺人魔王了。評審中如果有虔誠的信徒，李滄東的立論大概不會得到認同，但全度妍的精湛演技，則是有目共睹的。

　　今年的評審團大獎（Grand Prix du Jury）由日本女導演河瀨直美的《殯之森》奪得。相對於李滄東的《密陽》，本片的紀錄片風格，和編導要闡述的老年以及如何面對悲痛經歷的主題，其實並無可觀之處，主要是幾位被攝對象都「木木獨獨」，喚不起觀眾的興趣。本片能夠入選競賽單元，已經是一項錯誤。本片能夠奪得康城影展的第二大獎，就更是匪夷所思。我在康城碰到的業界朋友（包括影展策展人和影評人），對於本片能夠冷手執個熱煎堆，全部都表示不以為然。唯一可以稍作安慰的，

是評審們都不大垂青商業味重的電影，對於較重藝術性的影片
則比較包容。

今年康城影展較受某些圈中人注目的是美國綜藝雜誌著名
影評人托特‧麥加菲（Todd McCarthy）拍攝的電影人紀錄片
《電影人皮爾‧利思昂》（*Pierre Rissient: Man Of Cinema*）。在
康城影展大大小小數以千計的放映當中，《皮》片作為一齣有
關電影中人的紀錄片，的確值得多花些筆墨介紹。我出席那場
刻意地低調的康城首映，麥加菲和康城的藝術總監戴艾尼‧費
模（Thierry Frémaux）親臨介紹利思昂跟觀眾見面，自是意料中
事，但康城的頭號人物吉爾‧乍各百忙中抽身出席，並頒授康
城的勳章給利思昂，就絕對不簡單。

有關利思昂對香港電影的功績和一點往事，我曾經稍作介
紹。現在趁著這部紀錄片的「登場」，正好再補兩筆。利思昂絕
對是世界「頭號」影痴，吉爾‧乍各掌管康城影展 40 年，利思
昂在此期間一直是他發掘好影片、好導演的左右手。紀錄片訪
問了許多世界級導演包括塔倫天奴、奇連‧伊士活、馬田‧史
高西斯等等，前者更稱利思昂是「康城之王」（He is the King of
Cannes）。有關利思昂的事跡，無疑是拍紀錄片的好材料。利思
昂對香港電影的極力推許，資深影迷都已知之甚詳。利思昂對
韓國電影的崛起，亦功不可沒。林權澤以《春香傳》第一次參
加康城影展競賽，李滄東以《愛的綠洲》（*Oasis*）第一次參加威
尼斯競逐，得到利思昂的助力不少。利思昂近年經常陪伴左右

的女友也是韓國人。

　　過去二三十年利思昂每到香港,我是他必定致電聯絡的對象。記得好多年前,有次他問我,有沒有南韓導演申相玉[2]和太太崔銀姬[3]的消息。我雖然知道他們的名字,也看過他們的電影,但一時間也不曉得怎樣打聽他們的下落。後來過了許多年,才知道申相玉和崔銀姬被北韓特工綁架了。這個例子間接說明,利思昂那時就對南韓電影非常熟悉。

　　托特・麥加菲在片中提到,利思昂也發掘了侯孝賢。這顯然與事實不符,而此事跟我本人有關,所以不得不在這裡澄清一下。那年我在香港藝術中心籌辦的台灣電影展看到《風櫃來的人》,剛好南特影展負責人阿倫・乍拉度(Alain Jalladeau)來港,我還記得在尖沙嘴百樂酒店與他共進早餐時,我極力慫恿他邀請該片到南特比賽。結果,《風》片在1984年的南特奪得大獎。翌年,侯孝賢以《冬冬的假期》在南特再下一城。1985年,《童年往事》在柏林、鹿特丹、亞太影展、都靈等影展拿下多個重要獎項。侯孝賢到1994年才以《戲夢人生》首次在康城角逐金棕櫚獎。《風》片1984年在南特競賽,到《戲》片1994年在康城競賽,中間相距10年。要說皮爾・利思昂發現了侯孝賢,那是很嚴重的謬誤。在康城的「香港之夜」酒會上,我碰到阿倫・乍拉度兩兄弟[4],談到這部紀錄片時,他們亦憶起陳年往事,笑盈盈地頻說托特・麥加菲弄錯了。

注釋：

1. *Locked In Syndrome*，1997 年作品，記錄了鮑比艱辛的寫作過程。

2. 南韓「國寶級」導演，曾拍《紅巾特攻隊》等名作，1978 年在香港遭金正日特工擄走，被逼為北韓電影事業效力，後潛逃返自由社會。1994 年任康城電影節評委，並展出新作《失蹤》（*Vanished*）。去年初病逝首爾，享年 80 歲。

3. 南韓超紅影星，申相玉的太太及「御用」女主角，同被北韓特工擄走。

4. 兄長是菲臘・乍拉度（Philippe Jalladeau），兩人合作無間，菲臘主要負責非洲和拉美電影，阿倫主要負責亞洲電影。

《城市文藝》總第 17-18 期，2007 年 6 月 15 日與 7 月 15 日

主要獎項名單

▌最佳影片金棕櫚大獎

《4 月 3 周 2 日——墮胎日記》（*4 Months, 3 Weeks and 2 Days*）

導演：克里斯亭・蒙吉爾（Cristian Mungiu）（羅馬尼亞）

▌評審團大獎

《殯之森》（*The Mournful Forest*）

導演：河瀨直美（*Naomi Kawase*）（日本）

▌最佳女演員獎

全度妍（Jeon Do-Yeon）

《密陽》（*Secret Sunshine*）（韓國）

▌最佳男演員獎

康斯坦汀・拉朗尼高（Konstantin Lavronenko）

《流放》（*The Banishment*）（俄羅斯）

▌最佳導演獎

《潛水鐘與蝴蝶》（*The Diving Bell And The Butterfly*）

導演：朱里恩・史奈保（Julian Schnabel）（美國）

▌康城 60 周年特別獎

《迷幻公園》（*Paranoid Park*）

導演：吉士・雲遜（Gus Van Sant）（美國）

▌最佳編劇獎

《天國邊緣》（*The Edge of Heaven*）

導演：法提・艾金（Fatih Akin）（土耳其／德國）

▌評審團獎

《我在伊朗長大》（*Persepolis*）（伊朗／法國）

導演：瑪珍・莎達比，雲遜・巴朗奴（Marjane Satrapi, Vincent Paronnaud）

《寂靜之光》（*Silent Light*）

導演：卡路斯・雷加達斯（Carlos Reygadas）（墨西哥／法國／荷蘭）

▎金攝影機獎

《水母》（*Meduzot*）

導演：艾加・基烈，舒拉・格芬（Etgar Keret, Shira Geffen）（以色列）

▎國際影評人聯盟獎

《4 月 3 周 2 日——墮胎日記》（*4 Months, 3 Weeks and 2 Days*）

導演：克里斯亭・蒙吉爾（Cristian Mungiu）（羅馬尼亞）

康城一甲子（2007）

之一：捨藍莓，取氣球

康城電影節今年慶祝 60 大壽。但康城的歷史不止一個甲子，上世紀 40 年代曾因戰禍中斷，實際年齡已是 60 多歲。影展當局沒有大事慶祝，一切如常。即使如此，康城的「一哥」地位，暫時仍穩如泰山。影展成敗，組織能力固然重要，但競賽影片的水準，才是核心所在。

作為康城影展 Icon 的吉爾・乍各（Gilles Jacob），早就安排戴艾尼・費模（Thierry Fremaux）接班。奈何費模的人脈始終不及乍各，選片品味和標準亦備受質疑；2、3 年前就曾放棄米克・李和侯孝賢的作品，結果前者在威尼斯摘下金獅大獎。此事至今仍令費模尷尬不已。

狀元名下看文章

康城的開幕影片，若非荷里活大片，便是法蘭西製作，外人無法染指。今年香港導演王家衛西片《藍莓之夜》上位，既是開幕影片，也是競賽影片。適逢康城 60 周年，若然影片成績中上，當可名留青史。我因為開幕當天傍晚才抵康城，錯過了日間的傳媒招待場，又不想以疲累的身軀去看午夜的紅地毯首

映，至今仍未一睹廬山真面目。

　　但康城就是一個奇怪而殘酷的地方，影片失色，口耳轟傳，很快便被影評人和業界判處「死刑」。看過影片的朋友，雖然未至於劣評，但所謂「狀元名下看文章」，希望愈高，失望愈大。基於《藍》片的攝影指導是我心儀的達里歐斯・康治（Darius Khondi，5 年前曾在香港電影節為他辦過回顧展），無論如何得找機會補看。

　　相對於王家衛，侯孝賢就沒有那麼幸運。王拍英語片，侯拍法語片；王是「雙料狀元」，侯連競賽都沒份兒。侯的《紅氣球之旅》，靈感來自當年膾炙人口的法國名片《紅氣球》，並向早年拍攝期間意外身故的導演阿爾拔・拉莫里斯（Albet Lamorisse）致意。

當紅氣球遇上木偶戲

　　我事前完全沒有預料到，不諳法語的侯孝賢，可以把一部幾乎是全法語對白的《紅》片拍得這麼紮實而又貼近生活，把一個外國人的視點這麼不著痕迹地融入當地的民俗文化。巴黎的繁榮背後，侯的作品仍是那麼草根而樸實，紅氣球的意象，加上火車、木偶戲的侯式情意結，令茱麗葉・庇洛仙自然主義的演出更深刻動人。影片未能參與競賽，令庇洛仙失去問鼎影后寶座的機會。再這樣下去，吉爾・乍各應該另覓接班人了。

　　今年康城唯一的華語片，是最後一刻才「上車」的香港片《鐵三角》。雖然只作觀摩展出，但挾著杜琪峯、徐克、林嶺東

三人的名氣，再加上演員任達華、古天樂、孫紅雷的出席，也
著實引起一陣哄動。影片的人物和情節沒有太大新意，但仍能
達到水乳交融的境界。熟悉這三位導演作品的影迷，相信不難
辨別三人的風格和印記。

　　影展開幕第 3 天，財政司唐英年駕到，與吉爾・乍各及一
眾港星、導演出席香港貿易發展局籌劃的康城 60 周年誌慶的酒
會。下午 6 時半開始的酒會，到 7 時半仍未有滴水沾唇，更不
要說喝甚麼香檳或紅酒了。據說初時不以酒水奉客的原因是要
等主禮嘉賓致詞完畢，以示尊敬。但問題是主禮嘉賓們姍姍來
遲（不知是誰等誰），無論原因為何，試問他們又有沒有尊重過
在場的數百中外客人呢？這樣的「制水」安排，坦白說，我來
康城影展 30 年以來，第一次遇上。我不能因為自己是香港電影
界的一分子，而對籌辦當局「包容」，隱惡揚善。如果你遇到過
不是第一時間以酒水招待來賓的酒會，請你告訴我，讓我開開
眼界，見識見識。

　　今年在康城看到的第一齣影片，是大衛・芬查的《殺謎藏》
（Zodiac）。影片以上世紀 60 年代末哄動三藩市的連環謀殺犯為
題材。兇手每次行事後都寫信到幾家報館「報告」和張揚其罪
行，視警方如無物。事實上，當地警方亦碌碌無能，始終未能
緝拿兇徒歸案。影片的中心人物反而是報館的職員，為了拆解
迷團，幫助警方追捕冷血兇手，可說是鍥而不捨，廢寢忘餐。
影片根據真有其人的報館插畫家的著作改編，片長 2 小時 30

分，對白長篇累牘，但總算引起觀眾追看結果的興趣。相對於芬查前作《七宗罪》震撼性的結局，本片的收筆可說軟弱乏力。

俄國東歐電影大放異彩

至於俄羅斯導演安德烈‧薩瓦金采夫（Andrei Zviaguintsev）的《流放》（*The Banishment*），似乎預卜了俄羅斯和東歐電影將於今年的康城影展大放異彩。薩瓦金采夫 3、4 年前以處男作《爸不得愛你》（*The Return*）一舉奪得威尼斯金獅大獎，本片再次見證了薩氏的大師風範。一對有兒有女的夫妻，感情漸冷，招致第三者的介入。對與錯，不外乎感情的重新布置和排列。愛與恨，是無奈，也是悲劇的源頭。薩氏不落俗套的敘事技巧，加上懾人的景致和影像，處處見到電影美學上的靈巧突破。

康城一甲子之一

《信報》，2007 年 5 月 21 日

之二：康城逐鹿，死裡逃生

康城影展經過幾天「熱身」後，一如過往觀眾和業界開始揣測誰是「真命天子」。以《落水狗》崛起美國影壇的塔倫天奴，依然不改《標殺令》等片的灑狗血本色，企圖在商業掛帥的娛樂片中殺出一條血路，並在康城尋求突破以至名利雙收的黃金機會。《玩命‧飛車‧殺人狂》（*Death Proof*）裝扮成一副 60、70 年代美國 B 級片的貨色，明明是新拷貝卻搞到周身刮花、顏色瘀舊的模樣，並且向當年的賽車 Cult Movie 如《粉身碎骨》

(*Vanishing Point*) 等致意。片末的鬥車場面倒算緊張刺激，但除此之外，對於美國社會的病態暴力行為只是虛以委蛇，完全搔不著癢處。如此這般遊戲之作，若然奪標，豈能服眾？

面對逆境百態

匈牙利大師級導演貝拉・塔爾（Béla Tarr）終於排除萬難，以《倫敦來客》（*The Man from London*）問鼎金棕櫚大獎。去年在港曾為他辦了一個回顧展，連匈牙利總理都出席了開幕酒會，可見貝拉・塔爾已是國寶級導演。

當時就知道該片因製片人逝世而停下來，我也曾向本港的製片公司展開游說，希望他們參與投資這部必然是康城首選的新作。本片改編自比利時偵探小說家席默農（Georges Simenon）的同名小說，貝拉・塔爾以他一貫的冷峻黑白影像，非常風格化地剖現了一個孤獨但不絕望的心靈。片首的兩個「長時間鏡頭」（Long Take）不但盡見大師功力，亦為全片奠下詭秘而靠近日常生活的寫實基調。一個生活刻板的草根工人目睹命案發生，數萬英鎊的財富亦有如囊中之物，生命終於來到轉捩點。變好變壞，存乎一心。本片是貝拉・塔爾最有機會在康城奪獎而回的作品。

康城今年的「黑馬」之一是美國導演朱里恩・史奈保（Julian Schnabel）的《潛水鐘與蝴蝶》（*The Diving Bell and the Butterfly*）。尚杜明尼・保比（Jean-Dominique Bauby）的原作，早已翻成中譯本。變成「植物人」後的保比，以眨眼的方法寫

書，讓思維和想像力脫出有如監獄版的癱瘓軀殼，當年的確轟動一時，連法國著名導演尚積葵·貝力斯都為他拍過紀錄短片。保比的遭遇已經是那麼令人沮喪，拍成電影不知是甚麼模樣？但無可否認，史奈保的表現沒有令人失望。

相對於《潛》片，奧地利導演烏力克·薩度（Ulrich Seidl）的《輸入輸出》（Import Export）就更灰色得令人不寒而慄。貧窮、頹敗、年老、死亡，是絕大多數人有生之年都要面對的重大課題。關鍵是你怎樣去面對？烏力克·薩度的前作《墮落人生》（Dog Days）已是灰色作品之頂峰，而本片亦不遑多讓。扭曲的性和人性，令觀眾更感絕望和不安，有如雪上加霜。在這方面，編導絕對功力十足。

電影節的競賽影片，看得多了，會令人疲累、沮喪，因為太多沉重、灰色的題材。這不光是康城，許多二、三線影展都有這個情況。過去，偶爾間會有蘭尼·摩烈提、活地·阿倫等人的喜劇躋身比賽行列。近年，連這種洗滌心靈、讓人輕鬆一下的作品也欠奉。或者我的運氣不好，又或者是我的觀影心態已有所改變。近年在影展看到的儘管是佳作，但往往都令人情緒低落。要感情和思緒得到淨化和昇華，已非易事。

今年在「非競賽單元」和「某種觀點」看到的兩齣好片，也令人有「死裡逃生」的感覺；逃離「慘案」現場，並未有如釋重負的感覺。前者是《無畏之心》（A Mighty Heart），無疑是英國導演米高·溫達波頓（Michael Winterbottom）近年出色之

作。影片以高度真實的紀錄片風格，重溯當年《華爾街日報》記者丹尼·佩爾（Daniel Pearl）在喀拉蚩被恐怖分子綁架的實況。

為最後爆發鼓掌

今年康城另一齣重要華語片是中國大陸導演李楊的《盲山》，在「某種觀點」展出。李楊的前作《盲井》備受好評，今次的《盲山》也為觀眾帶來一定程度的驚喜。在中國的貧困山區和農村，勞動力和傳宗接代的逼切需要，令本來善良的人性變得扭曲和橫蠻無理。好端端的一個城市少女，被人拐賣到山溝裡的農村作媳婦。買賣人口的情況原來相當普遍，連鄉村幹部和警方都不管，或者管不到。片中的少女不甘讓人擺布，雖然被「哎吔老公」施暴，甚至後來生下別人的娃娃，都多次要逃跑，主要是不甘被騙和被施以不公平的對待，再有當然是無可補償的親情。影片結尾女主角的一下激烈動作，令在場觀眾鼓掌叫好，影片隨即完結，而觀眾報以更熱烈的掌聲。

康城一甲子·之二

《信報》，2007 年 5 月 25 日

之三：新興力量，回饋社會

艷陽下，第 60 屆康城影展圓滿落幕。果然不出所料，東歐和俄羅斯電影成為大贏家。雖然 3 位康城常客——俄羅斯的蘇古洛夫、塞爾維亞的古斯杜力卡，匈牙利的貝拉·塔爾，全部

鍛羽而歸。但羅馬尼亞的克里斯亭・蒙吉爾（Cristian Mengiu）以《4月3周2日——墮胎日記》（*4 Months, 3 Weeks and 2 Days*）勇奪金棕櫚大獎，以及俄羅斯的康斯坦丁・拉朗尼高（Konstantin Lavronenko）憑《流放》獲得最佳男演員獎，都說明了這個地區新興電影力量的崛起。

　　《4月3周2日——墮胎日記》其實早就口碑載道，是大熱勝出。我在頒獎禮當天早上才補看，結果並沒有失望。導演蒙吉爾完全沒有賣弄任何花巧，只是如實地敘述一個大學女生墮胎的故事。無獨有偶，前年威尼斯金獅大獎得主《地下觀音》（*Vera Drake*）也是一個婦女非法墮胎的題材。《4》片的故事背景是壽西斯古獨裁政權倒台前的布加勒斯特，大學女生嘉碧達懷孕四月才找人非法墮胎，同室密友奧蒂妮為她張羅奔走，但在經濟拮据的情況下事情並不好辦，奧蒂妮甚至因此而被逼出賣肉體。一次真實而令人難忘的墮胎經歷，側面反映了羅馬尼亞當年物資匱乏、良知泯滅的社會現實。這部影片不但擷下金棕櫚獎，同時亦獲得國際影評人聯盟獎（FLFRESCI Award），以及一個名為國家教育獎（Prix De L'Education Nationale）的獎項。

東歐勝　美英敗

　　至於另外一齣羅馬尼亞電影《無盡加州夢》（*California Dreaming*（*Endless*）），則奪得「某種觀點獎」（Prix Un Certain Regard），擊敗了李楊的《盲山》、刁亦南的《夜車》、呂翼謀的《快樂工廠》等多部華語影片。《無》片的導演克里斯亭・尼

米斯古（Cristian Nemescu）首次執導，可惜不久前車禍喪生，未能親臨康城領獎。影片敍述 1999 年科索沃戰事期間，一列由美軍負責押送軍事物資的北約列車，駛經羅馬尼亞一個小村鎮時，因為未具海關和官方批文，被車站站長扣押。鎮長為了巴結美軍指揮官，特地舉辦周年晚會，一方面美軍士兵與當地女子互相邂逅，另一方面美軍指揮官有任務在身，不得不與勾結當地警方勢力的站長周旋，結果事情弄大，一發不可收拾。首次執導便有這樣美滿的成績，可說具見編導的才華。

　　相對於羅馬尼亞和俄羅斯影片的大豐收，美國荷里活電影（甚至是英語電影）無疑是大輸家。塔倫天奴和王家衛賽前絕非大熱（除了香港傳媒炒作之外），大衛・芬查的《殺謎藏》和高安兄弟的《二百萬奪命奇案》（*No Country for Old Men*）頗多影評人追捧，尤以後者更有不俗的口碑。然而，5 齣荷里活片有 4 齣打打殺殺，還有占士・格雷的《黑夜話事人》（*We Own the Night*），甚至血流成河，作為評審，恐怕都會見而生厭。至於吉士・雲遜的《迷幻公園》（*Paranoid Park*）牽涉命案之餘，算是稍有社會意識之作。本片獲得「60 周年特別大獎」，看來是各荷里活兇殺片相繼落敗之後，評審們在大會「指導」之下頒發的安慰獎，免得荷里活電影大亨們拍枱大罵：「咁唔俾面，明年一於杯葛你康城影展！」除了米高・溫達波頓的《偉大的心經》獲得非官方的小獎 Prix François Chalais 之外，英語片幾乎全線敗北，是歷年僅見。

　　韓國女星全度妍以李滄東導演《密陽》獲頒最佳女演員獎是實至名歸。一個有喪夫之痛的年輕寡婦，帶著兒子到亡夫的故鄉準備生根落戶，或者因為「口疏」，到處向人家說自己要投資房產，結果兒子遭綁架撕票。寡婦痛不欲生，這時好心的宗教人士要幫她面對逆境，她也希望得到新生。身心飽受折磨的她，或許以為藉著神的恩典或洗禮，已經饒恕殺子兇手，她要去監獄規口告訴兇手。當兇手平靜地說他很釋然，因為內心知道神已經寬恕他。寡婦最想不通的是：殺人犯比她更安樂，因為他已獲得神的原諒？李滄東明顯地質疑了某些宗教的偽善本質。

黑馬與冷手

　　今年的評審大獎（Grand Prix Du Jury），由日本女導演河瀨直美的《殯之森》(*Mogari No Mori*) 奪得。相對於李滄東的《密陽》，本片的紀錄片風格，和編導要闡述的老年以及如何面對悲痛經歷的主題，其實並無可觀之處。本片能夠入選競賽單元，已經是一項錯誤，能夠奪得康城影展的第二大獎，就更是匪夷所思。

　　正如我所料，美國導演朱里恩・史奈保的法語片《潛水鐘與蝴蝶》以「黑馬」姿勢贏得最佳導演獎。比較令人意外的是法國演員馬迪爾・阿瑪歷（Mathieu Amalric）的精彩演出，未能為他奪得康城影帝榮銜。

　　至於原籍土耳其的德國導演法提・艾金（Fatih Akin），今次

以《天堂邊緣》（*The Edge of Heaven*）獲得最佳編劇獎。我認為也是「獎項平均分配」的一種特別安排。土耳其與德國一直有特殊的關係，這情況在許多德國電影（尤其是已故的法斯賓達）中都有所反映。法提・艾金作為一個土耳其的德國導演，在溝通兩地文化的確不遺餘力。其紀錄片前作《仙樂飄飄歐亞橋》（*Crossing the Bridge*），就捕捉了土耳其和庫爾德族人的音樂。《天》片述說了土耳其人和德國人之間的友情關係，雖有動人之處，但人物的命運交錯安排得相當刻意和造作。

康城一甲子・之三

《信報》，2007 年 6 月 1 日

第 61 屆
康城電影節 2008

14 AU
25 MAI
2008

CANNES
08

61ᵉ FESTIVAL
DE CANNES

PALME D'OR
FESTIVAL DE CANNES - 2008
BEST PICTURE

the class
a film by   laurent cantet

OFFICIAL FRANCE ENTRY
ACADEMY
AWARDS®
BEST FOREIGN
LANGUAGE FILM

NEW YORK
FILM FESTIVAL
OPENING
NIGHT

第 61 屆康城電影節
—— 亞洲電影雖敗猶榮

　　40 年前的康城電影節，是胎死腹中最為慘痛的一年。1968年 5 月，法國的學運、工運全面爆發，波及康城影展。當年的新浪潮闖將杜魯福、高達、查布洛全力支持學生運動，支持被免職的法國電影收藏館之父昂利・朗格拉瓦[1]。電影人在影展期間發難，結果評審團連獎項都沒有頒出便草草收場。這一年，東歐國家的電影大放異彩，捷克導演米洛斯・科曼的《消防員舞會》[2]，匈牙利導演米克洛斯・楊祖的《紅軍與白軍》[3]，都與金棕櫚獎擦身而過，而西班牙導演卡洛斯・梭拉的《冰薄荷》[4]的首映更被憤怒的觀眾中止放映。

　　40 年後，康城電影節沒有任何紀念活動，而以往經常出現的遊行示威，今年也好像偃旗息鼓。政治議題，還是不碰為妙。這邊廂，為慶祝葡萄牙導演曼奴・迪奧利維拉[5]100 歲高壽而舉行放映活動；那邊廂，為慶祝英國導演大衛・連[6]100 周年冥壽，英國電影學院（British Film Institute）也放映了大衛・連多齣被修復的經典之作。兩位歐陸電影大師雖然陰陽阻隔，但他們對電影藝術的熱愛和執著，卻是舉世公認的，而事有湊

巧,今屆各獎項的得主,絕大部分是歐洲電影和電影人,其中尤以法國、意大利、西班牙等拉丁語系國家為最大贏家。

今年金棕櫚大獎由法國片《課室風雲》(*The Class*)奪得,這是 21 年來第一次,無怪乎法國傳媒視為頭等大事,法國電影人都喜氣洋洋。影片是根據法國一位中學教師法蘭索瓦·貝高度(François Bégaudeau)的著作改編。並由他親自演繹教師的角色。導演勞倫·康迪(Laurent Cantet),以紀錄片的寫實風格,準確地捕捉了課堂上老師和學生的互動。影片就好像一面鏡子,只要老師、學生、家長肯進電影院,就會被影片深深吸引,並且會對教育和教學問題作出反思。影片全部由真正的教師和學生演出,導演在駕御非職業演員的時候,可能較諸指導經驗豐富的專業演員更為吃力。本片獲得 9 位評審一致投票選為最佳影片,絕對是實至名歸。事實上,電影節的功能,就是要發掘鮮為人知的真正佳作,影片是否冷門,已經不是評審們需要討論的議題。記得 21 年前,法國導演莫里斯·皮亞勒 [7] 憑《在撒旦陽光下》獲得金棕櫚大獎,皮亞勒上台領獎時,觀眾噓聲四起,令皮亞勒大動肝火,向觀眾回敬:「你們不喜歡我的影片,我也不喜歡你們。」今次勞倫·康迪獲獎,倒算是眾望所歸的。

至於其他獲獎影片,我因為在本地報刊已作出報道,故此不再詳述。但基於本屆獲獎名單,一面倒地向歐洲電影傾斜,亞洲國家全部落敗,我打算在這裡為亞洲電影多說幾句。獲得最

佳導演獎的《3隻猴子》是土耳其製作,但嚴格來說,由於歐洲人一般視土耳其為歐洲國家(影片發行合約歐洲是包括土耳其在內),而土耳其亦正在申請加入歐盟,亞洲國家仍然算是交了白卷。

今年唯一打進康城影展競賽的華語片是中國導演賈樟柯的《二十四城記》。該片在四川成都拍攝,而影展開幕前兩天四川發生了舉世震驚的大地震,影片也就引起了一些話題和聯想。賈樟柯鏡頭對準的,依然是平凡的、草根的老百姓,轉變中的大時代的小人物,但不少被訪問的人都輪廓鮮明,性格活現。賈樟柯以紀錄片的白描手法,卻加入陳沖、趙濤、呂麗萍等職業演員,去當被訪者的替身。影片相對地缺少了戲劇元素,而今年9位評審有5位是專業演員。他們對欠缺演戲成份的紀錄片興趣不大,也是人之常情。賈樟柯勞而無功,是意料中事。

今年香港和台灣都沒有作品打進競賽,倒是新加坡的華僑導演邱金海(Eric Khoo)憑《魔法阿爸》(My Magic)得以角逐金棕櫚大獎。新加坡是多種民族和多元文化的社會,邱金海今次揀選了印度和馬來裔人士為主角。以父子親情為中心,是小品格局。影片的最大賣點是戲中的魔術師父親表演各種摧殘肉體的魔術,例如吞玻璃碎、自刺身體各部位等等,刺激的元素加上故事的人情味,自始至終,吸引住觀眾的注意力。

在日本、韓國都沒有影片競逐金棕櫚獎的情況下,倒是菲律賓導演比蘭特・文度沙(Brillante Mendoza)的新作《我們這

一家影院服務周到》（*Serbis*）得以殺出重圍。儘管如此，仍然劣評如潮，跟德國導演雲‧溫達斯的《巴拉莫死神約會》（*Palermo Shooting*）一樣得不到影評人的青睞。一般評論都認為，影片如果不是高調參賽，而是在其他單元例如「導演雙週」或「某種觀點」展出，人們對影片的期望相對較低，就不至於成為影評人的箭靶。

值得留意的是，香港已經連續 3 年沒有影片打進競賽。去年王家衛的西片《藍莓之夜》既是開幕影片，又是競賽影片，只可惜不純粹是香港製造。今年王家衛以《東邪西毒‧再生版》重臨康城，但不參與競賽。近年能夠打入康城競賽的香港電影人，不是王家衛，就是杜琪峯，說來有點可悲。這個現象說明香港電影工業本來就已是商業性和娛樂性凌駕一切，再遇上近年香港電影創作陷入低潮，情況殊難樂觀。余力為的《天上人間》以新導演身份獲得參賽資格，已經是 8、9 年前的事。其實細心審視今年參賽的亞洲影片，由《二十四城記》到《魔法阿爸》到《我們這一家影院服務周到》，全部都不是甚麼大明星、大導演、大製作，甚至可以說是小本經營，小品之作。香港特區政府管理下的電影發展基金、電影發展局，應該如何加強力度，鼓勵電影藝術創作，或支援電影創意產業，已是刻不容緩的課題。

今年只作特別觀摩展出的 1 齣韓國影片《風塵三俠決戰地獄門》（*The Good, the Bad and the Weird*），也足以令香港甚至

荷里活電影人大為驚嘆：「嘩，真正對手來了！」由金知雲導演，宋康昊、李秉憲、鄭雨盛等韓國巨星主演的商業娛樂「超大作」，場面浩大，動作刺激，製作認真，充滿幽默感。這部借鏡意式西部片《獨行俠決鬥地獄門》（*The Good, the Bad and the Ugly*）的韓式西部片，一下子就把沙治奧・李昂尼（Sergio Leone）當年的經典比下去。

另外，在「某種觀點」展出的 2 部華語片，鍾孟宏導演的《停車》，以及劉奮鬥導演的《一半海水，一半火焰》，亦頗值得一談。前者是台灣片，由張震、高捷、桂綸鎂、杜汶澤和戴立忍等主演。一個倒霉但心地善良的青年，為了買蛋糕而停車路邊，結果三番四次碰上衰運，劇情發展往往因為巧合，但逆境中的好人好事，尤其令人感動。後者是香港製作，但導演劉奮鬥和主要職員則來自國內，劇本改編自王朔的原名小說。曾經以《綠帽子》在翠貝卡（Tribeca）影展獲得最佳影片和最佳導演的劉奮鬥，今次以視覺風格極為強烈的技法，描寫情與慾、愛與恨的「痞子」愛情，有頗大膽的暴露和性愛鏡頭，只可惜心理層面未夠深刻，到最後給觀眾尾大不掉的感覺。

注釋：

1   Henri Langlois（1914-1977），創立 Cinémathèque Française

2   Milos Forman，參展作品 *The Fireman's Ball*

3   Miklos Jancso 參展作品 *The Red and the White*

4   Carlos Saura，參展作品 *Peppermint Frappé*

5   Manuel de Oliveira，生於 1908 年。

6   David Lean（1908-1997），同樣生於 1908 年。

7   Maurice Pialat（1925-2003），獲獎作品 *Sous Le Soleil de Satan*

8   *Love Will Tear Us Apart*，筆者是影片監製之一。

刊於《城市文藝》總第 29 期，2008 年 6 月 15 日

康城 2008

之一：美與醜的靈感

今年由於主辦奧運的勢頭，中國命中注定是要出風頭的了，先是百年一遇的雪災，然後是藏民騷亂，波及奧運聖火傳遞，最悲的是四川大地震，新聞所見，簡直是哀鴻遍野，慘不忍睹。

偏偏賈樟柯的參賽影片《二十四城記》又是以四川成都為背景，正好平衡了許多老外對四川的無知。四川是中國內陸最富饒的地區，人口超過 1 億，面積比歐洲還要大，幾乎每十個中國人，就有一個四川人。賈樟柯鏡頭對準的，仍然是平凡的、草根的老百姓，轉變中的大時代下的小人物，但輪廓鮮明，性格活現。紀錄片的直描手法，卻加入了陳沖、呂麗萍、趙濤等職業演員，去當被訪問者的「替身」。成發集團的國企廠房是這齣影片的真正舞台。

兩朵小花

最有意思的是，其中被訪問的一位當年來自上海的姑娘，樣貌酷似陳沖，而陳沖當年演的成名作《小花》，也就成為這姑娘的外號。這位當年的「廠花」的被訪片段全部由陳沖現身

說法。當年陳冲憑《小花》出席在杭州舉行的金雞百花獎時，可說是黃毛小丫頭，多年後的今天又扮演一個名為小花的忠實影迷，說起來也算緣分。30年前，意大利導演艾曼諾·奧米的《木屐樹》，以紀錄片的寫實手法描寫意大利草根農民的日常生活，奪得了金棕櫚大獎。賈樟柯能否令歷史重演，真的要拭目以待。今年評審團9位成員，包括主席辛·潘在內，有5位是專業演員，這個組成對半紀錄性影片殺出重圍明顯不利。

今年正式參賽的亞洲影片不多，日本、韓國都交了白卷。此消彼長之下，南美洲電影或以西班牙、葡萄牙語系為主的影片備受注目。連活地·阿倫「不參與競賽」的新片《情迷巴塞隆拿》（*Vicky Cristina Barcelona*）都選擇在西班牙拍攝，今年的拉丁風情如何濃烈，也就可想而知。

抵埗頭一天，直落4場電影，我還以為今年的主題是「監獄風雲」。阿根廷導演巴勃羅·杜比洛（Pablo Trapero）的《獅子窟》（*Lions Den*），以情殺案戶作為楔子，說的卻是獄中產子，然後母子被迫分離的人間悲劇。在監牢中誕生的稚子是無辜的，總不成跟著犯案母親服刑，因此到了4歲左右便要安排出監，由其他親友代為照顧。有的母親（尤其本身的確有罪）可以安然接受，但有的母親（假如本身是無辜）就絕對不能忍受。影片在社會現實和人性描寫方面，都顯出不至於過分偏激的成熟態度，結局尤其令觀眾釋然。

監獄風雲

接著下來是土耳其的參賽電影《3隻猴子》（*Three Monkeys*），也是以坐牢作為引子。父親為了替上司頂罪，承認自己是車禍司機而服刑，上司卻乘機勾引母親，兒子撞破姦情卻忍不揭發，父親出獄後危機漸露。一家三口如何修補已經破裂的夫婦、母子關係呢？導演魯里‧比茲‧錫蘭（Nuri Bilge Ceylan）兩年前在康城憑《氣候》（*Climate*）奪得國際影評人聯盟獎，被譽為是土耳其的安東尼奧尼。本片編、導、演俱佳，有一定的奪獎潛力。

再下來在「某種觀點」（Un Certain Regard）展出的《大絕食》（*Hunger*），才真正是英國版的《監獄風雲》。導演史提夫‧麥昆（Steve McQueen）並非當年紅透半邊天的美國巨星，只是同名同姓的一位新進導演，憑本片可以問鼎金攝影機獎（Caméra d'Or）。影片描述1981年北愛爾蘭的美茲（Maze）監獄，當時愛爾蘭共和軍與強硬的英國軍隊惡鬥，被捕下獄的滋事份子受到不人道和殘暴的對待，現在看來也令人不寒而慄。那不僅是政治迫害，而是合法的政治謀殺！暴力對抗是自取滅亡，於是轉而絕食抗議。然而，在當時的政治氛圍底下，也是一條恐怖的不歸路，不光是受害者痛苦，連獄卒們都苦不堪言。影片超暴力和血腥的場面，會令觀眾輾轉反側，噩夢縈繞。

作為有良心的藝術工作者，反映社會現實、反思歷史、刻畫人性美好或醜惡的一面，那是應有的態度，也是創作靈感的

來源。但作為電影節的觀眾，從早到晚看著一些令人沮喪、令人不快、令人悲觀的悲劇、慘劇，坦白說，日子並不好過。也因此，像活地・阿倫那種俊男美女的愛情遊戲，再加上知識分子或藝術家的中產趣味，的而且確有如印度咖喱之餘來一杯啤酒或凍飲那般清涼愜意。

活地・阿倫的過人之處是有自知之明，當他意識到自己勉強粉墨登場去演糟老頭跟年輕女優談戀愛，無論對白和演出有多精彩，始終有點倒人胃口的無奈。前作《迷失決勝分》(*Match Point*) 是他老人家轉型成功的例子，今次的西班牙羅曼史，也煞是好看。美國遊客跟西班牙藝術家擦出奪目的火花，愛將史嘉麗・約翰遜，跟西班牙的金童玉女夏維埃・巴丹 (Javier Bardem)、彭莉露・古絲 (Penelope Cruz) 談笑用兵，已足以令年輕 (或心境年輕) 的觀眾神魂顛倒。

《信報》，2008 年 5 月 19 日

之二：在殘酷世界尋找人性光輝

30 年前，我第一次以影評人的身份出席康城電影節。那年的金棕櫚大獎得主是《木屐樹》，30 年後，意大利資深影評人羅倫素・戈達里 (Lorenzo Codelli) 為奧米出版了紀念專集，我當年在《南北極》雜誌上發表有關《木屐樹》的評語，亦有幸被節錄並刊登在專書上。

30 年了，採訪康城影展的日子愈來愈不好過，除了愈來愈

人多擠迫之外，歐羅的高企，令康城的應有享受大打折扣。唯
一仍然算是價廉物美的肯定是餐酒，在 Casino 超市買到的紅、
白以至玫瑰紅（Rose）餐酒，三數歐羅已經相等於港幣百多元
的貨色，十多歐羅已經可以買到波爾多的 Grand Cru Classé 紅
酒。但影展最要命的是太多令人沮喪，令人極度不安的作品，
「監獄風雲」之餘，再來多齣「殘酷世界」，真是吃不完兜著走，
唯有多喝兩杯法國佳釀以振士氣。

　　以《中央車站》一片成名的巴西導演和路達・薩里斯，今
次與女導演丹妮拉・托馬斯（Daniela Thomas）描寫聖保羅市的
低下階層。四個沒有父親的兄弟與母親相依為命，其中一個更
是黑人樣貌。點解會咁嘅？那當然是母親遇人不淑。巴西是著
名的足球王國，好波之人多如牛毛。但原來身手了得的少年，
為求落場比賽還要用真金白銀收買領隊。世界艱難，人性是最
不值錢的東西，好端端的少年，結果成為電單車搶匪。《越位》
（Linha depasse）的編導所反映的社會陰暗面，其實是許多南美
國家的真實寫照。

　　法國導演阿諾・迪佩善（Arnaud Desplechin）的《聖誕物語》
（A Christmas Tale）嚴格來說，也是「殘酷世界」的故事，子女
出生後罹患頑疾以至夭折，往往是因為父母的遺傳因子造成。
這是角色眾多的倫理劇，有頗多具體的醫學細節，也需要冗長
的對白交代。法國影評界一廂情願地把迪佩善捧為金棕櫚的熱
門人選，恐怕難以得償所願。

假結婚 真處境

倒是另一齣法語電影——比利時的《羅娜的沉默》(*Lorna's Silence*) 更具冠軍相。只是戴丹兄弟已經兩次擷下金棕櫚，再贏的機會不高。但以片論片，實是上上之作。跟前作《小孩》相比，本片仍然探討人口問題，集中描寫現代社會的人倫關係。來自阿爾巴利亞的年輕女子朗娜在黑幫的安排下，與一名染上毒癮的比利時男子假結婚，希望取得居留權。但黑幫的如意算盤是讓「癮君子」死去後，朗娜再與俄羅斯男子假結婚而再敲一筆。朗娜本來有要好的男友，但因為同情「霧水」丈夫而懷下其骨肉。本片在人倫上的奇特處境，跟前作《小孩》的年輕愛侶販賣自己的嬰兒，有異曲同工之妙，但戴丹兄弟的寫實筆觸依然感人。

說到社會的殘酷，在「某種觀點」看到的另一齣法國片《凡爾賽》(*Versailles*)，也予人深刻的印象。導演彼爾‧舒高拿 (Pierre Schoeller) 首次執導，有問鼎金攝影機獎的機會。今天的法國首都巴黎，失業問題嚴重早已不是新聞。無家可歸的人比比皆是，但在凡爾賽宮附近的叢林露宿，也算高級得可以，年輕母親帶著兒子遇到另一露宿男子，丟下兒子自己追求重新開始的契機。編導沒有鄙視這些「大種乞兒」，所謂「有頭髮沒有人想做瘌痢」。社會現實雖然殘酷，但人性的光輝照亮著我們的前路。露宿漢與男孩的人性互動，感人至深。

尋找兒子的母親

　　至於被法國影評界特別賞識的奇連・伊士活，雖然多次在康城參賽，今次憑《換命謊言》（*Changeling*）有望染指金棕櫚或其他重要獎項。開場簡潔的三兩個鏡頭，就把觀眾送回 20 年代的洛杉磯。這個時代的美國黑幫橫行，間接造成警權過大。片中的男孩沒有前述影片那麼幸運，他的母親的遭遇就更令人同情。一個平凡的下午，生長在單親家庭的男孩突然失蹤。母親報警求助，半年後警方在另一個州找回一個明顯不是她兒子卻冒認是她兒子的男孩。母親如實告訴主其事的警官，但警官夾硬要母親相信並承認那是她的兒子。一切不過是因為警方敷衍塞責、草菅人命。事情愈鬧愈大，母親被警官送進精神病院。同一時間，有小孩揭發連環殺手殘殺近 20 名男童，其子據說亦在被害名單之上。對於一位母親，那是多麼殘酷的現實。但這位母親堅強地與霸道卻腐敗無能的警方周旋，並堅信自己的兒子尚在人間。有關連環殺手的影片多不勝數，但奇連・伊士活是從人性、母性出發，而且頗多意在言外的隱喻，對於美國社會自西部開發以來扭曲了的人性和過度使用暴力的現象，亦大加撻伐。影片所有角色都有學院派的精到演出，女主角安哲蓮娜・祖莉尤其入木三分。

　　大都會固然充斥著殘酷的故事，但偏遠如匈牙利的窮鄉僻壤也好不了多少。一個年輕男子回到家鄉找到自己的生母，但原來母親還有一個女兒，也即是說他的妹妹。以前從未見面的

妹妹跟他頗為投緣，但在後父以至旁人看來，這種關係好像不太正常，年輕兄妹要在水鄉中建屋居住，或許是以「小人之心，度君子之腹」，別人看來那準是亂倫的先兆。結果，旁觀的人開始失控，很難說是「干卿底事」，悲劇注定是要發生的了。康奴・蒙迪曹（Kornel Mundruczo）導演的《三角洲》（*Delta*）敘事風格突出，但稍嫌欠缺深度。

《信報》，2008 年 5 月 23 日

之三：六旬康城　青春無敵

執筆為文時，康城影展各個獎項已經公布。今年的賽果，嚴格來說，是拉丁語系國家獨領風騷；情況就有如 2 年前的世界盃足球比賽，結果演變成意、法爭霸的局面。明明是世界盃，卻變成歐洲盃，而且還是拉丁民族吐氣揚眉的一年。金棕櫚大獎得主是法國的《課室風雲》（*Entre Les Murs*），格蘭披治大獎是意大利的《黑幫出少年》（*Gomorra*）。

正如所料，賈樟柯的《二十四城記》的記實風格，在今年專業演員和導演雲集的評審團眼中，缺少了演戲和戲劇的元素，即使拍攝地點發生了舉世震驚的大地震，也未能因此獲評審們垂青。

駕馭現實的功力

至於勞倫・康迪（Laurent Cantet）的《課室風雲》也是紀錄片風格，但當中導演要駕馭非職業演員的能力不能等閒視

之，9位評審果然是行內人，一看便知龍與鳳，全體一致投票選為最佳影片，重演了30年前《木屐樹》的歷史。影片根據法國一位中學教師的著述改編。課堂上，老師面對頑劣不聽話的學生，有時真是欲哭無淚。但紀律處分或者驅逐出校，是否就能解決問題呢？老師見家長時，家長又抱持甚麼態度呢？這是一個具有宇宙性和恆久性的題材。自有人類文明以來，尤其是近代社會，有人類的地方就有學校，就有教育下一代的問題。勞倫‧康迪的功力在於不慍不火、徐疾有致地讓觀眾好像置身於學校，觀看著一幕幕的老師和學生、老師之間、學生之間的互動，而過程毫不沉悶，並且引發老師、學生以至所有家長的思考。影片為法國電影人21年來首次在康城贏得最高榮譽，絕對是實至名歸，我對本屆評審團致以崇高敬意。

格蘭披治大獎頒給《黑幫出少年》，也反映了評審團對青少年問題的關注。意大利南部的拿波里黑幫橫行，社會上人人唯利是圖，或者為生存，為自肥而罔顧道義，或不得不幹非法勾當。拿波里的貧民窟，好人、壞人只隔一條馬路，青少年變成黑幫，也只是一念之差。導演馬提奧‧加朗尼（Matteo Garrone）在描寫黑幫仇殺火爆刺激之餘，在反映社會現實方面亦具有敏銳觸覺，例如旁及中國人開設「山寨式製衣工廠」，在看似雜亂的鏡頭調度和剪接章法之下，其實蘊含著一定的爆炸力。

今年康城影展的最大發現，我認為是獲得「某種觀點獎」

的卡薩克斯坦影片《大耳無罪》（*Tulpan*），導演沙基・杜維謝和（Sergey Dvortsevoy）首次執導，影展開幕數天前才趕起拷貝和字幕。遊牧部落在大草原居無定所，年輕人物色結婚對象是頭等大事，否則家業未成，傳宗接代亦有問題。桃鬢是一個年輕女子的名字，服完海軍兵役回來的阿薩想討桃鬢為老婆，但無法如願，與姐姐和姐夫一家同住，又跟姐夫相處不來。影片充滿鄉土人情味和年輕人對愛情的憧憬，紀錄片風格亦非常強烈。片中飾演阿薩的男演員，為難產的母羊接生，小羔羊終於呱呱墮地（其實是被阿薩用手拖出母體），他還要為滿身血漬和胎水的小羊進行人工呼吸，鏡頭「一鏡直落」超過 10 分鐘，真實得令人咋舌。片中的小駱駝被人送去療傷，母駱駝窮追不捨，也是神來之筆。比較遺憾的是本片未能奪取金攝影機獎，但影評人招待場近千觀眾鼓掌超過 10 分鐘，足以證明本片的魅力。

獲得金攝影機獎的英國片《絕食》，獲得最佳導演獎的土耳其片《三隻猴子》，最佳編劇獎的比利時片《羅娜的沉默》，最佳女演員獎的 Sandra Corveloni（越位），全部都是歐洲片或拉丁語系電影（土耳其也被視作歐洲，正申請加入歐盟）。至於獲得最佳男主角獎的《哲古華拉少年日記》雖然是美國製作，但演員班尼斯奧・迪陀路也是拉丁民族後裔，再加上國際影評人聯盟獎由匈牙利導演康奴・蒙迪曹的《三角洲》（*Delta*）奪得，今年絕對是歐洲及拉丁語系國家收穫最豐盛的一年。亞洲、非

洲、澳洲全部交白卷，若非奇連‧伊士活以《換命謊言》獲得
第 61 屆康城特別獎，美國電影同樣被邊緣化。歐洲電影再度抬
頭，證明歐洲始終是文化匯萃之地，崛起多年的亞洲電影，相
信還要再加一把勁。

電影論政

今年最令影迷失望的大師作品，肯定是雲‧溫達斯的《巴
拉莫死神約會》（*Palermo Shooting*）。雲‧溫達斯的電影作品在
世界各地游走，早期令人心儀的金棕櫚得獎之作《德州巴黎》，
較近期的《里斯本物語》都見創意和功力。但絕料不到雲‧溫
達斯竟然在意大利的柏拉莫陰渠裡翻船，上半段的時裝攝影還
有點瞄頭，下半段去到柏拉莫演繹「柏拉莫的死神」，就迷失在
真實與幻覺之間，令觀眾無所適從。片末字幕還煞有介事地向
褒曼和安東尼奧尼致敬，殊為令人尷尬。如果說上半段向《春
光乍洩》（*Blow-Up*）致意，下半段向《野草莓》致意，兩位大
師泉下有知，恐怕會抗議連聲。

康城今年最長篇的參賽作品是史提芬‧蘇德堡的《哲古華
拉少年日記》，片長達 4 小時 30 分：據說將來會分開兩集公
映，今次放映亦設有中場休息。班尼斯奧演原籍阿根廷的古巴
革命英雄哲古華拉，由頭帶到尾，除了扮相令人信服之外，演
技亦可圈可點，戲分之重，單憑「點數」，已經足以勝出。但本
片的最大問題在於頭重尾輕，上集描述卡斯特羅與哲古華拉在
強鄰美國虎視眈眈下進行武裝革命，由森林野戰進而在夏灣拿

打巷戰，終於革命成功。這些片段與哲古華拉在紐約聯合國總部發表演說以及接受傳媒訪問等等，以及一些歷史鏡頭相互穿插，頗能真實地還原一位傳說中的革命領袖。只是下集描寫哲古華拉到波利維亞進行另一場武裝革命，結果成為末路英雄·連性命也不保。過程冗長而重複，沒有太多的啟發性和娛樂性，令觀眾有倒吃甘蔗的無奈。本片大部分對白是西班牙語，將來在美國公映亦可能構成障礙。

另一齣揚威康城的意大利影片是保羅·索倫天奴（Paolo Sorrentino）的《政壇一男子》（*Il Divo*），獲評審團獎。戰後的意大利政治動盪，政黨更替、政府換屆有如家常便飯。由於政客、黑幫勾結，政要、法官、總理被暗殺者無日無之，政治暗殺和政治諷刺是意大利電影極其重要的一環。索倫天奴辛辣的諷刺加上不拘世俗的大膽靈活拍攝手法，令本片成為近年最入木三分的論政電影，可以在意大利電影史上佔一席位。

《信報》，2008 年 5 月 30 日

第 64 屆
康城電影節 2011

FESTIVAL DE CANNES

11–22 MAI 2011

▲ 2011 年第 64 屆宣傳海報　　　▶ 2011 第 64 屆康城電影節金棕櫚獎電影
《生命樹》(*The Tree of Life*)

THE
TREE
OF
LIFE
WRITTEN AND DIRECTED BY
TERRENCE MALICK
BRAD PITT
SEAN PENN
JESSICA CHASTAIN
FOX SEARCHLIGHT PICTURES AND RIVER ROAD ENTERTAINMENT PRESENT BRAD PITT SEAN PENN JESSICA CHASTAIN "THE TREE OF LIFE" CASTING BY FRANCINE MAISLER, C.S.A. AND VICKY BOONE COSTUME DESIGNER JACQUELINE WEST MUSIC BY ALEXANDRE DESPLAT EDITED BY MARK YOSHIKAWA PRODUCTION DESIGNER JACK FISK DIRECTOR OF PHOTOGRAPHY EMMANUEL LUBEZKI, ASC, A.M.C.
PRODUCED BY SARAH GREEN BILL POHLAD BRAD PITT DEDE GARDNER GRANT HILL WRITTEN AND DIRECTED BY TERRENCE MALICK
PG-13 PARENTS STRONGLY CAUTIONED
SOME THEMATIC MATERIAL
SUMMER
WWW.FOXSEARCHLIGHT.COM

第 64 屆康城電影節側記

　　為了拍攝電影《酒徒》，已有 2 年沒來康城。也因為《酒徒》，我出席了 5 月初在意大利舉行的烏甸尼（Udine）影展。影展閉幕翌日，我就來了康城。理論上，從意大利北部開車或坐火車到法國南部，不會超過 10 小時。但我選擇坐飛機，早上 9 時離開烏甸尼，晚上 8 時才到得了康城的居所。何以故？為了省錢！先飛羅馬，再轉尼斯。過去三十多年，從未試過這麼早便來到康城，抵埗時距開幕的日子還有 3 天。早是早了，但養精蓄銳，預作籌謀，也是好事。

　　先説評審陣容。演員佔 4 席，最資深的羅拔・迪尼路出任主席。導演有 4 位，其中包括港人熟悉的杜琪峯。女性也有 4 位，包括香港的製片人施南生。9 位評審中有 2 位香港人，但兩岸三地的華語片全部缺席競賽項目，令人擔心中、港、台的大導演愈來愈商業化。陳可辛的《武俠》將於本週六作世界首映，雖不是參賽影片，但主要演員甄子丹、金城武、王羽、湯唯等都隆重赴會。

　　開幕電影是活地・阿倫的《情迷午夜巴黎》（*Midnight in Paris*），雋永愛情喜劇，令人期待。一眾大導演都是康城常客，蘭尼・摩烈提、郭利斯馬基、艾慕杜華，即使不是喜劇，最少

也是悲喜交集，聽說連戴丹兄弟也沒有以前般沉鬱。現實世界太悲慘，電視和網絡上的新聞已經令人吃不完兜著走，沒有必要再用電影來反映了，我的意思是那些沮喪得令人崩潰的電影。

　　另外幾位康城常客，說不定就是悲慘世界的代言人。泰倫斯・馬力克、河瀨直美、三池崇史、拉斯・馮特艾爾，還有早期拍過阿倫・迪龍演出的《喋血凌霄閣》（L'Insoumis）的阿倫・卡華利亞（Alain Cavalier）。三池崇史以 3D 重拍小林正樹的經典武士片《切腹》，令人既期待又惶恐。拍壞了，倒省事。拍得精彩，又恐怕大大小小的 3D 片排山倒海地奔來眼底，好不傷神。

活地・阿倫《情迷午夜巴黎》

　　無可否認，活地・阿倫不再粉墨登場、夫子自道，他的作品就回復了早期的魅力。由英國取景的《迷失決勝分》（Match Point），到西班牙取景的《情迷巴塞隆拿》（Vicky Cristina Barcelona），以至法國取景的《情迷午夜巴黎》，喋喋不休的髒老頭不再出現，由年青俊偉的演員代為現身說法，他老人家舒服之餘，觀眾亦看得舒暢。愛情仍然是主菜，但黃金時期的巴黎文藝沙龍雖是配菜，但味道比主菜更為濃厚芳香。

　　一個美國作家偕未婚妻，以及未來外父外母來到巴黎，他跟眾人很早便出現種種意識型態的分歧，而最要命的是未婚妻剛好碰到一對夫妻好友，男的在她心目中是博學多才的高級知

識分子。一個女人如果不斷提醒她的男人，他在「才學」和「錢財」兩方面都有所欠缺，那二人分手是遲早的事。這樣一個充滿自卑感的作家，正正是活地・阿倫經常在電影中描繪的帶有自傳成分的角色。

道不同，不相為謀。這對貌合神離的情侶，開始各行各路，女的去跳舞，男的深夜躑躅街頭。午夜時分，一輛古董轎車路過，車上男女招呼他上車繼續喝酒，然後車子來到一個令人覺得有意思的地方，他在那裡碰到美國作家費茲傑羅。觀眾以為是他的意識流或做夢而已，後來才知曉是時光倒流，是time travel，是中國政府明令禁止的題材。慘矣！龐大的中國市場就此泡湯。

關於作家的電影多得很，但從未見過像本片般向巴黎最美好的年代，以至這樣多文學家和藝術家，作出致敬和高度景仰。男主角後來又碰到他崇拜的作家海明威、艾略特等等，還有畫家畢卡索、達利、高庚、莫迪里亞尼、高克多，導演布紐爾等等。片中主角或其他人提到的名家還包括莫內、喬哀斯、福克納、馬克・吐溫、普魯斯特等等，就差沒有喬治・奧威爾，他在巴黎的日子很艱苦的。要是前面提到的名字你只聽過3、4位，那這個片子對你來說可能就會悶。我不敢肯定片中的愛情線可以支撐全片的趣味，但我認為活地・阿倫著實欠了一點「火」。

女導演的悲慘世界觀

言猶在耳，開幕電影《情迷午夜巴黎》之後，連續 3 齣競賽影片，即使不是悲慘電影，也屬悲觀電影。3 位導演都是女性，年齡都是三十多四十歲；嚴格來說，不屬高齡人士。何以這樣悲觀？

澳洲女導演茱莉亞・李（Julia Leigh）的處女作《色謎睡美人》（*Sleeping Beauty*）由曾是金棕櫚得主的珍・甘比茵監製（Jane Campion），將會同時競逐金攝影機最佳新導演獎。如果導演是男性，我會說他刻意販賣女性胴體。現在導演是女性，我無話可說。一個大學女生，為了幫補家計，餐廳女工、辦公室助理，甚麼都做，最後做了上流社會高級嫖客的陪睡女郎。因為吃了迷藥或安眠藥，是誰上床狎弄，女的懵然不知，令那些老醜嫖客大感安心。扯皮條的貴婦一再強調，唯一條件，不准器官插入。當然，這其實跟少女援交，少女賣淫，毫無分別，反正是人類最古老的行業。在技術層面，電影拍得很不錯。小妮子的演出，堪稱精采。純潔的樣貌，潔白的女體。但我不得不質疑，導演有幾多誠意。不外是故作高級的商業片，僅此而已。

英國女導演蓮妮・藍茜（Lynne Ramsay）的第 3 作，《我的兒子是惡魔》（*We Need to Talk, Kevin*），就更令人不安、沮喪、絕望。有冷艷影后之稱的蒂坦・史雲頓（Tilda Swinton），今次演的是一位鑄成大錯的母親，又或許不純然是她的錯，是社會

的錯，是學校的錯。或許她的長相先天缺乏母愛的慈祥，兒子一出世就好像跟她有仇。莫非前世冤孽？處理手法上，導演不斷強調噪音，鑽地、吸塵、剷草、孩子哭聲，不一而足。令人不安的元素，再三出現。劇情以倒敘方式交代，大部分是母親的主觀，大量的意識流和時空交錯。攝影和音響無懈可擊，蒂坦‧史雲頓的演出依然精湛。但母子之間的關係，真的可以那樣不堪嗎？事情發展至這種田地，做父親的好像置身事外。養不教，父之過。這樣累人累物的家庭悲劇，究竟是誰之過？總之，導演要你心裡發毛。

法式警察故事具感染力

　　3 齣女導演的作品中，最值得談論和探討的是美雲（Maiwenn Le Besco）的《青少年警隊》（*Polisse*）。這齣法國式警察故事片，可以用 3 個字詞來形容：真實、誠實、樸實。美雲是演員出身，作為導演，她處理群戲，別有一手。開初看似鬆散，人物眾多，但劇情愈拉愈緊，戲中角色亦愈見立體。戲看了 10 分鐘，我立即想起 3 年前在康城獲得金棕櫚大獎的法國片《課室風雲》（*The Class*）。紀錄片風格，演出真實，完全不似演戲。

　　隨著法國人近年生兒育女的意願回升，兒童人口大增，但與此同時，虐兒、狎弄甚至強姦兒童的罪案顯著增加，法國警方於是成立「保護兒童專責小組」，專門處理與兒童有關的罪

案，但遇到緊急或特大事故，亦會協同警隊的其他部門如重案組一起行動。無論你怎樣討厭某些法國人的高傲自大，看完本片，你會很驚訝，甚至很感動。世上竟有這樣仁愛的政府？有這樣人道主義的警隊？

影片也不是一面倒地歌頌警隊。他們的上司也有明哲保身的縮頭烏龜，同事之間也時有齟齬，甚至有火爆的衝突；每個人都有家庭和感情上的煩惱，但最重要的是能夠發揮團隊精神，同仇敵愾。從影片所見，性侵犯兒童的情況非常普遍，有的甚至是父親或祖父對女兒或孫女過份親暱、有意或無意之間做出的侵犯行為，至於孌童癖或強姦少年兒童就更令人髮指。

警察的工作性質是防止罪惡發生，但其實他們每天都面對罪惡。而怎樣去界定罪惡，往往並不容易，而世俗人眼中的道德規範，有時也變得模糊起來。影片反映的是一個病態的社會，有著許多有病的，或有形形式式難題的人群，但卻不是一個使人絕望的社會。本片是美雲執導的第三齣長片，那是一種極爽快、極見功力但卻毫不賣弄的電影技法，跟整色整水、故弄玄虛剛好是兩個極端。

談今屆康城金棕櫚獎得主《生命樹》

很少荷里活電影導演，會像泰倫斯・馬力克（Terrence Malick）這樣特立獨行，我行我素。自 1973 年首次執導《荒漠情》（*Badlands*）以來，將近 40 年的黃金歲月裡面，只拍過 5 齣

電影。貴精不貴多之餘，當然是精彫細琢，不在話下。

　　1979 年，我在康城影展看了《夢斷天涯》（*Days of Heaven*）；那次的觀影經驗，非常震撼。銀幕上放映著由 35 毫米膠片放大成的 70 毫米拷貝，金黃色的畫面帶著粗粒效果；微風過處，麥田上是一波又一波的麥浪，令人神往，30 年後仍深印腦海。當年的 70 毫米拷貝除了畫質較高之外，最重要是配上 6 聲道磁帶的立體聲音響，音域之豐富，音色之準確，比諸現代最講究的數碼音響效果亦不遑多讓。

　　《夢斷天涯》的音畫結合，可說美不勝收。影片不但奪得康城最佳導演獎，內斯特・雅曼杜斯（Nestor Almendros，當年杜魯福的攝影師）亦拿下美國奧斯卡最佳攝影金像獎，而安里奧・莫里可尼（Ennio Morricone）優美的配樂，更令人難以忘懷。那時的李察・基爾（Richard Gere）青春少艾，眉清目秀，憑此片一炮而紅，在國際影壇享譽至今。如此具震撼力的新晉導演，到 1998 年才拍出第 3 部作品《狂林戰曲》（*The Thin Red Line*），中間相隔 20 年！如此漫長的等待，雖有久別重逢的狂喜，但亦不禁為泰倫斯・馬力克某程度的蹉跎歲月而感到可惜。

　　泰倫斯・馬力克的作品，都是充滿哲理的史詩式電影，但這史詩並不描寫偉大的人物或偉大的歷史事件，而是充滿詩意和個人情懷的詠嘆。天地初開，一片渾沌。看泰倫斯・馬力克的最新作品《生命樹》，我竟然看到了東方的人文精神。「天地玄黃，宇宙洪荒」，還有《前赤壁賦》的「寄蜉蝣於天地，渺滄

海之一粟。哀吾生之須臾，羨長江之無窮。」重讀蘇東坡的經典，那種思想感情，竟然驚人地相似。所謂「天地」，不就是西方人眼中的大自然嗎？而人與大自然的關係，一直是馬力克電影中的重要課題之一。

當然，西方觀眾不可能有蘇東坡這種情懷，他們會從聖經《約伯記》的要義，去闡釋和閱讀《生命樹》這個不太有傳統起承轉合的故事。他們會從宗教和永生的角度，去理解片中人物的思想感情。片中的鏡頭，像孫悟空翻筋斗般從小鎮的樹枒翻到外太空，視點一下子無限擴張到蒼穹宇宙，其效果正正是「渺滄海之一粟」，人類在天地間是如何渺小，人生在歷史長河中又是何等短促，不正是「寄蜉蝣於天地」嗎？

真正的藝術品，簡單如一幅畫，一張照片，一件雕塑，都有生命。不同的觀賞者，會有不一樣的感受和想像。更何況是時間和空間可以無限壓縮或無限擴張的電影作品，不同的觀眾絕對可以有截然不同的解讀和詮釋。《生命樹》簡單地說，是美國小鎮的倫理親情故事，父子之情，母子之情，兄弟之情，夫婦之情，而中心人物是畢・彼特飾演的嚴父。但泰倫斯・馬力克有勁爆的創作野心，一場河灘旁的恐龍戲，不但暗示了天地間弱肉強食、適者生存的規律，亦一下子把 1 億 6 千萬年的時間高度壓縮，於是令我生出了「固一世之雄也，如今安在哉？」的喟歎。

雖然篇章零碎，沒有明顯的故事情節，《生命樹》的境界

卻是超凡入聖的。看《生命樹》的時候，我想到了山田洋次的《黃昏清兵衛》，一個有家庭負擔的落泊武士，為家庭作出了許多男人都不願作的犧牲；也想到小津安二郎的《我出生了，但……》，兩個小兄弟不明白父親為何要向鄰家小孩的父親卑躬屈膝（那是父親的上司啊）。《生命樹》描寫的父子關係，複雜而微妙。一般而言，所有父親，無論愚賢優劣，都是兒子模仿學習的對象。父子關係，最常見的是父親往往不滿意兒子的成就，而兒子又往往嫌棄父親的沒出息。父慈子孝，虎父無犬子，可能只是上天的恩賜。

　　《生命樹》不但是美麗的詩篇，也是充滿睿智和哲理的藝術精品，在美國主流電影工業中，非常罕見。詩歌可以充滿感情，戲劇也可以充滿感情。但詩歌的語言相對是精煉的，是經得起時間考驗的。泰倫斯·馬力克的筆觸看似隨意，但其實經過細意推敲。演出方面，尤以畢·彼特和3個兒子的演繹，堪稱無懈可擊，每個眼神，每個動作，一舉手，一投足，都舉重若輕舉，都恰到好處。我雖然沒有宗教信仰，但我深信，既是他人兒子，又做了別人父親的觀眾，一定會比其他觀賞者有更深刻的感受。

陳可辛《武俠》新紀元

　　《投名狀》出來的時候，我對陳可辛真的刮目相看。官仔骨骨的番書仔模樣，竟然拍得出這樣好看的古裝武打片。香港導

演拍中國古裝大片，把國內的大導演比了下去，殊不簡單，亦值得我們驕傲。紅地毯的那場午夜場首映，放映的似是數碼版本，但聲音畫面絕對震撼，無損觀眾欣賞興緻。

上次李安的《臥虎藏龍》也是不參與競賽，在康城贏得口碑之後一帆風順，甚至在美國奪得奧斯卡金像獎。這次陳可辛的《武俠》，以片論片，其成績已超越《臥虎藏龍》。作為市場主導的商業娛樂片，我相信從來沒有一齣中、港、台武俠片，對時代風貌、生活細節和畫面質感，像本片這樣下功夫。美術指導奚仲文，過去也參與過許多中國大片的製作，但這次他跟陳可辛合作，可說是如魚得水。

現在連中國大陸的電視武俠劇集都一絲不苟，電影人實不應把投資的老闆和觀眾當傻瓜。過去的武俠片大多只著重正邪惡鬥和武打場面，對於佈景也好、實景也好，都得過且過。陳可辛今次明顯地要把《武俠》拍成 1 部「作品」，除了武打場面勁好看之外，雲南的外景以至服裝、道具等等，都令影片的藝術價值大幅提升。像甄子丹飾演的殺人犯唐龍（後改名劉金喜），與惠英紅在瓦背屋頂上的廝打追逐場面，其動感和美感，跟在片場中完成的貨色絕不可同日而語。

本片在傳統中國武俠片的類型，加入了 film noir 的元素，亦有點日本推理電影的味道，金城武飾演的徐百九，就令人想起橫溝正史筆下的偵探金田一耕助。而王羽飾演的 72 地煞教主，那種咄咄逼人的威嚇力，簡直就是驚慄片中的殺人魔王。

我最欣賞本片的地方是，編導、美指等認真地加插了中國古老文化的精髓，諸如針灸、穴位、氣功、造紙術等等，令影片增加了豐富的肌理和可觀性。另外，以康城這場首映所見，本片在音響設計、音樂和混音等方面，也達到了中國電影從未有過的最高技藝水平。而劇本雖有瑕疵，整體是瑕不掩瑜。有此成績，可喜可賀。

蘭尼・摩烈提《教宗唔易做》

　　就像活地・阿倫的影迷追看他的新作，蘭尼・摩烈提的粉絲亦不會錯過他的新片。10 年前，蘭尼已經憑《兒子的房間》（*The Son's Room*）獲得金棕櫚大獎。但那次得獎，蘭尼其實偏離了他一向自編自演的喜劇路線，今次重拾社會諷刺喜劇的舊路，勝出的機會不大。喜劇在康城影展奪魁的例子非常罕見，印象中只得 1970 年的《風流軍醫俏護士》（*M. A. S. H.*），一齣諷刺越戰美軍的瘋狂喜劇。

　　蘭尼・摩烈提今次這部《教宗唔易做》（*Habemus Papam*），嘲諷的是羅馬教廷，真可說是太歲頭上動土。從異教徒或無神論者的角度看來，那些所謂嘲弄，説真的，沒有甚麼大不了。我自己認為，那反而是好事，蘭尼把世人眼中某些僵化、保守的天主教會形像，還原了它人性化的一面。神職人員是人，教宗也是人，人總有軟弱的一面。但梵蒂岡並不這樣想，據稱劇組申請實景拍攝被拒，目前看到好像是教廷的內景，其實是在

Cinecitta（羅馬影城）搭景和在法國大使館官邸取景。作為意大利導演，作品中從不觸及天主教會或探討宗教信仰問題的，幾乎是不可能的事。

話說現任教宗蒙主寵召，魂歸天國，羅馬教廷按慣例由樞機主教互選新教宗。電影一開首是互選過程，半戲劇、半真實中充滿幽默感。一眾教會耆英，有點返老還童況味，那些熱門人選，心中都暗叫：「不要選我！」後來不知是否天父的意旨，突然跑出一匹黑馬，由法國的梅維爾主教當選。

或許毫無心理準備吧，教廷正要當眾宣佈新任教宗，梅維爾主教突然堅拒登位，令眾人傻了眼。蘭尼飾演的心理學專家，被召為候任教宗作心理輔導，引出許多笑料。但問題並未解決，教宗竟然「走佬」，於是引出更多笑料。法國耆英演員米修‧柏哥尼（Michel Piccoli）演這位候任教宗，角色非常討好。今年康城如要敬老，柏哥尼極有資格問鼎影帝寶座。

戴丹兄弟《單車男孩》

能夠在康城兩奪金棕櫚大獎的導演不多，戴丹兄弟是其中表表者：1999 年的《露茜姐》（Rosetta），2005 年的《他人之子》（L'Enfant）。少男少女、兒童、甚至初生嬰兒，若然不是主角，至少是戴丹兄弟二人關心的對象。之前他們拍過一對「大唔透」的情侶，女的誕下嬰兒，男的二話不說拎去賣了；為了生活壓力，骨肉親情可以扭曲至此！

　　戴丹兄弟的新作《單車男孩》，主角是個叫西力的 12 歲小孩。西力本身已經孤零零住在兒童院，父親竟不告而別，偷偷搬走了，連西力心愛的單車也變賣了。編導沒有詳細交代，大好家庭為何淪落到如此田地；但這種「留白」的處理，令觀眾更生出同情之心。父親看起來十分年輕，被兒子找到後，竟連聲說生活逼人，無法承受，要從新開始，可說屁話連篇。父子親情，比紙還薄！

　　西力幸運地遇到在髮廊工作的女子莎曼達，不但幫他尋找父親，更像母親或姐姐般照顧他、保護他。她一再提醒他不要跟那個年輕毒犯來往，西力不聽，結果成為暴力搶劫的少年犯。莎曼達還要出面向受害的父子賠償了事，儼然成為了西力的母親。但戴丹兄弟的人物和故事，最引人入勝的，是其曖昧性和留白的地方。莎曼達喜歡西力，不純然是母子之愛或姐弟之情，而是滲有男女愛戀的味道。當她的男友吃醋地問：「你要我，還是要他？」她不假思索就說：「我要他！」

　　戴丹兄弟的電影，愈來愈有法國大師布烈遜（Robert Bresson）的味道，那是一種極之簡潔而又意在言外的含蓄。小孩騎單車的鏡頭為影片增加許多流麗的動感，是他們過往的作品少見的。戴丹兄弟過去很少起用走紅的演員，今次找原籍比利時的法國紅星西絲·迪法蘭絲（Cecile de France）演莎曼達，彰顯了本片的比利時身分，是一次極有韻味的演出，演西力的湯馬斯·杜雷（Thomas Doret）擔戲極重，演出恰如其份。

郭利斯馬基向法國電影致敬

歐洲現代電影大師當中，芬蘭怪傑郭利斯馬基（Aki Kaurismaki）有絕對獨特的個人風格。他的新作《心靈港灣》（*Le Havre*）再次提醒我們，拍電影其實不用大堆頭、大明星、大場面，只要有好劇本，言之有物，就可以感動觀眾，就可以成為經典。郭利斯馬基已經是簡約主義的典範，簡樸而真實的佈景、道具、人物，三幾個主要演員，就可以成就一齣精采的作品。

明顯地，郭利斯馬基藉本片向當代法國電影人致敬。戲中人物，無獨有偶，都是法國電影人的名字，男主角 Marcel，女角之一是 Arletty，剛好今年馬西・卡內（Marcel Carne）導演的《天上人間》（*Les Enfants du Paradis*）的 190 分鐘修復版在康城首映，而女主角的名字就叫 Arletty。

另外，片中的黑人兒童叫 Idrissa，前法屬殖民地布吉納法索，就有電影導演叫 Idrissa Ouedrago。至於重案組探長的名字叫莫內（法國印象派大師 Monet），你就知道他一定是好人。由法國老牌導演兼演員皮爾・愛泰斯（Pierre Etaix）客串的醫生叫 Becker，當然是向已故著名法國導演積葵・貝克（Jacques Becker）致意。

本片以法國北部海港勒阿弗爾作背景，依然是郭利斯馬基一貫關心的低下階層的生活寫照。但他今次反映的是困擾歐洲多國的難民問題，因此郭氏除了沿用他木口木面的原班人馬，

還加入了非洲人和亞洲人的角色。看本片時，不禁聯想到香港影壇以前常見的粵語倫理文藝片，描寫小市民鄰里守望相助的美德，往往令人非常感動。郭氏對草根階層生活愈來愈困頓的喟嘆，在溫情暖意和高度幽默感的筆觸下，具見作者的誠意和悲天憫人的情懷。本片的劇本、對白尤其精采，我希望郭氏今年會是金棕櫚樹大獎的得主。

拉斯・馮特艾爾《世紀末婚禮》

至於丹麥導演拉斯・馮特艾爾（Lars Von Trier），狀態稍為回勇。他是另一位康城常客，但自從 2000 年以《天黑黑》（*Dancer in the Dark*）奪得金棕櫚大獎之後，一連 4、5 齣作品都令人提不起勁。從《世紀末婚禮》（*Melancholia*）看來，馮特艾爾絕對不是希治閣那種導演。希治閣說他的真正創作階段是在劇本，劇本決定了一切，拍攝時只是執行指令。但馮特艾爾則好像到電影完成了，卻仍然有許多不能肯定的地方。

影片分成「朱絲汀」（Justine）和「克萊爾」（Claire）兩章，也因此像是兩齣不同的電影。克萊爾和朱絲汀（姬絲頓・丹絲）是兩姐妹，克萊爾穩定成熟，凡事喜歡預先籌劃；朱絲汀相對地不成熟，率性而為。第 1 章寫克萊爾和丈夫為朱絲汀安排豪華婚宴，帶出家族成員間許多問題和心結。但說真的，許多地方都語焉不詳，令人摸不著頭腦。反而是 2 章，一個比地球大 10 倍的行星要撞向地球了，克萊爾跟丈夫、兒子，以及妹妹

朱絲汀怎樣去面對馬上要來臨的地球末日呢？馮特艾爾一向悲觀，我還是喜歡樂觀的郭利斯馬基。

河瀨直美與三池崇史

今年有兩齣日本片同時進入競賽單元，其一是河瀨直美的《朱花之月》，其二是三池崇史的《一命》。他們兩人代表的，是截然兩種不同的創作路線和製作模式。前者是很個人的情感抒發，你可以說是作者電影；後者拍攝的是主流商業電影，沒有一定的商業元素，很難生存。

畢竟，河瀨的電影不是我的一杯茶；她4年前獲康城影展評審團大獎的《殯之森》，是我觀影經驗中一次痛苦的經歷。我不介意影片節奏緩慢，也不介意畫面粗糙，但我很介意影片沒有甚麼事情發生，然後又「扮曬嘢」故作高深。《朱花之月》也可作如是觀。整齣戲我最喜歡的只是室內的鳥窩和那些嗷嗷待哺的雛鳥，我也不覺得河瀨拍攝大自然有甚麼過人之處。

反而是三池崇史的武士片《一命》。事先沒有甚麼期望，加上我不是3D立體電影的粉絲，看時竟略有點驚喜。同樣是改編瀧口康彥的原作，小林正樹的《切腹》可說是珠玉在前的經典，也是我最喜歡的日本武士片之一，仲代達矢的落泊形象，如今仍歷歷在目，武滿徹的音樂，和宮島義勇的黑白攝影，都是一絕。那麼，三池崇史的最新演繹，又有甚麼殺手鐧呢？

除了那些拍得還可以的武打場面，以及竹劍剖腹的慘烈過

程，就是對年輕浪人窮困景況的描寫，令我想起山田洋次的《黃昏清兵衛》。記憶中，小林正樹的《切腹》，沒有這樣詳細的描寫。簡單地說，這是一個失業武士的故事。老婆肺癆，幼兒病重，無錢買藥請大夫，粵語片都拍過許多次。但最慘絕人寰的是為了三兩銀錢，騎虎難下，以竹劍切腹（真劍早已變賣）。日本經濟不景，描寫失業窮困，容易引起觀眾共鳴。至於 3D 立體效果，除大雪紛飛和紅葉搖曳的場面較有氣氛，其實可有可無。

艾慕杜華的 3S 新作

無可否認，艾慕杜華的確是說故事的高手。即使題材離經叛道，超越一般人的道德底線，但他筆下的人物總是那麼可愛，那麼令人同情。就算最變態的人物，最變態的行為，都依然令人看得舒服，起碼不致令人倒胃或反感。希治閣曾經說過：驚慄片的要義是 3 個 S，即 Suspense（懸疑），Surprise（驚訝）和 Shock（震驚）。艾慕杜華的電影也是 3 個 S，只是把 Sex（性愛）代替了 Shock（震驚）。

艾慕杜華的新作《我的華麗皮囊》（*The Skin That I Live In*），是用倒敘的形式展開故事。羅拔是外科醫生，妻子在一次車禍中燒至體無完膚，羅拔用最大的愛心，和最超卓的整形手術為她植皮，結果保住了性命。但其妻偶然攬鏡得見自己恐怖芳容，受不了刺激而跳樓了結殘生。但影片一開初，是一個好像被禁錮於羅拔的實驗室的漂亮女子，正接受植皮手術和其他

實驗。如果我現在告訴你，這漂亮女子其實是個男人，你會覺得很驚訝？

艾慕杜華就有本事把觀眾一而再、再而三地愚弄，懸疑、推理一番之後，卻又能夠自圓其說，令你心服口服。上面提到的只是最基本和表面的情節，故事和人物關係比這個複雜許多倍。但艾慕杜華處理這個題材是很認真的，光是整容實驗室等佈景和細節就一絲不苟。

辛・潘是康城影帝大熱人選

今年另一齣比較起眼的競賽影片，是意大利導演保羅・索倫天奴（Paolo Sorrentino）的《不再搖滾》（*This Must Be the Place*），由美國金像獎影帝辛・潘擔綱主演，也是保羅第一齣美國製作。10 年前，保羅首次執導劇情長片《成全你成全我》（*One Man Up*），獲威尼斯電影節垂青，並獲最佳新晉導演獎。保羅今次是第 4 次在康城競逐金棕櫚大獎。

記得 3 年前在康城看其前作《政壇一男子》（*Il Divo*），一齣諷刺意大利政壇貪腐醜，以及政客醜惡嘴臉的辛辣喜劇，拳拳到肉，獲評審團獎。這年評審團主席剛好是辛・潘，保羅的作品備受賞識，二人因此結緣。保羅這次邀約辛・潘演出，其實信心不大，因為傳言辛・潘每月最少收到 40 個電影劇本，誰料劇本寄出後，24 小時就收到辛・潘的電話留言。

辛・潘在《夏菲米克的時代》（*Milk*）演同性戀角色，令他

登上奧斯卡影帝寶座。今次在保羅的鏡頭下，是一個上半身作女性打扮、看來年華已逝的過氣歌星夏陽（Cheyenne），戴假眼睫毛，塗口紅，頭髮蓬蓬鬆鬆，經常用口吹氣，趕走垂在眼簾和鼻孔的髮絲，光是扮相就令人難忘。男性而作女性打扮，除了先天，也有後天，多是幼年形成。這些佛洛依德的課題，編導沒有詳細論述。

但不要以為夏陽是同志，他老婆竟然是消防員，他又企圖為女兒介紹男朋友。電影去到中段，父親去世，沒能見上最後一面。夏陽與父親沒有見面30年，父親原來曾受德國納粹逼害，決意找尋當年的元兇，結果竟讓夏陽找到了。保羅的敘事手法別創一格，但深深吸引觀眾的注意力。片中有一場「一鏡直落」的非常精采的場面調度加影機運動，拍攝搖滾歌手David Byrne的一場表演，我認為單是這個長鏡頭，就值得頒個最佳導演獎給保羅‧索倫天奴。

黑白默片《藝術家》賞心悅目

這年頭，居然還有人拍黑白默片，的確是匪夷所思。未拍成電影之前，我相信導演和出品人，都會被人當作大傻瓜。但沒有這種傻子，我們就看不到這樣出色的電影。法國導演米修‧哈沙拿維琪斯（Michel Hazanavicius），近年拍過兩齣商業上很成功的《OS117之開羅諜影》（等於是法國的占士邦），於是開始籌備這齣需要去到荷里活的片場實地拍攝的默片《星光

夢裡人》（*The Artist*）。

　　影片以 1927 年的荷里活作背景，那時大家仍在拍默片，但亦有人開始試拍有聲的電影。法國演員尚・杜澤丹（Jean Dujardin）演這個時期炙手可熱的大明星佐治・華朗丹（George Valentin），但因為太自滿和太自信，看不起技術仍相當粗糙的有聲片，並且自資拍齣大片，證明自己有自導自演的能力，結果票房慘淡，事業陡走下坡，變賣房產之餘，甚至把一切家當拿去拍賣，妻子亦拒絕與他共患難，下堂求去。

　　同一時間，一個因偶然機會闖入電影圈的小妮子，由臨時演員向上爬，經過多番努力，成功過渡有聲電影，成為觀眾喜愛的偶像柏蓓・米勒（Peppy Miller）。但其實這柏蓓最初在片場跟佐治邂逅，已經極為傾倒，並且真心愛他。只是佐治自尊心太強，沒有感受到其愛意。說來奇怪，一部完全沒有對白，只靠偶爾的片上字幕表達心聲的電影，可以令人如此感動。

　　演佐治・華朗丹的法國演員，可說演活了這個幾乎被有聲片「毀掉」的默片演員。在完全沒有對話的情況下，只以臉部表情和身體語言去演繹角色，實在殊不簡單，看來會是辛・潘的勁敵。影片到最後一場踢踏舞，之後才變為有聲電影，可以聽到劇中人的對白，影片亦圓滿落幕，令人讚嘆。幸好我在最後一天補看了這齣電影，因為黑白默片真的不易在港公映哩。

閉幕電影是法國式歌唱片

　　康城的開幕和閉幕電影通常都是法國片或美國片，今年的開幕電影是活地·阿倫的《情迷午夜巴黎》，閉幕電影就順理成章是法國片。佔據這兩個重要據點的，如果不是大導演，就起碼是大明星兼有一定娛樂成分的製作。由克里斯朵夫·奧諾尼（Christophe Honore）導演的《緣份春色》（Beloved），就符合這樣的要求。

　　看本片根容易令人聯想起 1964 年，已故法國導演積葵·丹美（Jacques Demy）的《雪堡雨傘》（Les Parapluies de Cherbourg，港譯《愛果情花》或《秋水伊人》），除了同是嘉扶蓮·丹露演出之外，更重要的是片中的角色會失驚無神開口唱歌（不過沒有《雪》片的又歌又舞），而且畫面上故意用顏色去營造浪漫氣氛。《雪堡雨傘》以粉藍色撞淺黃色，而且利用雨傘增強色彩繽紛的效果，而《緣份春色》明顯地以藍色和紅色作為主色，並利用高跟鞋渲染浪漫和情慾的感覺。

　　不過，幾乎半個世紀後的嘉扶蓮·丹露，不愧是法國影壇的常青樹，臉上除了多了點縐紋和脂肪，樣子基本上沒有走樣，比起 3 年前出席康城影展的阿倫·狄龍，以及今年獲頒金棕櫚特別獎的尚保羅·貝蒙多，尚能保持女性的風韻和明星的風采。但本片的音樂和歌曲（Alex Beaupain 所作），就無論如何比不上當年《雪》片的配樂米修·利格倫（Michel Legrand），那是經典，是不朽的作品。

　　還好，影片一開首，奧諾尼把 60 年代初的巴黎，漂亮地呈現在觀眾眼前；那個年代的汽車已成為古董，把它們開到街上，巴黎就像時光倒流一樣回到過去。1968 年，前蘇聯遣軍隊和坦克入侵捷克首都，於是開展了一段異國情鴛、兩地分隔的故事。本片最成功的是找到原籍捷克、曾拍《飛越瘋人院》的美國導演米路士·科曼（Milos Forman），演捷克籍醫生中老年的角色。編導野心不少，想拍成史詩式的愛情電影，但缺少了真正感人的筆觸。

本屆康城電影節主要得獎名單

▎金棕櫚大獎
《生命樹》（*The Tree of Life*）

▎格蘭披治大獎
《單車男孩》（*The Kid with a Bike*）
《小亞細亞往事》（*Once Upon a Time in Anatolia*）

▎評審團特別大獎
《青少年警隊》（*Polisse*）

▎最佳導演獎
尼高拉斯·溫定·雷夫（Nicolas Winding Refn）《極速罪駕》（*Drive*）

▌最佳男主角

尚・杜澤丹（Jean Dujardin）《星光夢裡人》（*The Artist*）

▌最佳女主角

絲頓・丹絲（Kirsten Dunst）《世紀末婚禮》（*Melancholia*）

▌最佳劇本

約瑟・施達（Joseph Cedar）（*Footnote*）

▌金攝影機獎

《金合歡》（*Las Acacias*）

刊於《文學評論》第 15 期，2011 年 8 月 15 日

第 72 屆
康城電影節
2019

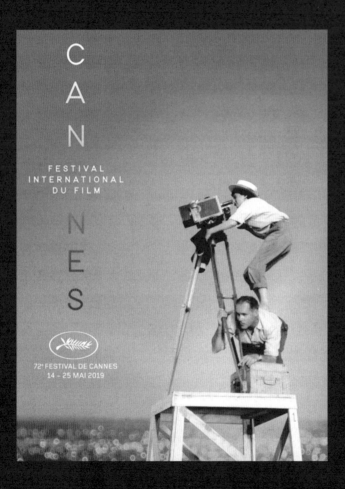

FESTIVAL DE CANNES
PALME D'OR
제72회 칸영화제 황금종려상 수상

행복은 나눌수록 커지잖아요

송강호 이선균 조여정 최우식 박소담 장혜진
촬영/배급 CJ엔터테인먼트 제작 (주)바른손이앤에이 15세 이상 관람가

2019 봉준호 감독 작품 | 5월 30일 대개봉

기생충

第72屆康城電影節直擊（上）
——新秀挑戰金棕櫚大師

　　康城電影節我缺席了幾年，今年又來趁熱鬧。康城競賽最吸引人之處，是所有參賽影片都是世界首映。即使是大師之作，是龍是蟲，很快便有答案。在這方面，頒獎時的懸念，尤勝美國的奧斯卡金像獎。

　　獎項誰屬，由每年更換的9人評審團決定。今年評審主席是墨西哥導演艾力謝路·依拿力圖（Alejandro G. Inárritu），他曾以《飛鳥俠》（*Birdman*, 2014）奪得奧斯卡最佳影片、導演、編劇、攝影等4大獎項，翌年再憑《復仇勇者》（*The Revenant*）膺最佳導演。今年評審由5男4女組成，值得留意有7位是導演兼編劇，這是康城歷年所罕見。由於今年頗多參賽電影都取材自電影導演或電影人，說不定就成就了這些作品，可以摘下金棕櫚大獎。

　　我在影展開幕後才到康城，暫時未看到占·渣木殊的新作 *The Dead Don't Die*（《死無可死》）。出席康城影展的影評人、觀眾愈來愈多，往往須提早1小時排隊，才能保證進場。時間有限，唯有集中競賽影片。

馬力克再拍宗教意味作品

今年的參賽作品，至少有 5 齣的導演曾是金棕櫚大獎得主：堅‧盧治、泰倫斯‧馬力克、戴丹兄弟、塔倫天奴、阿必迪拉堅志澈（Abdellatif Kechiche）等。

在康城看泰倫斯‧馬力克的電影，對我有特別意義。1978年，我第一次出席康城影展，在大銀幕上看 70mm（由 35mm 底片放大）的《夢斷天涯》（*Days of Heaven*），簡直驚為天人。後來其金棕櫚得獎作《生命樹》（*The Tree of Life*, 2011），我也在康城觀賞。今次 *A Hidden Life*（暫譯：《隱藏的生命》）有他過去多部作品的元素和特色，單看上述 3 齣作品，馬力克的敘事和映像風格，這些年來，幾乎沒有改變。大量的畫外音（voice over）和內心獨白，充滿對大自然的敬畏，對簡樸田園生活的嚮往，以至對上帝的虔誠。影片述說二次大戰期間，奧地利某鄉鎮一個篤信上帝的信徒，家庭幸福美滿，雖被徵召入伍，卻寧死不願為德國納粹賣命。有關上帝、天堂和信念的題材，馬力克已拍過多次。我沒有宗教信仰，但我認為馬力克今次拿捏得特別準確，男女主角演出精彩，或有奪標希望。

當然，也有一些後起之秀，企圖問鼎殊榮，例如黑人導演 Ladj Ly 的法國片《孤城淚》（*Les Misérables*），是一齣描寫法國社會種族矛盾的佳作。開場是 2018 年法國國家隊奪得世界盃冠軍，舉國若狂的場面，年輕足球員安巴比（Mbappé）成為非洲裔移民的英雄。然後筆鋒一轉，一個由黑人當市長的市鎮存

在許多治安問題，警察執法有時手法過激，引來不良少年的反彈。編導借雨果《悲慘世界》的名句，指出好人、壞人並無絕對，倒是為政者最多惡人。法國社會因宗教和族裔問題，撕裂愈來愈嚴重，看得出編導嘗試以人道主義的精神，化解社會進一步分裂的危機。

來自奧地利的女導演謝茜嘉・賀絲拿（Jessica Hausner）是康城常客，作品多次在「某種觀點」（Un Certain Regard）單元展出，今次以《極樂品種》（*Little Joe*）參賽，故事描述生物學家研究培植一種能改變人類思想行為的花朵，引起女主角的疑慮。編導成功令人追看結局，可惜影片的日式配樂喧賓奪主，而且科學詞彙過多，看來勝算不大。

艾慕杜華回顧自我

今年唯一參賽的華語電影，是大陸導演刁亦南的《南方車站的聚會》。導演曾以《白日焰火》奪得柏林影展金熊獎。片中的警員、悍匪與妓女，編織成血腥、奸詐的黑暗世界。或許是參演了賈樟柯的《江湖兒女》，刁亦南這齣新作處理暴力和動作場面，效果震撼，可說是青出於藍。

西班牙異色導演艾慕杜華新片 *Pain and Glory*（《萬千痛愛在一身》），無疑有點夫子自道的況味。艾慕杜華與愛將安東尼奧・班達拉斯，合作超過 30 年。班達拉斯今次飾演電影導演，雖然不能視為艾慕杜華的自我寫照，但主角的童年回憶，則肯

定交代了這位同性戀導演成為「同志」的心路歷程。劇本依然有著艾慕杜華一貫的飄忽，但精煉的電影語言和細膩的人物塑造，令人印象深刻，可說大熱之勢已成。基於評審主席是操西班牙語的墨西哥導演，說不定今年終於輪到艾慕杜華奪獎？（截稿前各個獎項仍未頒發）

《明報週刊》，2019 年 5 月 31 日

第72屆康城電影節直擊（下）
——重口味犯罪片百花齊放

　　塵埃落定，今屆康城影展各獎項已告名花有主。令韓國影迷大為興奮的，當然是奉俊昊導演的《上流寄生族》（*Parasite*）奪得金棕櫚大獎。猶記得2000年，韓國殿堂級導演林權澤以《春香傳》首度問鼎康城金棕櫚獎，再於2002年以《醉畫仙》在康城奪得最佳導演獎，已令韓國舉國歡騰。今次，奉俊昊成為韓國奪得金棕櫚獎的第一人，意義非比尋常。只可惜，韓國電影在康城的最重要推手、被塔倫天奴稱為「康城之王」（King of Cannes）的皮爾‧利思昂（Pierre Rissient），已於去年影展開幕前幾天逝世，無法親睹韓國導演首次躋身金棕櫚得主之列。

《上流寄生族》如《小偷家族》加辣版

　　就像韓國菜一樣，韓國電影出名重口味。拍過《殺人回憶》、《韓流怪嚇》、《末世列車》的奉俊昊，今次遇上同樣是重口味的墨西哥導演伊拿力圖當評審團主席，能夠奪標似是順理成章之事。奉俊昊領獎時表示，他很喜歡看已故法國大導演克魯索（Henri-Georges Clouzot）和查布洛（Claude Chabrol）的

電影，兩人都擅拍反映人性的犯罪片。《上流寄生族》以生活拮据的一家四口為主要人物，他們窮得連 Wi-Fi 上網的月費都繳付不起，長子偽造文憑才得以獲聘為神秘富家女的補習老師，父母親又先後通過頗為卑劣的手段，成功取得這富戶人家的信任，獲聘為司機和管家，開始享受上流社會的奢華生活方式，到最後還想鵲巢鳩佔。只是，更令人驚訝的事情陸續發生，令觀眾看得目瞪口呆之餘，亦不禁感嘆老百姓生活的困頓，以至隱藏內心深處的人性陰暗面。奉俊昊有一個非常紮實的劇本，某程度是去年金棕櫚獎得主是枝裕和《小偷家族》的變奏和「加辣版」，但描述社會低下層，因生活逼人以致鋌而走險的故事架構，則如出一轍。只是，奉俊昊本片的完美程度，則猶有過之。

說到犯罪片，今年康城的競賽電影，特別多犯罪片或警匪片的類型。例如上周提過的《孤城淚》，亦屬其中之一，新晉導演 Ladj Ly 與巴西片 *Bucurau* 共享評審團獎。還有意大利「國寶級」導演貝洛奇奧的新作《叛徒》（*The Traitor*），以黑手黨大審判為題材，動作非常火爆，勁度十足！可惜未獲評審垂青。至於戴丹兄弟獲得最佳導演獎的 *Le Jeune Ahmed*（《少年阿默》），也算是少年犯罪的電影。影片揭示比利時同樣受到多元種族的問題困擾，一個受到伊斯蘭宗教狂熱影響的少年有行為問題，或許「愛」可以改變一切？又或許，這是導演們的一廂情願？法國導演 Arnaud Desplechin 的新作 *Oh, Mercy!*（《天哪》），也是典型的犯罪片，或者說是 film noir 吧，有很強的推理元素，

成績不俗，但沒得獎。

　　其他犯罪片或警匪片，還包括上周提過的《南方車站的聚會》，還有在「導演雙週」展出的大陸片《六欲天》。獲得評審團大獎的法國片 Atlantics（暫譯《大西洋》），是黑人主演的愛情片，但也牽涉許多犯罪的行為。至於羅馬尼亞電影 The Whistlers（《吹哨解密》），也是此一影片類型的表表者，可惜與獎無緣。

暴露大膽需用得其所

　　沒有得獎的影片，不一定是不夠好，有時只是評審口味問題。多位曾獲金棕櫚大獎的導演新作都相當可觀，只有阿必迪拉・堅志澈的 Mektoub, My Love: Intermezzo，非常難看，根本就不應該入選。片長 3 小時半，沙灘上拍男女耍樂，拍了半小時，鏡頭專門對著少女們的豐臀和胸部，我就覺得有點怪怪。然後的士高酒吧內一眾男女調情、女子狂舞拍了整整 2 小時，之後男的在廁所為女的口交拍了近 20 分鐘，而且相當露骨。我不敢說這位北非突尼西亞導演已經「露底」，但其剝削白人女性胴體的意圖則彰彰在目。

　　相對於以往，今年康城的古裝片特別少，當中只得女導演 Céline Sciamma 的 Portrait of a Lady on Fire（《浴火的少女畫像》），是唯一的古典主義電影。影片非常含蓄地刻劃了一段細膩感人的女同志戀情，可説為大家示範了同性戀電影，其實不

用太多大膽暴露的性愛鏡頭，依然可以打動電影觀眾的。身兼編劇的 Céline Sciamma 獲得最佳編劇獎，但失落了最佳女演員獎，有點可惜。

《明報週刊》，2019 年 6 月 7 日

舊電影宮原址，1982 年遷新址後改建成酒店（2019）。(Photo: By Freddie Wong)

只有海灘，沒有陽光（2019）。（Photo: By Freddie Wong）

天色灰暗，沒有影響看戲的興緻。。（Photo: By Freddie Wong）

《孤城淚》獲評審團獎（2019）。

安東尼奧・班特拉斯獲最佳男演員獎（2019）。

大雨下排隊看戲，唯有打傘（2019）。
（Photo: By Freddie Wong）

與皮爾威廉·格連喜相逢。（Photo: By Freddie Wong）

第 76 屆
康城電影節
2023

PALME D'OR
FESTIVAL DE CANNES

ANATOMIE D'UNE CHUTE

UN FILM DE JUSTINE TRIET

SANDRA HÜLLER   SWANN ARLAUD   MILO MACHADO GRANER

NEON   BRON PICTURES   ENTRACT

談第 76 屆康城影展的話題作

　　未談今屆康城電影節的話題作之前，讓我先來談談主競賽評審團的成員。不知是否缺席了好幾年，一看到今年的評審名單，忽然覺得一切都很陌生，連評審的名字也十居其九非常陌生。最熟悉的名字只得評審主席魯本・奧斯倫（Ruben Ostlund），他是兩屆金棕櫚大獎的得主，先後以《方寸見人心》（*The Square*, 2017）和《上流落水狗》（*The Triangle of Sadness*, 2022）贏得康城影展的最高榮耀。

　　至於其餘評審委員，計有來自摩洛哥的女導演瑪莉安・圖贊妮（Maryam Touzani），剛比亞裔的英國女導演朗嘉諾・尼歐妮（Rungano Nyoni），演過《Marvel 隊長》童星出身的美國女演員布麗・拉森（Brie Larson），美國男演員保羅・丹諾（Paul Dano），法國男小生丹尼斯・曼努奇（Denis Menochet），阿根廷導演達米恩・史費朗（Damian Szifron），阿富汗作家兼編劇家阿迪克・拉希米（Atiq Rahimi）等 7 人。

　　其次比較熟悉的名字，是法國女導演茱莉亞・杜歌娜（Julia Ducournau），她在 2016 年以處女作《舐血成人禮》（*Raw*）在康城的「影評人一週」初試啼聲，5 年後即以一齣頗具爭議性的

《變鈦》（*Titane*, 2021）奪得金棕櫚獎。這應該是法國電影界的女性導演在康城影展掄元的首次。

以上各位雖不算藉藉無名，但坦白說，大部分都稍嫌知名度不足，在電影界的成就亦稱不上突出。要他們來評價大師級導演如馬田・史高西斯、雲・溫達斯等人的作品，的確令人感到有點彆扭。

以下是這次影展，較值得一談的影片，不一定是獲獎之作。

讓我們酒在一起（*The Old Oak*）
導演：堅・盧治（Ken Loach）

堅・盧治（Ken Loach）可以說是康城電影節的常客，但「常客」不一定受歡迎，有些常客，至少對我來說，是「冇好過有」。但堅・盧治很少令人失望。他的電影得獎與否，已無關宏旨，反正他已兩度獲得金棕櫚大獎殊榮，以及不計其數的 FIPRESCI 獎和評審團獎。10 年前他拍完《翩翩愛自由》（*Jimmy's Hall*, 2014）後曾宣布退休，但 2 年後又以一齣抨擊僵化的官僚主義的《我，不低頭》（*I, Daniel Blake*, 2016），獲得第二枚金棕櫚大獎。

新片《讓我們酒在一起》（*The Old Oak*, 2023）在康城沒有斬獲，但這無損他作品的價值和他的大師地位。影片一開場，一批來自敘利亞的難民來到英國某小鎮，當中一名年輕女子雅拉，拿着照相機不停拍照，觸怒了圍觀的路人，有人甚至搶去

她的相機亂拍一通，混亂中相機摔到地上弄壞了。這場戲充分反映了小鎮居民對外來伊斯蘭移民的敵視態度。小鎮居民過去以採礦為業，但隨著礦坑陸續關閉，小鎮經濟一蹶不振，在失業率高企的情況底下，本地居民對外來者不友善也是人之常情。

「The Old Oak」是小鎮的老字號酒吧，老闆 TJ 是少數同情新移民的當地人，尤其因為已故叔父是攝影師，所以特別同情雅拉。酒吧有個偏廳，以前是酒吧一部分，可以用餐，只可惜生意不佳，加上水電供應出現維修問題，索性丟空變成雜物房。雖然年久失修，但偏廳牆上仍掛滿昔日照片，雅拉得睇當年礦工動態，也明白了當地人的生活也不容易。

原來 1984 年當地曾爆發大罷工，雖然以失敗告終，但礦工們的口號有一句：「When you eat together, you stick together」，故此酒吧老闆 TJ（Dave Turner）也費盡心力，希望重新開放偏廳，供大伙們吃喝聊天。影片除了偏廳展出的黑白照片外，片首也剪輯了一組黑白硬照的畫面，帶出一些歷史感覺和懷舊味道。片末 credit 註明影片以柯達 35mm 底片拍攝，看看來懷緬菲林製作的英國導演，不只基斯杜化・路蘭一位。堅・盧治的人文電影許多時都以弱勢社群被壓迫為題材，雖則欺壓別人的亦不一定是萬惡不赦的強權。堅・盧治著意追尋的和解、包容和救贖，總是充滿溫暖的愛意和令人感動的時刻。

首級（*Kubi*）
導演：北野武（Takeshi Kitano）

　　看北野武的黑幫片看得多了，忽然來一齣古裝的，也的確令人眼前一亮。不過，北野武早在 2003 年，就自導自演了一齣《盲俠座頭市》（*Zatoichi*），對手是淺野忠信。這次再拍古裝的歷史題材，製作規模遠超「盲俠」一芥草民的級數，而是足以媲美黑澤天皇的《影武者》（1980）和《亂》（1985）。《首級》是改編自北野武的同名小説《首》，據知 30 年前他已想拍成電影，也即是説差不多在他導演生涯的最早期，那肯定是因為製作費用過於高昂而非新進導演能夠駕馭以致遲遲未能成事。須知黑澤明也是到了 70 高齡，在歐美資金支持下才拍得成《影武者》。

　　構思了 30 年的電影，相信一定摻入這 30 年來的人生歷練和拍片經歷。大家都知道，北野武以黑幫片起家，曾經在大島渚的《戰場上的快樂聖誕》（1983）和《御法度》（1999）演出，而兩者都展示了「軍旅」中曖昧的同性戀行為。我沒有看過北野武的小説，但經過 30 年的構思和孕育，北野武拍攝這個日本戰國時代的故事，糅合了他的黑幫片元素和同性戀嘲弄，也就殊不令人意外。

　　事實上，有關織田信長、德川家康、豐臣秀吉事蹟的日本電影，簡直不勝枚舉。北野武揀選了「覉情」的同性戀角度，嘲諷所謂的英雄豪傑，不過是一批無惡不作的黑社會地痞流氓。《首級》雖然表面上是群雄割據、逐鹿中原的戰國繪卷，但

卻活脫脫是一齣古裝的黑幫電影。北野武糾集了當今日本影壇的一時俊彥，例如加瀨亮、西島秀俊、遠藤憲一、淺野忠信、中村獅童、木村祐一、小林薰等男演員（女性角色被貶至幾乎等於零），成就了一齣不比《影武者》和《亂》遜色的古裝大片。

味遊心窩（*La Passion de Dodin Bouffant*）
導演：陳英雄
最佳導演獎

看《味遊心窩》的時候，我不禁想起有一年，有位在香港不算特別有名的編劇，因為有部作品入選康城正式競賽，跟了導演來康城玩幾天。在一次飯局上，有點大言不慚（抑或是無知？）地感嘆說：「康城真係有乜好嘢食！」以我所知，他並不是康城常客，按理不會有太多機會在此間嚐遍各大小餐廳。如此妄下判語，實在有點貽笑大方。

有關烹飪和美食的電影，歐、美、港、日都拍過不少，但今次越南裔法籍導演陳英雄卻異軍突起，專攻法蘭西美食。《味遊心窩》是改編自瑞士作家馬素・魯夫（Marcel Rouff）的小說《美食家多丹・布芳的生活和熱情》（*La Vie et la Passion de Dodin-Bouffant: Gourmet*）。多丹・布芳並非真有其人，但小說的人物其實亦有所本，不算完全虛構。本片是陳英雄寫給法國美食的「情書」，在拍攝烹飪、廚藝的過程可說一絲不苟，令人食指大動。

在這之前，在電視上也可以看到一些製作認真的法國星級名廚和高級餐廳的紀錄片，非常強調新鮮食材和烹飪創意的重要性。本片一開首，女主角尤金妮（茉麗葉・庇洛仙飾）在菜園採摘和收割自己栽種的瓜果植物，已經說明了法國廚藝一早就著重新鮮而有機的食材。據知本片的美食顧問是米芝蓮星級大廚皮爾・格耶（Pierre Gagnaire），他還在片中客串王子的御廚。

話說知名美食家多丹（貝諾瓦・麥哲梅飾）喪妻後，尤金妮為他下廚 20 年，美味佳餚源源不絕，二人可說志同道合。編導並不純然賣弄法國廚藝如何博大精深，而是描寫二人之間友情的昇華，已經超越愛情和恩情，但無奈卻不能持久享用的悲傷和唏噓。陳英雄上次改編村上春樹的名著《挪威的森林》（2010），頗令人失望。今次這部《味遊心窩》，可說洗盡疲態，擷下康城最佳導演獎也算實至名歸。

落葉（*Fallen Leaves*）
導演：亞基・郭利斯馬基（Aki Kaurismaki）
獎項：評審團大獎、國際影評人聯盟獎

郭利斯馬基是另一位我最喜歡的康城「常客」，每逢他有新片參賽，必看之而後快。1993 年，我曾經在香港藝術中心策展了郭利斯馬基的回顧展，也因此能夠再三回味他的精彩作品。上回在康城看他的參賽電影，是 2011 年的《心靈港灣》（Le

Havre），我尤其喜歡他藉片中角色人物的名字，向法國經典電影致敬。我甚至在當年的一篇報道文章寫道：「我希望郭氏今年會是金棕櫚大獎的得主。」

郭利斯馬基的電影，大多描寫社會中、尤其是中下階層的 underdog（弱者／失敗者），早期的《我聘請了職業殺手》（I Hired a Contract Killer）如是，《扑頭前失魂後》（The Man Without a Past）如是，《心靈港灣》如是，《落葉》亦復如是。只是今次郭氏炮製的是愛情喜劇，像他以往的電影一樣，沒有美女俊男，沒有起伏跌宕的情節，角色表現冷靜，導演表現亦更為冷靜，但並不等於觀眾不受感動。

安莎和賀拉都是職場中的寂寞人，工作刻板，只為稻粱謀，毫無成就感，賀拉更是無酒不歡的酒徒。他們每次扭開收音機，收聽電台廣播，幾乎都是俄烏戰爭的新聞報道。遠端的侵略者，也曾經踐踏這個與世無爭的國度。亂世苟活，愛情、音樂和電影，是續命靈丹。導演安排他們在卡拉 OK 相遇，當然要帶出一些音樂元素，例如曾經改編成國語時代曲的「Mambo Italiano」，舒伯特的「小夜曲」，而壓軸的就是影片名字來由的「落葉」（Les Feuilles Mortes）。郭利斯馬基本身也是超級影迷，時不時藉牆壁上的電影海報，向心儀的電影大師致敬，例如維斯康堤導演、阿倫·迪龍主演的《洛可兄弟》，以至布烈遜、高達等等。除了致敬之外，似乎是想說，這世界還好有電影，為社會底層的小市民帶來娛樂，亦往往帶來希望。

青春（*Youth ／ Spring*）
導演：王兵

對於關心和喜愛紀錄片的影迷而言，中國導演王兵相信也不用我多作介紹。王兵 20 年前以 9 小時長的紀錄片《鐵西區》（2003）而聲名大噪，之後在不同影展看過他許多精彩的作品。今次的《青春》更在本屆康城電影節參與正式競賽，雖然沒有獲獎，但紀錄片能夠參與康城的官方競賽，並不是常有的事。王兵拍攝紀錄片的絕技是：花許多時間跟被攝對象打成一片，混熟之後他們就對攝影機渾然不覺，真實而生動的人物和映像由此而生。這跟許多「擺拍」的紀錄片截然不同，而成績高下立判。《青春》不是王兵最好的作品，但三個多小時的篇幅，足夠令你看到中國年輕工人的生存狀態，以至青春的躁動、迷失、悲歡、夢想……等等。在打工餬口的辛勤勞碌中，青春不知不覺就溜走了。

荒草殘雪（*About Dry Grasses*）
導演：魯里・比茲・舍蘭（Nuri Bilge Ceylan）
最佳女演員（Merve Dizdar）

土耳其導演魯里・比茲・舍蘭的新作《荒草殘雪》今次贏得了最佳女演員獎，並不令人意外。舍蘭之前已經在康城影展「征戰」多年，而且斬獲甚豐。2014 年的《冬日甦醒》（*Winter Sleep*），就已經贏過金棕櫚大獎，以及國際影評人聯盟獎。這次

飾演女教師的 Merve Dizdar 有令人嘆為觀止的精彩演出，獲獎可說眾望所歸。

　　影片以一片白皚皚的郊野雪景開場，教師薩密（Samet）回到頗為偏遠的學校上課，不久即和同事兼室友基南（Kenan）被校監召見，說他倆同被投訴對女學生過於親密。就影片所見，薩密的確對洋溢青春氣色的女學生施雲（Sevim）另眼相看，而施雲有意無意之間流露的「女人味」，無疑有著羅麗妲（Lolita）式令男性著魔的魅力。但影片筆鋒一轉，薩密和基南二人與女教師露蕾（Nuray）的三角關係，才是更精彩的戲肉。露蕾有著複雜的個人背景，片長超過 3 小時的本片，也背負著土耳其複雜的政治背景和社會現況，難得的是導演通過真實而深刻的角色演繹，令觀眾看得投入之餘亦作出深思和反省。

墮下的對證（*Anatomy of a Fall*）
導演：積絲汀・蒂耶（Justine Triet）
金棕櫚獎

　　積絲汀・蒂耶是繼《鋼琴別戀》（*The Piano*, 1993）的珍・甘比茵，和《變鈦》（*Titane*, 2021）的茱莉亞・杜康諾（Julia Ducrounau），第三位奪得金棕櫚獎的女導演。值得留意的是，3 年內有兩位法國籍的女導演得此殊榮，即使是巧合，也不排除女性（尤其在法國影壇）是越來越強勢了。積絲汀畢業於巴黎國立高等美術學院，拍過幾部成績不俗的短片。2013 年首次

執導喜劇片《錯在騰雞普選時》(*Age of Panic*)，獲提名法國凱撒獎的最佳新導演。之後的《與維多莉亞同床》(*In Bed With Victoria*, 2016)，是浪漫愛情喜劇。2019年，積絲汀以《寂寞診療室》(*Sibyl*，台灣譯名，香港未有上映) 入選康城主競賽項目，但未受到注目。到了《墮下的對証》，積絲汀終於以圓熟的導演技巧和精緻的劇本，在康城擷下了金棕櫚獎。

故事由德籍女作家姍迪 (姍迪・許娜飾) 在法國滑雪勝地 Grenoble 的家，接受年輕女記者訪問開始，二人有點「互溝」的意味。不多久，樓上傳來嘈吵的樂聲，女記者只好告辭。劇情發展下去，姍迪的法籍丈夫卻離奇墮樓身亡。現場附近除了11歲的兒子丹尼，以及名叫美斯 (Messi) 的家犬，沒有其他人証 (eye-witness)，姍迪於是蒙受謀殺親夫的嫌疑，不得不接受警方的提告和法庭的審訊。丹尼的兒子原來弱視，狗狗即便目睹但無法言語。觀眾就這樣被深深牽引，法庭戲固然出色，姍迪・許娜 (Sandra Huller) 的演出收放自如。積絲汀藉推理懸疑的劇情，深挖現代人複雜的婚姻和床笫關係，以及譏諷某些知識分子在創作道路上的虛偽和狂妄。

新活日常 (*Perfect Days*)
導演：雲・溫達斯 (Wim Wenders)
最佳男演員 (役所廣司)

德國導演雲・溫達斯一直是小津安二郎的粉絲，早在1985

年就去日本拍了一齣名叫《尋找小津》(*Tokyo-ga*) 的紀錄片。這次重訪日本，拍的是追隨小津風格的劇情片《新活日常》，主角的名字平山 (Hirayama)，就令人想起《東京物語》中的父親角色平山周吉。小津拍的是生活的日常，而雲‧溫達斯鏡頭下的這位平山，是東京大都會中平凡不過的一份子，一個廁所清潔員 (役所廣司飾)。但平山非常敬業樂業，而且從刻板、重複的日常幹活中，找到生活的樂趣和生命的意義。然而，小津式淡淡的哀愁，其實也籠罩着這孤單的角色。

像小津的電影，看似平淡，但人物、劇情、細節、枝葉，都是從日常生活中淬煉出來，一點兒也不簡單。平山很享受在樹底下仰望從樹葉樹椏中流瀉而下的陽光，很喜歡用菲林相機拍攝同一棵樹。平山是懷舊的人，或者就像雲‧溫達斯，以至同年代的人，能夠懷舊是一種恩賜和幸福。試問少年人以至廿多歲的年輕人，有多少美好的東西可以讓他們「懷舊」呢？平山聽的是卡式錄音帶，音樂是 House of the Rising Sun (1964)、Perfect Day (1972)……等等。他還喜歡看書，幸田文、福克納、帕翠西亞‧海史密斯 (Patricia Highsmith，溫達斯的《美國朋友》的原著)。就像小津的電影，生活是充滿各色各樣的趣味的。反正，又是新的一天，生活依舊如常進行。

花月殺手（*Killers of the Flower Moon*）
導演：馬田・史高西斯

　　馬田・史高西斯自《的士司機》奪得 1976 年的金棕櫚大獎之後，幾乎每一部電影作品都是野心之作，但野心之作不等於佳作或傑作。《花月殺手》無疑也是極具野心之作，許多場面都牽涉大批群眾演員，投資龐大，氣勢磅礡。例如退伍軍人歐內斯特（李安納度・迪卡比奧飾）和紅印度女子莫莉（莉莉・葛萊史東飾）鋪張的婚禮場面，跟《教父》著名的婚禮比較可說不遑多讓。

　　李安納度・迪卡比奧越來越「肉緊」而過火的演出，跟羅拔・迪尼路舉重若輕的演出，甚至莉莉・格萊史東內斂的演出比較，的確高下立判。在演技方面，迪卡比奧要媲美或超越迪尼路，目前來說，無論如何努力，都是徒勞無功。過去荷里活有不少英俊小生，例如加利・格蘭、洛・克遜等，都不算是演技派演員，但只要識唸台詞，識做做表情，也可屹立影壇數十年。迪卡比奧如果能夠放下「演戲我最叻」的包袱，或許演出就不會那麼彆扭。所謂「各花入各眼」，我只能承認，史高西斯 team up 羅拔・迪尼路的電影，總比 team up 迪卡比奧好看。如果不是迪尼路，我可能已經半途離座。

特權樂園（*The Zone of Interest*）
導演：祖納芬・基里沙（Jonathan Glazer）
影展大獎（Grand Prix）

　　祖納芬・基里沙是英國導演，早年拍過《虎視眈眈》（*Sexy Beast*, 2000）和《皮下之慌》（*Under The Skin*, 2003）等屬於驚慄類型的影片，成績不俗。今次的《特權樂園》，算是戰爭片中的文藝片，或文藝片中的驚慄片？二次大戰德國納粹逼害屠殺猶太人的電影，80 年來從未間斷，史提芬・史匹堡的《舒特拉的名單》（1993），波蘭導演安德烈・華意達的《哥察克醫生》（*Korczak*, 1990），波蘭斯基的《鋼琴戰曲》（*The Pianist,* 2002），是其中的表表者。猶太人被壓迫甚至屠殺的慘況，在銀幕上屢見不鮮。

　　《特權樂園》比較特別的地方，是畫面上完全看不到猶太人被殺害的殘酷情景，最多只是讓觀眾看到猶太俘虜留下那些堆積如山的頭骨或者鞋子等等。電影改編自同名小說，而電影情節高度集中在波蘭境內的奧斯威辛（Auschwitz）集中營指揮官賀斯（Rudolf Höss）和家人身上，他們住在集中營隔鄰的花園大宅。賀斯的太太由演過《爸不得妳快樂》（*Toni Erdmann*, 2016）和《墮下的對証》的姍迪・許娜飾演，觀眾只看到她營營役役為自己家人打造更美好的居所，而她和家人們對集中營隱約傳來淒厲的呼喊聲、呻吟聲、槍擊聲完全無動於衷。這種極度「留白」的處理方式，更使集中營和快樂家庭的並置和對比顯得更為荒誕而可悲。

第 77 屆
康城電影節 2024

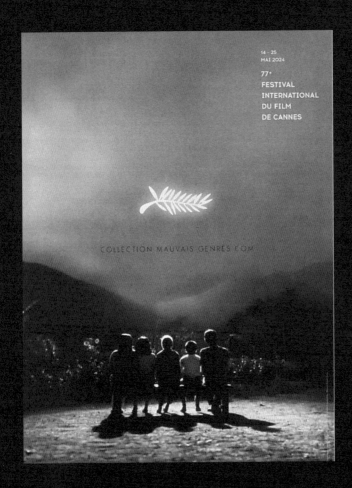

14 – 25
MAI 2024
77ᵉ
FESTIVAL
INTERNATIONAL
DU FILM
DE CANNES

COLLECTION MAUVAIS GENRES COM

▲ 2024 年第 77 屆宣傳海報

▶ 2024 第 77 屆康城電影節金棕櫚獎電影
《阿娜拿》(*Anora*)

FESTIVAL DE CANNES
2024 OFFICIAL SELECTION
COMPETITION

Anora

a film by Sean Baker

第 77 屆康城電影節現況報導

距離上次出席康城（2019 年），已經相隔 5 年時光。之後，可以說是失去的 5 年。失去的不止是光陰，也失去了健康，失去了年邁的母親，失去了繼續拍片的機會，也失去了個人在各方面的自信和活動的自如。

疫情過後，本想於去年再訪康城，為拙書《從法國康城看世界電影》，添上最新的一章。無奈在籌備過程中，枝節橫生，老早訂好的法國航班，一再因乘客不多而縮減班次，致令出發日期一再延遲。預辦記者證方面，雖然獲得某報的協議和發出採訪證明，但辦證時網上付費（甚麼環保費之類），亦殊不順利，雖則費用有限，但多次嘗試以信用卡過數而不果。再加上諸多阻滯，以及其他種種原因，於是在最後一刻決定取消這次康城之旅。

康城住宿越來越貴

今次來康城，宿費特別昂貴，可以說是我歷來出席康城的最高紀錄，平均一天的租金，足以入住香港的君悅酒店豪華客房一晚。康城以前還有所謂「豐儉由人」，現在則別無選擇，除非你選擇住在偏遠的地方，每天乘公共交通工具出入。沒想到我今年租住的 apartment，竟然就在 Olympia 戲院的樓上。

記憶中，我在 1978 年以影評人身份第一次來康城，Olympia 已經是 Marché du Film（影片市場）的放映場地之一。為了盡量接近電影宮的放映場地，我不惜花較高昂的租金。從住所步行去 Palais，只需 3 至 5 分鐘，還有甚麼比這更幸福？！

但人算不如天算，今年康城有許多比賽或參展影片，都被安排在 Cannes la Bocca 的 Cineum 影院放映。這裡身處康城外圍，看片要坐穿梭巴士或火車。這個情況就像電影節在尖沙咀舉行，但不少影片卻在粉嶺的戲院放映。當然，也不是說，影片排在那邊放映，就不能去。問題是一來太奔波，二來會虛耗時間，看到的電影就相對減少。

磨人的網上訂票制度

疫情過後，康城好像是去年開始，實行網上訂票的制度，過去只是憑證入場的各方人士，須要用影展給你的帳戶通過互聯網進行訂票。這是一個很殘忍的 early bird 遊戲，反正是節目開始前 4 天，於早上 7 點開始預訂 4 天後的票。但網上票房卻往往不準時運作，前一晚看電影看到午夜過後才就寢，翌晨 7 時要爬起身上網訂票，真是一萬個不情願。

7 點鐘坐定定，8 點鐘都未「開賣」，你話燥唔燥？！去冰箱拎杯橙汁解渴，不過三數分鐘，原來網站已更新，而且想看的場次，幾乎全都爆滿。這也是一個殘忍的賭彩數遊戲，或許跟玩俄羅斯輪盤差不多。

　　如果你身處的地方，Wi-Fi 出了點問題，或者上網速度不夠快，或者你的電腦比較慢，那就是高科技的比拼遊戲。再如果你是電腦盲，那你不要花氣力來康城了。反正，這是很不人道的訂票制度，連威尼斯、東京等影展的「同行」都表示無法認同。

女性佔多數的評審團

　　未談今屆影展的參展影片和得獎名單之前，讓我先介紹主競賽項目的評審團成員。今年的評審主席是拍過《芭比》的美國女導演、編劇兼演員葛莉塔·潔薇（Greta Gerwig），其餘 8 位分別是土耳其編劇兼攝影艾布露·錫蘭（Ebru Ceylan）、美國女演員莉莉·葛萊史東（Lily Gladstone），法國女演員伊娃·葛琳（Eva Green），黎巴嫩女導演兼編劇娜汀·拉芭基（Nadine Labaki），西班牙導演兼製片人璜安東尼奧·巴約拿（Juan Antonio Bayona），意大利演員皮耶法蘭赤斯高·法維諾（Pierfrancesco Favino），以及日本導演是枝裕和。

　　今年的評審團成員的平均知名度，至少稍為優於去年的評審團，而 9 位成員之中有過半數（5 位）是女性，加上主席也是由女性出任，可以預料以女性為主題的影片在獲獎方面會有較大優勢。如以國籍區分，唯一有同一國籍的 2 人出任評審的，是主席葛莉塔·潔薇和莉莉·葛萊史東，兩位都是美國人，預料美國影片也會有較大優勢。

第 77 屆康城影展重要獎項名單：

▎金棕櫚獎（Palme d'Or）

《阿娜拿》*Anora*

（Sean Baker 辛‧貝克導演）美國

▎評審團大獎（Grand Prix）

《我們想像中的光》*All We Imagine as Light*

（Payal Kapadia 柏雅爾‧卡帕迪婭導演）印度

▎評審團獎（Jury Prize）

《愛美莉亞‧佩雷斯》*Emilia Peréz*

（Jacques Audiard 積葵‧奧迪雅導演）法國

▎最佳導演（Best Director）

Miguel Gomes 米高‧哥姆斯

（《偉大的旅程》*Grand Tour*）葡萄牙

▎特別獎（Special Prize）

《神聖無花果的種子》*The Seed of the Sacred Fig*

（Mohammed Rasoulof 穆罕默德‧拉蘇羅夫導演）伊朗

▎最佳劇本（Best Screenplay）

《物質》*The Substance*

（Coralie Fargeat 歌拉莉‧法婕導演）英國 / 美國 / 法國

▌最佳男演員（Best Male Performance）

Jesse Plemons

（《善良的種類》*Kinds of Kindness*, Yorgos Lanthimos

約高斯・藍蒂莫斯導演）希臘

▌最佳女演員（Best Female Performance）

Adriana Paz, Zoe Saldaña, Karla Sofía Gascón, Selena Gomez

（《愛美莉亞・佩雷斯》，積葵・奧迪雅導演）法國

▌高等技術委員會大獎（CST Award）

達莉亞・但東妮奧 Daria d'Antonio

（*Parthenope*《柏丹諾庇》的攝影指導）意大利

▌高等技術委員會年輕獎（CST Young Technician Award）

尤珍妮亞・雅麗姍杜娃 Evgenia Alexandrova

（《露台女子》*The Balconettes* 的攝影指導）法國

▌金攝影機獎（Camera d'Or）

《亞曼德》*Armand*（by Halfdan Ullmann Tøndel）挪威

▌金攝影機獎（Special Distinction）特別表揚

《白衣蒼狗》*Mongrel*（曾威量、尹又巧導演）台灣

▌最佳短片（Palme d'Or, Short Film）

《不能緘默的人》*The Man Who Could Not Remain Silent*

（Nebojša Slijepčević 導演）克羅地亞

▌最佳短片（Short Film Special Distinction）特別表揚
《一時淪落》*Bad for a Moment*（Daniel Soares 導演）葡萄牙

▌國際影評人聯盟獎（FIPRESCI Award）
《神聖無花果的種子》（穆罕默德‧拉蘇羅夫導演）伊朗

▌某種觀點大獎（Prix Un Certain Regard）
《狗陣》*Black Dog*（管虎導演）中國

影展賽果與評審的關係

　　過去數十年，如果是為香港的日報作康城影展實地報導，許多時是每天或隔天供稿，由於是即看即寫即評，所以有時會大膽對某些獎項作出預測。當然，「貼中」的機會不大。如果是為月刊或週刊撰稿，則有機會綜觀全局，再試圖作出一些社會現象的分析。事實上，康城大獎往往是「大熱倒灶」居多。眾所矚目的金棕櫚獎，十有九次都是「爆冷」，令人大跌眼鏡。雖然跑出的黑馬也絕非泛泛之輩。

　　今次我介紹了評審團成員之後，立即就把重要獎項名單列出，主要是希望分析和對照評審團的組成，與競賽結果的關係。過去 45 年，我親身出席康城影展的次數達 30 次，剛好是三分之二。如前所述，今屆主競賽項目的評審，女性佔 5 位，男性只佔 4 位。記憶中，康城影展評審鮮有這種女多男少的比例，而由女性出任評審主席亦不常見。可以預料，今年的獎項

會向女導演、女性主義或女性題材傾斜。讓我先從金棕櫚獎得主《亞諾娜》談起，導演辛・貝加的前作《赤色大箭男》（*Red Rocket*, 2021）曾經在康城參與競賽，而該片也曾在香港的 M+放映。事實上，他曾經來過香港，他較早期的作品如《小明星》（*Starlet*, 2012）、《跨性有話兒》（*Tangerine*, 2015）、《歡迎光臨夢幻樂園》（*The Florida Project*, 2017）等等，都有在港作公開放映。

貝克特別喜歡拍攝美國社會的弱勢社群以及少數族裔，今次《亞諾娜》則以性工作者為主要人物。這齣影片我失諸交臂，未能置喙。但聽看過的朋友說，電影拍得不錯，但不算是偉大作品，要是在其他影展拿獎，或許也算眾望所歸，只是在康城這種頂級影展獲得最高榮譽，似乎間接反映了今屆康城水平的低落。另一方面，也反映了我前面提到的一些情況，就是評審委員的組成，大致決定了大會取捨的方向。過半數的女性評審，加上其中一位是評審主席，而她所導演的《芭比》又明顯是女性主義或女權主義的先鋒，再加上她又是美國人，因此同為美國同胞的辛・貝克獲得垂青，一點不令人意外。

或者有人說，評審主席只得一票，葛莉塔未必可以影響其他評審的決定。但以我當其他二、三綫國際影展評審的經驗，所謂評審工作是一個互相說服的過程。由於評審委員通常都來自五湖四海，所操語言各自不同，於是英語就成為 deliberation（審議）時所用語言。這樣一來，母語是英語的評審主席，在說

服別人達致評審結果依從己意時就佔有極大優勢。

　　回顧一下歷史，1994 年的評審主席是奇連・伊士活，當年的金棕櫚獎得主是《危險人物》（*Pulp Fiction*）的昆汀・塔倫天奴，可以想像早年甚喜 film noir 或槍戰動作片的伊士活，在評審過程中對其他評審的影響。到了 2004 年，塔倫天奴當評審主席，金棕櫚獎由《華氏 9/11》（*Fahrenheit 9/11*）的米高・摩亞奪得，可以說是同樣模式。康城影展的評審主席，有一半時間是由英語是母語的人士擔任，而當中又有大約一半是美國人，因此美國電影經常斬獲金棕櫚獎也是順理成章的事。

　　當然，美國電影某程度上已經雄霸天下，來自美國的評審主席也沒有必要在康城挺身為美國電影賣命。但以我的親身體驗，出任影展評審的各國人士，通常都非常落力為自己祖家的影片拉票，例如我碰過的印度、伊朗、韓國評審，都會義無反顧地為各自的祖國拼命向其他評審遊說（如果有作品入選的話）。這種奉行愛國主義的評審，不在少數。不過，我早年在亞太影展遇到赫赫有名的日本影評家佐藤忠男，他曾經一臉嚴肅的表示：「我致力表揚的，是私下認為最好的作品，而不是自己祖國的電影（大意）。」這種公正無私的評審態度，令我印象非常深刻。

　　基於對自己祖國和同胞的大愛，在評審過程當中出現特別關顧的情緒，也是人之常情。事實上，也不是所有影展評審都著眼於自己國家是否得獎。過去有一段時間，康城影展頗為強

調影片所屬國家，一些官方刊物甚至以國旗列明影片代表的國家，頗有奧林匹克比賽或世界盃足球競賽的意味。不過，由於國際形勢複雜多變，意識形態高度割裂，多一事不如少一事，康城近年也盡量不以國家區分，不再強調影片的「國籍」。但問題是否因此得到解決？顯然不是。

　　我之所以不厭其煩地述說電影節評審的某些細節，主要是希望大家知道康城影展並非鐵板一塊，每年入選的影片和比賽的結果，往往有許多人為因素在內。今年派出的成績單，比過去任何一年都有特別矚目的人為因素。我本人對於女性主義或大愛左膠之類的政治立場並無特定的取態，但全球性的意識形態分歧越來越嚴重，這令人不得不引以為憂。

　　例如，印度女導演帕雅爾・卡帕迪婭（Payal Kapadia）在她的《我們想像中的光》（*All We Imagine As Light*），獲得評審團大獎，成為印度近年在康城最亮麗的成績。上一次印度電影在康城獲獎，原來已經是 40 年前的事，由馬連奴・山（Mrinal Sen）導演的《童工之死》（*The Case is Closed*, 1982），獲當年的評審團獎。卡帕迪婭的處女作是紀錄片《我們一無所知的夜晚》（*A Night of Knowing Nothing*, 2021），3 年前在康城獲最佳紀錄片「金眼睛獎」。

　　近年來，印度電影我在其他影展看過不少佳作。印度寶萊塢（Bollywood）電影也有許多製作嚴謹、言之有物的作品在香港市面公映，或者在 Netflix 或其他網絡平台上看得到。如果說

康城影展的門檻很高，那入選以至獲獎的印度影片一定絕非凡品。但對不起，卡帕迪婭這齣競賽影片我半途離座。即使知道影片獲獎了，我大概也不會再找來重看。其實，要發掘新血，也不應這樣囫圇吞棗。要知道，當年侯孝賢在南特三大洲影展先後以《風櫃來的人》（1983）和《冬冬的假期》（1984）拿了大獎，多年後才以《戲夢人生》（1993）在康城參賽。

問題又回到前面提到的評審成員身上，如果導演不是女性，如果故事不是以 3 位印度女性為主角，如果主角們不是弱勢社群，如果評審不是女多男少，如果評審主席不是女性，如果印度不是 40 年來沒在康城拿過獎，《我們想像中的光》會這麼容易拿下評審團大獎嗎？要知道，Grand Prix 在康城是僅次於金棕櫚獎的最重要獎項。一方面，我為卡帕迪婭的幸運感到高興，另一方面，我也為其他出色的作品未能得獎感到不值。

女性電影與女導演成為大贏家

另一位獲得嘉許的女導演是法籍的歌拉莉・法婕，她自編自導的恐怖片《物質》贏得最佳編劇獎。或許我事前沒有心理準備，一齣女導演的作品可以拍成《異形》那麼嘔心，但另一方面又賣弄年輕女子的性感胴體，又不惜要年已 60 開外的狄美・摩亞全裸上陣。這齣電影其實也應該像《九龍城寨之圍城》般，排在「Midnight Attraction」（「午夜場精選」）中放映。現在讓其參加主競賽，於是歌拉莉冷手執個熱煎堆，贏得最佳編

劇殊榮。

　　劇情極盡荒誕的能事，話說有種「物質」可以從老朽的身軀釋放另一年輕誘人的軀體，於是年老色衰但努力保持青春美貌的狄美‧摩亞，可以脫胎換骨變成另一美女⋯⋯我還是不要劇透太多。總之，要是此一劇本題材參加科幻小說比賽，掄元的機會甚高，但在康城影展獲編劇獎，似乎有點那個。影片固然有女性主義的角度，對男性崇拜女性身體，而女性又因此極其著意自己的身體的保養，有非常辛辣的諷刺。在眾多參賽的導演／編劇當中，相信最感不快的是《愛美莉亞‧佩雷斯》的積葵‧奧迪雅，他的劇本著實精彩。

　　奧迪雅早在 1996 年，就以《無名英雄》（*Un Héros Très Discret*）贏得康城電影節的最佳編劇獎。之後，拍攝了多齣頗為破格而又出色的電影，例如瑪莉安‧歌迪雅（Marion Clotillard）主演的《銹與骨》（*Rust and Bone*, 2012）。今次這齣《愛美莉亞‧佩雷斯》，也嘗試從女性角度審視家庭倫理的核心價值，而片中幾位女演員同時獲得最佳女演員獎。影片描述墨西哥一位有財有勢的黑幫頭子，突然想變性成為女子，他瞞著妻子兒女接受變性手術，變成另外一個個體和身分。劇情的發展往往令人意想不到，但又完全是情理之中。影片除了獲得（整體）最佳女性演出獎，還獲得評審團獎。

　　我個人不但認為奧迪雅的影片應該拿下最佳編劇獎，它甚至應該獲得金棕櫚獎。我雖然沒有看過辛‧貝克那部《亞諾

娜》，但根據法國當地業內雜誌 Le Film Français（法國電影）每日特刊的星標，15 位法國影評人中，至少有 5 位認為此片值得拿金棕櫚獎。一般外國影評人或影片發行商，在康城只會看英文出版的 Screen International（銀幕雜誌），而少看法文印行的 Le Film Français。但事實上，法國影評人因為有主場之利，相對於遠涉重洋來到康城看片，精神狀態理論上都應該比較飽滿，不容易因為疲倦而對影片的欣賞和理解程度有所偏差。這是我個人的一點體驗。

關於女性電影和女導演成為大贏家這個議題，由於篇幅所限，我也不再詳述。大家可以上網搜索一下資料，就知道我所言非虛。無獨有偶，今年法國高等技術委員會（CST）所頒發的技術獎，獲獎的 2 位攝影指導都是女性。女性地位的提升，當然是一件值得高興的事。但過份強調男性女性的分別，以至男女平等、女性平權的種種運動和思維，則似乎有點矯枉過正。今年的康城電影節，則明顯地給我這樣的印象。

想看但看不到的電影

今年一來遲了幾天才到康城，二來網上訂票落後於人，三來不想去到 Cannes La Bocca 看片，所以 8 天下來，只看了約 20 齣影片。最遺憾的是看不到哥普拉的《特大都會》（*Megalopolis*）。我在 1978 年第一次來康城，哥普拉便以《現代啟示錄》獲得他個人的第二個金棕櫚獎。那次他是押上所有

身家去完成心願的。今次他也是賭身家，但看來沒有上次那麼幸運。他沒有拿獎，但做了頒獎嘉賓。在頒獎典禮上，他以老大哥的姿態，頒榮譽金棕櫚獎給佐治・盧卡斯。至於美國女星梅麗・史翠普也獲頒榮譽金棕櫚獎，在開幕典禮上，笑容可掬地接過茱麗葉・庇洛仙頒給她的獎座。

另一齣最想看而看不到的主競賽影片，是賈樟柯的《風流一代》。根據「銀幕雜誌」的星標，評價好像不俗，但沒有拿到任何獎項。以《可憐的東西》（*Poor Things*）在威尼斯贏得金獅獎的希臘導演約高斯・藍蒂莫斯，今年又以新作《善良的種類》在康城參賽，而且還奪得最佳男演員獎，可惜緣慳一面，只能留待將來公映時再續前緣。無可否認，今年的戲碼的確比去年弱。好幾位名導的新作，例如保羅・舒路達的《噢，加拿大》、大衛・哥倫堡的《裹屍布》、保羅・索倫天奴的《柏丹諾庇》，都算是各有特色的作品，相信亦有公映的機會，但只要不抱太大期望，這些影片還是值得一看的。

華語電影繼續發光

今年中、港、台三地的電影，只得賈樟柯的《風流一代》打入主競賽項目，但無功而還。在香港掀起一片城寨浪潮的《九龍城寨之圍城》，被選入「午夜場精選」的環節，導演鄭保瑞和一眾演員甚至港府官員都親自出席，非常熱鬧。陳可辛的《醬園弄》入選官方非競賽項目，在康城反應一般，沒有上回的《武

俠》那麼風光。至於徐克的《上海之夜》在 Cannes Classics 的環節展出，也見證了香港電影的風光日子。中國大陸方面，管虎的《狗陣》獲頒「某種觀點大獎」，算是今年華語片的最大斬獲。台灣的《白衣蒼狗》獲得金攝影機獎的特別表揚，也是對新人的最佳鼓勵。

　　電影是夢工場，康城更是電影人的天堂夢，要實現康城夢，大家齊來努力吧。

2024 年 6 月 6 日定稿

原刊《城市文藝》總第 130 期，2024 年 6 月

超級跑車爭妍鬥麗（2024）。（Photo: By Freddie Wong）

開篷跑車令人注目（2024）。（Photo: By Freddie Wong）

用大炭爐焗薄餅的意大利店仍在，tiramisu 更是一大驚喜（2024）。
（Photo: By Freddie Wong）

康城街頭總有警察巡邏（2024）。（Photo: By Freddie Wong）

夜深的 Olympia 戲院，今年我們就住這裡（2024）。
（Photo: By Freddie Wong）

作者夫婦（左三，左四）與電影圈好友晚膳（2024）。（Photo: By Thomas Bertacche）

康城之王
——皮爾‧利思昂

　　如果說吉爾‧乍各（Gilles Jacob）是過去近半個世紀康城電影節的領軍人物，[1]那麼皮爾‧利思昂便是他的頭號軍師兼智囊。皮爾年輕時是超級影痴，曾營運一家專門放映藝術電影的影院。法國新浪潮電影主將尚盧‧高達在 1960 年拍攝處男作《斷了氣》[2]時，皮爾‧利思昂是他的副導演。那年，高達 30歲，皮爾 24 歲。

　　皮爾大概在 60 年代後期，就開始為康城電影節物色參賽或展出的影片。我最早聽說皮爾的名字，是因為唐書璇的處女作《董夫人》（1968），該片獲皮爾推薦，在康城的「導演雙週」展出，大受好評。在那個年代，一齣香港電影，能夠在康城參展，是天大的事情。

　　早在 70 年代初，皮爾就親身來香港為康城選片。那時，胡金銓拍了《俠女》（1971），因片長關係，在台、港兩地分上、下兩集公映。皮爾向胡導提議修剪成 3 小時長版本，並推薦參加 1975 年康城影展的正式競賽。由於影片已經「超齡」，不符影展對參賽影片的規定，在皮爾力爭之下，得以破格參賽，並

獲得當年的高等技術委員會大獎。那時，香港的武俠片尚未受到西方觀眾重視，皮爾憑著他在康城的個人影響力，督促 9 位評審務必出席觀看，影片才得以獲獎。

我跟皮爾第一次在香港見面，應該是在一個文化界招呼皮爾的飯局上，席間有胡菊人、陸離、羅卡等人，我是以影評人和火鳥電影會會長的身份，被邀敬陪末座。記憶中好像沒有胡金銓。那時，我從瑪麗醫院 X 光部調職至新開的瑪嘉烈醫院。皮爾告訴我，他在香港正執導新片《一夜情緣》（*One Night Stand*），有一場醫院戲要在瑪嘉烈醫院的手術室拍攝實景。剛巧那天我在急症室 X 光部當完夜班，早上九時落班，匆匆在醫院食堂吃個早餐，就直接去手術室探班。

我跟皮爾・利思昂亦師亦友、接近半世紀的友情就這樣開展了。1976 年 9 月，我獲得法國政府獎學金到巴黎的法國私立電影學院攻讀電影，負笈巴黎 3 年期間，得皮爾的助力不少，至今仍銘感五內。

對我來說，巴黎市面電影院的節目豐富多彩，一本 *Pariscope* 周刊在手，就有如電影節購票指南，每天都是電影節。除了可以享受學生票價，還可以去法國電影收藏館（Cinémathèque Française）以優惠票價，欣賞世界各地的經典電影、專題放映、導演回顧等等。在那裡，因著皮爾的關係，我還跟收藏館[3]的創辦人昂利・朗格拉瓦（Henri Langlois）聊過幾句。那時，朗格拉瓦可能已經病重，好像晚年奧遜・威爾斯

(Orson Welles) 一樣身形肥胖，軟弱乏力的倚在電影院入口跟熟人們打招呼。翌年 1 月，他就離開了他熱愛的電影天地。

記憶中，在巴黎留學這 3 年期間，皮爾還經常邀我一起去看試片。那年代，美國「八大」公司例如霍士、華納兄弟、哥倫比亞等的辦公室和試片間，主要都在香舍麗榭大道，而法國較小型的公司，例如杜魯福的金馬車則在橫街，都算是第 8 區和第 16 區的煙花繁華之地。我還記得，烈尼‧史葛的《異形》(*Aliens*, 1979)，我是和阿倫‧歌爾勞一起看的。在這些試片場合，我遇到過許多聞名已久或心儀的法國導演，例如塔凡里埃 (Bertrand Tavernier)、克羅特‧米勒 (Claude Miller) 和查布洛 (Claude Chabrol)，他們本身就是影評人出身的影痴。

再有一次，皮爾說金棕櫚大獎得主羅拔‧艾特曼 [4] 來巴黎宣傳他的新片《婚禮》(*A Wedding*, 1978)，我當然機不可失，帶了我早年買的《空中怪客》(*Brewster McCloud*, 1970) 劇本專書給他簽名。還有一次，皮爾叫我去看希治閣的《電話情殺案》(*Dial M for Murder*, 1954) 的特別試映。我說早已看過，功課忙，不去了。他就像小孩子一樣，露出神神秘秘的笑容說：「你不去，你會後悔的！」結果我去了。那原來是《電話情殺案》的立體（局部）版本，最深印象是手指撥動電話轉盤時突然變成 3D。據知希治閣這個局部立體版本並沒有公開放映，所以看過的人不多。

我在巴黎這 3 年，因為皮爾的關係，我為《南北極》月刊訪

問過的著名導演和電影人，就包括尊・波曼（John Boorman）、大島渚、皮爾—威廉・格連（Pierre-William Glenn）和皮爾本人。在這期間，我通過皮爾的介紹，認識了多位居於巴黎的著名影評人，例如麥士・鐵斯亞（Max Tessier）、羅倫素・柯迪尼（Lorenzo Codelli）、皮爾・郭特尼（Pierre Cottrell）、宇拔・尼奧格尼（Hubert Niogret），以及已故的大衛・奧維比[5]和米修・薛蒙（Michel Ciment）等。當然，以皮爾的人脈，由他居中介紹的法國影評人遠遠不止此數，但不一定能夠成為朋友，能成為點頭之交已經很好。

在這 3 年間，以我所見，皮爾和港、台年輕一輩的電影人之間的互動也是頗為頻繁的。後來成為香港電影新浪潮的主要人物，例如方育平、劉成漢、翁維銓、卓伯棠等幾位，很早就認識皮爾，可能因為他們都在美國攻讀電影，而皮爾經常去洛杉磯和紐約打轉。台灣的余為政[6]、但漢章[7]等，也是皮爾要好的朋友。我經常聽皮爾提到 Edward Yang 和 Fred Tan，後來才知道 Edward Yang 就是楊德昌，Fred Tan 就是但漢章。

1978 年，我快要畢業了。皮爾問我要不要在巴黎跟拍戲？他說阿倫・歌爾勞正在準備開拍一齣改編自占・湯遜（Jim Thompson）原著小說的電影《禍水紅顏》（Série Noire），問我要不要去當助導。我不久前才看了歌爾勞導演、伊扶・蒙丹（Yves Montand）主演的兩齣警匪片，《左輪 357》（Police Python 357）和《假局》（Threat），喜歡得不得了。再加上攝影指導是拍過杜

魯福的《戲中戲》（1973）和《零用錢》（1976）的皮爾威廉‧格連（Pierre-William Glenn），能夠跟法國影壇的精英學藝，是非常難得的機會，我當然不會輕輕放過。

影片結果被皮爾推薦到康城參加正式競賽，大受好評。雖然未能獲獎，但影片間接證明了歌爾勞以超低成本，也能拍出高質素、有深度的電影，為他往後拍攝大明星、大製作的電影生涯鋪下坦途。我因為太喜歡這個電影，畢業回港後，我還買下版權在香港公映，並且破天荒以原裝法語版本（配中英文字幕）上映[8]。之後數十年，歌爾勞和格連都成為我尊敬的亦師亦友的好朋友。

1979 年 5 月，我觀摩完第 32 屆康城電影節之後，就準備收拾行裝回港謀出路。這時，我又聽皮爾說 8 月的瑞士羅伽諾電影節，會舉辦歐洲歷來最大型的「小津安二郎作品回顧展」，他說他跟當時的影展總監很熟，可以很輕易為我拿得記者證。我為了節省開支，我住的房子剛退租，那中間這兩個月在甚麼地方落腳呢？皮爾知道後跟我說：「你不嫌地方淺窄的話，可以來我家裡暫住。」

皮爾的家我很熟悉，除了偶然過訪外，我有一位在巴黎學美術的香港朋友，為了賺取外快，每星期都到皮爾家裡幫忙打掃、做清潔。我後來才知道，他住巴黎第 4 區的 Rue de Lesdiguière 的那幢房子，隔壁就是法國大文豪巴爾札克在 1819 至 1820 短暫居停過的。這段「同居」的日子，我對他的電影

天地有更深入的瞭解。他是一個早起的人，精力充沛，生活上的所有細節都圍繞著電影，難怪美國著名影評人陶德·麥卡錫[9]在 2007 年為他拍了一齣名為《皮爾·利思昂：電影的人》（*Pierre Rissient: Man of Cinema*）的紀錄片。近年，他曾經對我慨嘆：「要是我早點看重金錢，或不至於晚年仍蝸居於年久失修的房子。」

我在 1979 年秋天回到香港，立即被李元賢先生引薦，加入香港國際電影節，成為第 4 屆電影節的節目策劃。由於工作上的需要，我和李元賢都要去康城選片。皮爾可能因為我在 HKIFF 的關係，也可能因為他是出名喜歡美食的老饕，他來香港的次數變得愈來愈頻密。每次來港之前，他必定探聽香港影壇的近況，誰誰誰最近拍了甚麼電影？誰誰誰的電影拍得怎樣了？這樣，我們便可以預先為他聯絡相熟的電影公司，安排他去看特別試映。

記憶中，皮爾在香港電影的黃金時期，由上世紀 70 年代至 90 年代，幾乎每年都來香港至少一次，皆因香港是他前往東南亞國家搜羅當地電影的主要據點。無可否認，這個時期的香港電影工業，是以商業娛樂電影為主，所以皮爾許多時都空手而回。除了前面提到唐書璇的《董夫人》和胡金銓的《俠女》，皮爾在 1981 年推薦了許鞍華的《胡越的故事》在「導演雙週」展出，翌年又選了《投奔怒海》在非競賽的「官方選擇」項目，以「神秘電影」的身份展出。

　　然後，皮爾等了足足 6 年，才遇上王家衛首次執導的《旺角卡門》，馬上就推薦給康城，在「影評人一週」的單元展出。皮爾對於搜羅優秀電影的熱情和毅力，的確令人敬佩。他自己知道，康城是全世界電影節的龍頭大哥，故此選片非常嚴謹。以我所知，唐書璇和胡金銓導演，對於皮爾沒有再選中他們的作品參加康城競賽，頗有微言。皮爾曾經很無奈地向我道出原委：出席康城的影評人許多都非常刻薄，如果你的電影不夠好，讓大部份影評人搶先臭罵，就等如自殺。

　　1997 年，皮爾讓我見識了他選片的辛勞。有一天，他來了香港，李元賢和我在九龍城某酒樓陪他吃潮州菜，座上還有來自台灣的法國人畢安生[10]。酒酣飯飽之餘，皮爾說跟著要漏夜看王家衛剛弄起的新作，因為未有英語或法語字幕，所以請來懂華語的畢安生作旁述。這齣電影就是後來在康城奪得最佳導演獎的《春光乍洩》。自此之後，王家衛成為康城電影節的寵兒，相信各位影迷讀者已知之甚詳。

　　同一時間，皮爾對推動台灣和中國大陸的優秀電影，也不遺餘力。侯孝賢、楊德昌、陳凱歌、張藝謀、姜文等在康城的戰績，可說有目共睹。作為電影導演的伯樂，他可以預見那些初生之犢是千里馬，也可以發掘志在千里的伏櫪老驥。80 年代初，他就把好幾位在世界影壇無人認識的菲律賓導演，例如連奴‧布洛卡（Lino Brocka）、米克‧迪里安（Mike de Leon）、艾迪‧羅美路（Eddie Romero）介紹給對民族電影產生興趣的觀

眾。他們的電影，容或因製作條件所限，有各種各樣的不足，但皮爾可以一一指出，這些作品的優點所在。

談到老驥伏櫪，不得不提「演而優則導」的奇連‧伊士活。他在 1971 年第一次自導自演《飛來艷福閻王帖》，已過不惑之年。其後十多年，奇連自導自演了至少 10 齣影片，但美國的影評界好像有點看不起這位牛仔／警長導演。直到皮爾看中了這匹千里馬，先後於 1985 年和 1988 年，推薦了奇連的西部片《單槍匹馬闖龍潭》（*Pale Rider*）和音樂片《天幕》（*Bird*）在康城參賽，後者拿下了最佳男主角（Forest Whitaker）和最佳技術大獎，美國影評界才對這位年近半百的導演刮目相看。

4 年之後，奇連再以西部片《豪情蓋天》（*Unforgiven*, 1992）贏得奧斯卡最佳影片、最佳導演等 4 個獎項。這時，奇連已屆 60 高齡，但在之後的 30 年，仍然拍出至少十多齣傑作，簡直令人目瞪口呆。奇連對於皮爾這位伯樂非常感恩。皮爾晚年對我親口說，他有次在洛杉磯心肌梗塞，要立即入院進行心臟「搭橋」手術。皮爾深知在美國接受這種外科手術，手術費和住院費動輒以萬元美金計，正在忐忑不安之際，發覺奇連二話不說，已為他付清所有費用。

對於「鑒定」新人的潛質，皮爾的眼光有時是非常獨到的。記得有一年電影節，我在康城熙來攘往的棕櫚大道上，如常地碰到邁開快步的皮爾，後面跟著一位年輕金髮女子。皮爾見到我，立即停下腳步，以一向捉狹的口吻跟我說：「這位美女是來

自新西蘭的 Jane，她有 3 部短片參加比賽，你一定要來看呀！」
後來，我才知道她是珍・甘比茵（Jane Campion），這年她果真
拿下了最佳短片金棕櫚獎。然後，7、8 年後，她就以《鋼琴別
戀》（*The Piano*, 1993）擷下金棕櫚大獎。這一年罕有地出現雙
冠軍的情況，珍・甘比茵與陳凱歌的《霸王別姬》分享 Palme
d'Or。值得留意的是，2 齣影片都是皮爾挑選和極力推薦的，由
此可見，皮爾在康城影展的影響力，可說是如日中天。

　　最後，要說到韓國電影了。大概是 1980 年吧，皮爾來了香
港選片。有一天，他突然問我：「你知道申相玉在哪兒嗎？還有
他的太太崔銀姬？」他這樣沒頭沒腦地問我這樣深奧的問題，
我真的有點愕然。那個年代，申相玉導演和演員太太崔銀姬，
是南韓電影最具代表性的人物。香港影迷都耳熟能詳，我對《紅
巾特攻隊》印象尤深，而崔銀姬有粵語花名「吹銀雞」。我後來
才知道，皮爾這樣問是有原因的。時維 1978 年，申相玉夫婦在
香港被北韓特務綁架到平壤，皮爾可能一直聯絡不到他倆，所
以才有此一問。

　　當年北韓的領導人金正日，是不折不扣的影迷。他要求申
相玉夫婦為北韓攝製一些揚威國際的電影，並推動北韓的電影
事業。兩人雖暫時屈服，為北韓拍戲，但卻一直想離開，結果
於 1986 年趁著到維也納出外景的機會，逃到美國駐奧地利大使
館，過程可說驚險刺激。1994 年，申相玉把這段匪夷所思的經
歷，親自拍成電影《蒸發》（*Vanished*），並獲皮爾邀請在這年的

康城電影節作非競賽的展出。2016 年，申相玉逝世後 10 年，再有英美導演把這段歷史拍成紀錄片《北韓騎劫夢工場》（*The Lovers and the Despot*）。

　　過去 20 年，韓國電影的崛起舉世矚目，當然有許多原因有以致之，但皮爾作為康城甚至威尼斯的幕後推手，卻絕對功不可沒。韓國另一位資深導演林權澤，有「韓國電影教父」之稱。2000 年，皮爾推薦了他的古裝片《春香傳》到康城參賽，雖然無功而還，但這是韓國電影首次在康城參與正式競賽。2 年後，皮爾再邀請林權澤的《醉畫仙》到康城比賽，結果獲得最佳導演獎。這是韓國電影有史以來獲得的世界級最高榮譽。

　　以我在各地影展親眼目睹，韓國的電影人開始對皮爾執禮甚恭，甚至視若神靈。2002 年，李滄東的《愛的綠洲》（*Oasis*）在威尼斯電影節獲得最佳導演獎和 FIPRESCI 國際影評人獎。這年我剛好也有出席威尼斯影展，見到皮爾常常在他左右。這說明甚麼？豈不顯而易見！2007 年，李滄東的《密陽》在康城奪得最佳女演員獎（全度妍）。2010 年，李滄東又以《詩》（*Poetry*）擷下康城的最佳導演獎。2018 年，李滄東再以《燒失樂園》（*Burning*）獲得康城的 FIPRESCI 影評人獎。可惜，皮爾已經看不到這一幕。他在康城影展開幕前 10 天（5 月 6 日），因血栓引致心臟病發不幸離世，享年 81 歲。

　　皮爾晚年絕不寂寞，除了電影方面的朋友，他結識了後來成為伴侶的韓國女子宋英姬（Yung Hee Song）。大概剛進

入千禧年的時候，我就留意到一位亞洲女子經常在他身邊，我最初也不以為意。後來逐漸發覺，皮爾很少來香港，也很少來HKIFF，但是，我每次去釜山國際電影節，幾乎都會見到皮爾。而且，韓國人對他非常禮待。有次我親眼見到，他因為之前不慎扭傷了足踝，行動不便，在出席電影節的某個酒會，在偌大的會場，在眾多站立的嘉賓中，只他一人坐在巨型的單座沙發上。我心中暗忖：難道康城之王，也要成為「釜山之王」？！

在過去半世紀，皮爾對推動高質華語電影，可以說是彰彰在目。但在香港，我不只一次聽到有電影業內人士稱他是「片蛇」。我只能慨嘆，也只能為他叫屈，有些人真的不懂感恩。或者，吃不到的葡萄是酸的？2019年，我又去了一次康城。沒有皮爾的康城，令人有點落寞。以往影展頒獎前夕，想知道內幕消息，一定要找皮爾聊聊，他會很跳皮地、間接含蓄地給你相當準確的貼士。這也是為甚麼塔倫天奴會稱他為「康城之王」的原因之一。

注釋：

1 1978 年出任康城電影節主席（Délégué Général），直到 2001 年成為康城電影節總裁（Président），至 2014 年卸任。

2 *Breathless*，法文原名 *A Bout de Souffle*，香港公映時譯作《慾海驚魂》。

3 Cinémathèque Française 那時座落巴黎鐵塔附近的賽約宮（Palais du Chaillot），不是現時在 Bercy 附近的新館址。

4 Robert Altman（1925-2006），曾於 1970 年以《風流軍醫俏護士》（*M.A.S.H*）拿下金棕櫚獎。

5 David Overbey（1947-1998），美國著名影評人，1977 年已開始為多倫多電影節當策展人。

6 台灣著名監製兼導演余為彥的哥哥，1985 年執導了由徐克主演、楊德昌編劇的《1905 年的冬天》。

7 但漢章（1949-1990），台灣著名影評人，曾執導《暗夜》（1986）、《怨女》（1988）等電影。

8 早年法國電影在香港戲院公映，幾乎毫無例外，都是放映英語配音版本，配上中文字幕。

9 Todd McCarthy，美國資深影評人，為《綜藝》（*Variety*）當了 31 年主責影評，至 2010 年轉到《荷里活記者》（*The Hollywood Reporter*），直到 2020 年為止。

10 Jacques Picoux（1948-2016），法國學者，1979 年移居台灣，並執教於國立台灣大學。2016 年 10 月跳樓身亡，據悉是與同性婚姻未能如願，而同居多年的男友死後未能繼承業權所致。

羅拔・艾特曼的電影劇本。
（Photo: By Freddie Wong）

羅拔・艾特曼的簽名。（Photo: By Freddie Wong）

利思昂與筆者 1978。
（Photo: By Freddie Wong）

利思昂與羅拔・艾特曼。
（Photo: By Freddie Wong）

利思昂與筆者及 Ardy 林國華 Edmond 黃志強 1978。（Photo: By Freddie Wong）

皮爾（左一）在港出席劉成漢婚宴，李元賢（左二），
作者（右二），王敬羲（右一）（1989）。

作者攝於《天上人間》記者會（1999）。

皮爾．利思昂獲頒康城榮譽獎章（2007）。
（Photo: By Freddie Wong）

皮爾．利思昂攝於 Hotel Splendid (2011)。
（Photo: By Freddie Wong）

皮爾．利思昂獲頒康城榮譽獎章，接受吉爾．乍各（左）和
費模的祝賀（2007）。（Photo: By Freddie Wong）

鳴 謝 （排名不分先後）

Acknowledgements

Pierre RISSIENT

Gilles JACOB

Max TESSIER

Alain CORNEAU

Thierry FRÉMAUX

Christian JEUNE

Pierre-Henri DELEAU

Louisette FARGETTE

Christine AIMÉ

Pierre-William GLENN

Jean-Michel LECLERCQ

Olivier MERGAULT

Marion BLANK

Jean-Jacques BEINEIX

Benjamin ILLOS

Vincent Paul BONCOUR

Roger GARCIA

Marylène CAMPLO

Elie AZOULAI

李元賢	麥聖希	梁海強
王敬義	利雅博	陳柏生
江志強	施求一	邱立本
曾麗芬	劉亞佛	陳耀榮
黎筱娉	劉耀權	何永寧

後記

　　首先，非常感恩，45 年來，多次往訪康城，絕大部分都是歡樂時光，有太多太多的美好回憶，以及有趣的事情跟大家分享。比較遺憾的是，有好幾屆影展的報道文稿未能尋獲，例如，2002 年為《星島日報》寫的第 55 屆，2003 年為《電影雙週刊》寫的第 56 屆，遲遲未見蹤影，加以本書的出版已一再延期，也不好意思再糾纏下去。

　　但從比較宏觀的角度出發，過去 45 年的世界局勢、地緣政治、社會狀況，其實亦發生了翻天覆地的變化，連帶令書內提到的人名、地名、國名都好像前後不一。最明顯的是蘇聯解體和東歐劇變，本來被視為蘇聯導演的艾美尼‧盧鐵安奴（Emil Lotianiou），他的祖籍就變成摩爾多瓦（Moldova），他名字的羅馬字拼音，也變成現在的 Loteanu。我覺得沒有必要更正或統一，我決定保留當年的稱呼，反正這也是歷史的一部分吧。

　　像這樣的例子，多不勝數。東西德未統一之前，我們稱法斯賓達、雲‧溫達斯為西德導演，現在要改稱德國導演。過往有一些南斯拉夫導演，例如馬卡維耶夫（Dusan Makavejev），現在要根據南斯拉夫分裂後他所屬的國土，而稱之為塞爾維亞或波斯尼亞導演……等等。

　　最近兩年爆發的俄烏戰爭，要是烏克蘭最終得勝，也會令原本出生於烏克蘭的「俄羅斯」導演，說不定會被改稱為烏克蘭導演。例如拍過《戰爭與和平》（1965-67）《滑鐵盧戰役》（1970）的邦特卓克（Sergey Bondarchuk），就出生於烏克蘭的比洛澤爾卡（Belozerka）。俄羅斯默片時期的電影大師、蒙太奇理論始祖艾森斯坦，原來出生於拉脫維亞。當今之世，要政治正確，並非易事（一笑）！

　　社會的萬事萬物，經過近半個世紀的時間洗禮，變化是一定的。很簡單，當年我稱為新進導演的，現在已經是滿頭白髮的電影大師。但我那時下筆稱之為「新導演」，現在也不應為了「前後統一」而改稱「電影大師」。拙書中如有無法統一的歧義、名字前後不一致等等「錯漏」，還望各拉讀者包涵。

　　談到康城的變化，最早的當然是舊的電影宮從現今 J. W. Marriott 酒店的位置，於 1982 年遷到目前的所在。隨著互聯網和智能手機的廣泛應用，康城大會由去年開始採用網上訂票的制度，而大量的圖片和文字資訊亦通過互聯網發放，於是減輕了記者和電影業內人士的載重「負擔」，亦達到環保和源頭減廢的目的。

　　另外，不知是今年開始，還是去年開始，康城影展的許多官方項目，例如主競賽、導演雙週、某種觀點的電影節目，都被安排在康城外圍的 La Bocca 新建的 Cineum 多廳影院放映。非常明顯，康城大會和市政府有意把影展的規模進一步提升，連帶把整個城市的地產和領地作更大的發展。過去數十年絕少看到的樓宇拆卸景象出現了，馬路上也可以看到不少修路工程用大幅的明星或導演照片遮掩。

　　其實，以影展目前的規模，已經大得有點兒過份。要 expand（擴展），當然要資金，但康城大會又不像資金和贊助非常豐裕。過往送給影評人／傳媒人人手一冊的電影節場刊，現在請各位掏腰包自行購買。過往免費送出的製作精美的手挽包

包，今年也付諸闕如。試問如此節儉慳皮，純粹是為了環保和政治正確的議題嗎？

說到 politically correct（政治正確），康城沿用數十年的 Quinzaine des réalisateurs（導演雙週）突然變了 Quinzaine des cinéastes（電影人雙週），似乎又是女性平權的傑作。法文中的 réalisateur（導演）是男性，女性是 réalisatrice，而 cinéaste 是中性的。但問題是 cinéaste 的意思可以是電影工作者，或者是電影愛好者，卻不一定是指電影導演，這似乎有違法國電影導演會（La société des réalisateurs de films）創辦「導演雙週」的初衷。不過，原來 SRF 已經正名為 La société des réalisatrices et réalisateurs de films，即「法國女性導演及男性導演會」。女性主義的泛濫，簡直令人啼笑皆非！怪只怪，當初創造及修訂法文文法和詞彙的學者，為甚麼要把事事物物都要分男性、女性，如果是中性，不就天下太平了嗎？！

無可否認，以我個人的經歷和認知，今屆康城影展的選片以至評選結果，都向左膠大愛主義所一向推崇，以至推波助瀾的女性平權、女性主義等等被認為是政治較為正確的取態傾

斜，已經到了非如此無法拿獎的局面（見拙文《第 77 屆康城影展現況報道》）。只是，我們必須明白「物極必反」的道理。今屆康城影展圓滿閉幕之後，馬上就是歐洲議會選舉。這次選舉結果讓我們看到歐洲極右勢力的抬頭，相信很大程度是回應「過左」思潮和「政治過於正確」的一種本能反應。展望未來，全球即使不爆發大型戰事，在意識形態方面的紛爭亦會令國際社會不得安寧。

2024 年 6 月 14 日定稿